"Записки безумной оптимистки"

«Прочитав огромное количество печатных изданий, я, Дарья Донцова, узнала о себе много интересного. Например, что я была замужем десять раз, что у меня искусственная нога... Но более всего меня возмутило сообщение, будто меня и в природе-то нет, просто несколько предприимчивых людей пишут иронические детективы под именем «Дарья Донцова». Так вот, дорогие мои читатели, чаша моего терпения лопнула, и я решила написать о себе сама».

Дарья Донцова открывает свои секреты!

Читайте романы
примадонны иронического детектива
Дарьи Донцовой

Дарья Донцова

Гадюка
в сиропе

Москва
ЭКСМО
2004

ИРОНИЧЕСКИЙ ДЕТЕКТИВ

ГЛАВА 1

Я проснулась от того, что луч света пробежался по лицу. Ну надо же, забыла закрыть занавески, а окно моей спальни смотрит прямо на восток. Интересно, который час? Ясно, что семи сорока еще нет, потому что именно без двадцати восемь раздается омерзительный звон будильника, и приходится вскакивать, чтобы разбудить своих. Домашние ненавидят рано вставать и норовят поглубже зарыться в подушки, когда слышат крик: «Подъем!» Поэтому и будильник поставлен на такое странное время — 7.40. Дети вычислили, что 7.45 — уже поздно, а 7.30 — слишком рано. Можно еще десять минут сладко похрапеть.

Со вздохом я вытянула левую руку и принялась шарить на тумбочке, нащупывая крохотный складной «Кассио», подарок Кирюши на Новый год. Но вместо привычной полированной поверхности под пальцами была пустота, и я открыла глаза.

Перед моим взглядом возник огромный бело-голубой шкаф с позолотой, обои, смахивающие на шпалеры петергофских дворцов, и здоровенная фигура из мрамора — тучная дама, держащая в жирной руке абажур, у ее целлюлитных ног пристроилась крошечная каменная собачка...

Секунду я обалдело разглядывала этот «пейзаж», потом вспомнила вчерашние события и села. Я не дома, более того — какое-то время проведу тут, в чужой квартире. Впрочем, начну все по порядку.

Меня зовут Евлампия Романова, Евлампия Андреевна для тех, кто любит обращаться по отчеству. Живу я вместе со своей подругой Катей, по странному совпадению носящей ту же фамилию. Мы не родственницы и не имеем никакого отношения к царскому роду, просто очень близкие подруги. Родные сестры частенько не ладят между собой, деля родительское внимание. Нам выяснять отношения нет никакой причины.

Почему я, имея собственную квартиру и дачу, поселилась у Кати — особая история, вспоминать ее нет никакой необходимости. Просто раньше, до встречи с ней, я была замужем за богатым бизнесменом Михаилом и откликалась на имя Ефросинья, данное мне родителями. Но в один прекрасный момент устоявшийся уклад жизни рухнул. Михаил оказался уголовным преступником, убийцей, и сейчас отбывает срок в зоне где-то в Коми, точно не знаю, мы развелись, и никаких теплых чувств к бывшему супругу в моем сердце нет. Детей у меня никогда не было, впрочем, работы тоже. Любящие родители с детства готовили меня к артистической карьере. Я закончила сначала музыкальную школу, а потом консерваторию по классу арфы. Крайне «нужный» инструмент в современном мире — с ним даже не пойдешь подрабатывать лабухом в ресторан.

Ну представьте такую картину: какой-нибудь кабак или ночной клуб, а на сцене арфистка, вдохновенно нащипывающая жалобно стонущую арфу. Да разъяренные посетители зашвыряют исполнительницу куриными костями и столовыми приборами... Сборных концертов советских времен, когда на сцену вперемежку выходили оперные и эстрадные певцы, чтецы, танцоры, теперь нет. Малочисленные места в симфонических оркестрах давным-давно заняты, оставалось лишь заниматься сольными выступлениями. Но господь не дал мне таланта, отсыпав сверх всякой меры усидчивости и послушания. Играть на арфе я выучилась лишь благодаря редкой трудоспособности. Правда, гениальный Рихтер говорил: «Талант — это, конечно, хорошо, но у музыканта должен быть железный зад». У меня он, наверное, был чугунный. Во всяком случае, просиживала я за инструментом по шесть-восемь часов в день, но толку было чуть. Освоив техническую сторону вопроса, я не сумела ни разу поймать вдохновение. Пальцы автоматически перебирали струны, но душа в этом процессе не участвовала. Контакта с залом не возникало, успеха я не имела и бросила заниматься музицированием, выйдя замуж.

Кстати, родители дали мне имя Ефросинья, но, чтобы полностью порвать с прошлым, я решила называться Евлампией. Честно говоря, новое прозвание пришло на ум как-то сразу, может, следовало сначала подумать, рассудить и стать Таней, Машей или Леной. Но сделанного не воротишь, и я теперь вынуждена откликаться на... Лампу.

У Катюши я веду домашнее хозяйство: готовлю, убираю, стираю, воспитываю ее младшего сына Кирюшу и периодически гашу скандалы, которые устраивает его старший брат Сережка своей жене Юлечке. Еще в доме тучами роятся домашние животные: собаки, кошки, хомяки... и не менее многочисленные гости и родственники.

Многие женщины моментально бы заработали невроз, стоя день-деньской у плиты, а вечер у мойки с грязной посудой. Но я счастлива и искренне считаю мальчиков своими сыновьями. Да и занимаюсь ими больше, чем Катя, ей просто некогда. Она великолепный хирург, вдохновенно оперирующая щитовидную железу. Таких специалистов в России — раз, два и обчелся. Больные стоят к Романовой в очередь, приезжают не только из бывших союзных республик, но и из Германии, Франции, Италии. Хитрые иностранцы хорошо умеют считать деньги и понимают: мадам Романова сделает операцию первоклассно, а по затратам выйдет на порядок меньше, чем дома.

Катюша просто не способна отказать страждущим и порой проводит в день по три операции, частенько оставаясь потом в отделении до ночи.

Так что, когда я пришла в их безалаберный дом, там ели пельмени, сосиски и яичницу, а в качестве апофеоза кулинарии готовили в выходной суп «Кнорр». Но только не подумайте, что Катюша ленива, ей просто некогда... Поэтому хозяйство в этой семье стала вести я и распоряжаюсь всем — деньгами в первую очередь. У меня есть такая большая серая тетрадка, где я пытаюсь планировать траты. Ну, например. Приход — пять тысяч, расход — шесть. Как ни стараюсь, концы не хотят сходиться. Чего я только не предпринимала — делила деньги на кучки, каждую заворачивала в отдельную бумажку и писала сверху: «Еда с 7 по 14 февраля», «Питание с 15 по

22 февраля...». Но потом Кирюшка рвал брюки, у Сережки портилось зажигание в машине, Юлечке требовались колготки, а собаки, «удачно» наевшись отбросов у помойки, должны были пить левосульгин по цене двести рублей за три таблетки... Приходилось влезать в следующую неделю...

Поняв, что «кучкообразная» система не проходит, я применила «баночную». Купюры разложила по стеклянным емкостям из-под кофе и запрятала в разные места, наивно полагая, что, если процесс поиска денег затянется, они окажутся целее... В результате две тысячи рублей испарились вместе с банкой. Я перерыла шкафы, комод, диван, но так и не нашла столь надежно спрятанную «захоронку».

Вся моя жизнь — борьба за уменьшение расходов и увеличение доходов. Но в конце концов в этой битве я потерпела сокрушительную неудачу. Что только я не придумывала: меняла рубли на доллары, немецкие марки, а один раз даже на японские иены... но все равно через день-другой приходилось бежать вновь в обменный пункт и совершать обратные операции. Все это очень напоминало анекдот о голодных чукчах, которые вечером сеяли картошку, а утром ее выкапывали, потому что очень кушать хотели.

Правда, пару раз мне самой удалось заработать, но наш бюджет строился не на этих редких и случайных суммах. Впрочем, и Катюша, и Сережка, и Юлечка пытались принести побольше, но... Именно желание заработать хорошие деньги и привело к тому, что сейчас я тоскливо разглядываю чужую вульгарно-дорого обставленную комнату. Справедливости ради следует сказать, что у меня есть большая дача и коллекция картин русских живописцев. И то, и другое осталось в наследство от моих родителей. Но дачу в Алябьеве мы не собираемся продавать, там так чудесно всем жить летом, а о том, чтобы отнести на аукцион хоть одну из картин, не хочет слышать никто из моих домашних. Не мы собирали, не нам и продавать, останется детям и внукам.

Вчера, в понедельник, Катерина улетела в Майами. Американцы пригласили ее на год поработать в отделении, специализирующемся на операциях щитовидной железы. Оклад предложили такой, что она вначале решила, будто факс просто ошибся и припечатал лишние нули. Но телефонные разговоры развеяли ее сомнения.

Кирюшка, естественно, отправился вместе с матерью. Катюша, не желавшая расставаться с Сережкой и Юлей, поставила американцам условие: старшему сыну двадцать пять лет, но он вместе с женой тоже едет в Майами. Главный врач клиники настолько хотел заполучить классного специалиста, что моментально согласился и даже нашел Сережке работу в дизайнерском агентстве. Наверное, это оказалось непросто сделать, но принимающая сторона скорей всего привыкла к капризам великих хирургов. Во всяком случае, когда Катерина заявила, что собаки: мопсы Муля и Ада, стаффордширская терьерица Рейчел — и кошки Клаус и Семирамида тоже едут с ней, американцы не стали возражать, только попросили оформить ветеринарные свидетельства.

В понедельник я, обливаясь слезами, обнимала их у стойки таможенного контроля.

— Цирковые актеры? — поинтересовался пограничник, разглядывая клетки с животными.

Потом пластмассовые клетки погрузили на тележку, и Кирюшка поехал на паспортный контроль. Обернувшись, он крикнул:

— Лампушечка, любимая, не скучай, только год пройдет, это быстро.

Я покорно закивала головой: конечно, быстро. Кирюша показал пальцем на свою курточку и хихикнул. Я вздохнула. В глубине кармана сидит строго запрещенная к ввозу в Америку жаба Гертруда... Проводив их, я вернулась домой и походила по пустым комнатам. Сердце тяжело сжалось — никто не вопил: «Лампа, есть давай!» или «Лампец, погладь рубашку»... Не играли собаки, не мяукали кошки, не орали телевизоры, не шумел Кирюшка, не возмущалась Юля, и не пел в туалете Сережка. Как иногда мне хотелось тишины, но теперь, когда покой наконец наступил, он мне решительно не понравился. Впрочем, уже вечером мне предстояло, заперев квартиру, отправиться к месту работы.

Да, Катюша предлагала мне просто переждать год.

— Лампушенька, — говорила она, — с деньгами теперь проблемы нет. Будем посылать тебе с оказией.

Но я пришла в настоящий ужас. Остаться одной, в пустой квартире! И потом, всю свою жизнь я сижу за спиной у кого-то. Сначала у любящих родителей, потом, когда умер папа, под надежным маминым крылом, затем возле мужа, следом подле Кати... И очень хорошо, что американцы отказались дать мне, незамужней женщине, визу на въезд. Возраст подкатывает к сорока, и пора наконец мне стать самостоятельной.

Несколько дней мы пытались найти для меня достойную работу. Учительница музыки? Переписчица нот? Собачий парикмахер? Агент по продаже недвижимости? Торговка «Гербалайфом»? Ну скажите, чем может в наше время заниматься женщина не первой свежести, не имеющая эксклюзивной профессии?

— Иди в мою школу училкой на продленку, — посоветовал Кирюшка.

— Ну уж нет! — отрезала я. — Я отнюдь не обладаю христианским смирением. А на этом месте требуется крайне выдержанный человек, вроде твоей Галины Алексеевны Криворучко.

Наконец Катюша нашла выход.

— Лампуша, — сказала она, — ты читала книги Кондрата Разумова?

Еще спрашивает! Да я обожаю детективы до дрожи и проглатываю все, что появляется на прилавках. Правда, больше люблю женщин — Маринину, Дашкову, Полякову, но и некоторых мужчин читаю с удовольствием, например, Леонова и Вайнеров, впрочем, и томики Кондрата Разумова иногда беру в руки. Хотя многие его романы не очень мне нравятся — плохо заканчиваются, а все герои малосимпатичные люди.

— Так вот, — продолжала Катерина, — у меня лечилась его жена Лена. А сегодня она позвонила с просьбой. Понимаешь...

Конечно, я понимаю, почти все Катюшины больные потом становятся ее хорошими знакомыми и частенько обращаются к хирургу за помощью. У нее записная книжка лопается от номеров телефонов, и она с легкостью решает чужие проблемы.

— Лампа, — обозлилась Катя, — слушай внимательно.

— Да, да, — забормотала я, пытаясь вникнуть в ее слова.

Так вот, супруга модного и преуспевающего литератора пожаловалась ей, что в доме у них настоящий бардак. Горничные, как одна, нахалки и воровки, кухарка готовит дрянь, деньги, бешеные тысячи, которые выдаются на хозяйство, исчезают, как в черной дыре, дети расхлябанны, а гувернантки, вместо того чтобы заниматься их воспитанием, моментально, как только наймутся на работу, начинают строить глазки Кондрату и вертеть перед мужиком полуголым задом. Словом, требуется найти экономку, желательно даму лет сорока, не озабоченную сексуально, честную и деловую, которая твердой рукой наведет порядок. Нет ли у Кати на примете подходящей кандидатуры? Жить надо у Разумовых в квартире постоянно, оклад соответствующий.

— Как раз для тебя! — радовалась Катюша.

— Интересное дело, я не хочу быть домработницей!

— Экономкой, — поправила Катя. — У тебя под началом будут кухарка и горничная, да еще домашние учителя-репетиторы их старшей дочери. Она не ходит в школу.

— Почему?

Катюша пожала плечами:

— Не знаю. Может, здоровье слабое. Впрочем, не хочешь, не надо, но, на мой взгляд, место неплохое.

Поколебавшись немного, я согласилась, и Катерина перезвонила Разумовой.

— Леночка, — защебетала она в трубку, — кажется, я нашла нужную кандидатуру. Зовут ее Евлампия Андреевна. Нет, нет, ей около сорока, просто имя такое. Она мастер на все руки, человек безукоризненной честности. Последний год работала у меня, но я уезжаю в Майами... Рекомендую как себя. Что ты, душенька, ей и в голову не придет соблазнять Кондрата, если уж на то пошло, у нее есть молодой любовник, она с ним по четвергам, в свой выходной, встречается.

— Ну какого черта ты придумала про хахаля! — возмутилась я.

Катюша захихикала:

— Лена у Кондрата четвертая жена. Он очень на баб падок, вот она и волнуется.

— Пусть старых нанимает!

— Во-первых, — веселилась Катя, — многие старухи не прочь развлечься с молоденьким, а во-вторых, какие из них работницы? Нет, наемная сила должна быть молодой, но это чревато нежелательными последствиями. Ну, решайся!

— Ладно, — безнадежно пробормотала я, — согласна.

В понедельник вечером, тщательно закрутив кран газа, вырубив электропробки и поставив квартиру на охрану в милиции, я с небольшим саквояжиком в руках прибыла на место службы.

Дом, где обитал Разумов, сразу давал понять: тут живут обеспеченные люди. На двери подъезда имелись домофон и видеокамера. Внутри, у лифта, сидел консьерж. Да не какая-нибудь трясущаяся от болезни Паркинсона убогая бабка, а бравый парень лет тридцати, в черной форме. Лестница застелена ковровой дорожкой, в лифте сверкает зеркало и пахнет коньяком, французскими духами и отличным куревом.

На пятом этаже было всего две двери. На одной золотом горели цифры 110. Очевидно, Разумов объединил несколько квартир в одну или, разбогатев, отселил своих соседей.

Я нажала на звонок. За дверью, явно железной, обитой дорогой натуральной кожей цвета кофе с молоком, раздалась приятная музыка. Я усмехнулась. Звонок играл «Маленькую ночную серенаду». Интересно, чем так приглянулся гениальный Моцарт производителям мобильных телефонных аппаратов и дверных звонков? Почему именно его музыку они выбирают для услады ушей потребителя? Может, просто никогда не слышали про других композиторов? На мой взгляд, к двери удобнее бежать под «Танец с саблями» Хачатуряна, бодрит и держит в тонусе.

Но у Разумовых не торопились открывать. Серенада длилась и длилась. Наконец откуда-то из-под потолка донеслось:

— Чего надо?

Однако мило и интеллигентно разговаривают в семье литератора.

— Здравствуйте, я Евлампия Романова.

Дверь распахнулась, и на пороге появилась бабища лет пятидесяти, огромная, как русская печь. Подушкообразная грудь свободно колыхалась под безразмерной трикотажной кофтой, длинная юбка почти полностью скрывала ноги, из-под нее торчали лишь огромные тапки с ярко-зелеными помпонами. Волосы красавицы были стянуты в хвостик, лицо серое, а глазки противно-маленькие и хитрые.

— Вы Елена? — ошарашенно спросила я.

— Хозяйка в спальне, — буркнула небесная красавица и, хлопая тапками о голые пятки, тяжело переваливаясь с боку на бок, удалилась.

Я в растерянности осталась стоять в прихожей, но тут где-то далеко послышался дробный стук каблучков, и на меня выскочила тоненькая прехорошенькая девочка лет пятнадцати. Светло-каштановые кудри блестели в свете яркой хрустальной люстры, щеки покрывал румянец, пурпурные губы улыбались. Не девчонка, а статуэточка.

— Ты, наверное, дочка Кондрата Разумова, — ласково сказала я, снимая пальто. — Давай знакомиться. Я ваша новая экономка Евлампия Андреевна. Впрочем, надеюсь, мы подружимся, так что зови меня так, как зовут хорошие приятели, — Лампа. А где твоя мама?

— Очень приятно, — улыбнулась девчонка и подала мне тонкую бледную руку с изящным бриллиантовым кольцом. — Я Елена Михайловна, супруга Кондрата Разумова.

ГЛАВА 2

Вспоминая свое знакомство с хозяйкой, я тяжело вздохнула. В такую идиотскую ситуацию до сих пор я попадала лишь однажды, когда летом столкнулась во дворе с соседом Устиновым. Благообразный, седой, как старая собака, старик вез в коляске крохотную девочку, которой скорей всего не исполнилось и года. Увидев меня, он радостно заулыбался:

— Евлампия Андреевна, смотрите, какая у нас Анечка!

Вспомнив, что у Устинова внучка в прошлом году закончила школу, я приветливо ответила:

— Поздравляю, Петр Михайлович, у вас очаровательная правнучка.

Старик побагровел и процедил сквозь изумительно сделанные протезы:

— Это моя дочь.

Только тут я припомнила, что целый год дворовая общественность сладко сплетничает о сошедшем с ума Устинове, женившемся после смерти супруги на однокласснице своей внучки.

Солнечный квадрат переместился по потолку, и я со вздохом встала. Так, пора начинать рабочий день и знакомиться с обитателями квартиры. Поколебавшись немного возле шкафа, я нацепила черненькие брючки, черненький свитерок и, чувствуя себя Джен Эйр, отправилась на поиски хозяйки.

Лена в огромном кабинете сидела за письменным столом и перебирала какие-то бумажки. Увидев меня, она заулыбалась и спросила:

— Вы всегда так рано встаете?

Мой взгляд упал на красивые старинные часы, висящие на стене, — без пятнадцати десять. Однако если это рано, то во сколько же тут завтракают?

— Наш день начинается около полудня, — объяснила хозяйка, — в двенадцать завтрак, в шесть обед, ужинаем около двадцати трех.

Наверное, в моем лице что-то дрогнуло, потому что она добавила:

— Кондрат страдает бессонницей, может до пятишести утра промаяться, вот день и сдвинут. Мне тоже нет необходимости рано вставать. Я художница и, честно говоря, люблю работать вечером. Ванечке только четыре года, ну а к Лизе ходят учителя на дом.

— Она больна? — поинтересовалась я.

Лена дернула точеным плечиком.

— Елизавета — дочь Кондрата от первого брака, ей тринадцать лет. Маменька ее, наша, так сказать, бывшая супруга, спихнула девчонку отцу, мотивируя свое нежелание воспитывать дочь просто — «не хочу». Вот Лиза и живет с Кондратом, а тот жалеет нахалку и балует безмерно, сами увидите, ее из пяти школ выгнали... Ладно, пойдемте смотреть квартиру.

Комнат оказалось много. Спальня Кондрата примыкала к его кабинету.

— Упаси вас бог, — предостерегла Лена, — что-нибудь тронуть здесь на столе или включить компьютер, муж убить может! А то до вас была дама, страстная любительница «бродилок», поставила дискету и занесла вирус, пропала рукопись недописанного романа, представляете?

— Я не слишком хорошо умею пользоваться компьютером, да и не люблю его, — пояснила я, и мы пошли дальше.

Гостиная, столовая, спальня Лены, детская Вани, комната Лизы, кухня, две ванные и три туалета, в самом конце коридора небольшое, примерно десятиметровое, помещение, отданное мне. Кухарка, горничная и репетиторы были приходящими.

— Наташа, — сказала Лена, входя на кухню, — это Евлампия Андреевна, по всем вопросам обращайся к ней.

Огромная, неопрятного вида бабища молча кивнула, потом грубовато спросила:

— А завтрак-то кто подавать станет? Я его только готовить нанималась, и к двери мне недосуг бегать...

— Сегодня к одиннадцати придет новая горничная, — вздохнула Лена.

— Небось такая же лентяйка, как Светка, — фыркнула кухарка и ядовито добавила: — Вы бы, Елена Михайловна, сразу объяснили девчонкам, что Кондрат Федорович шутит и вовсе не собирается их на самом деле в кровать укладывать.

Лена покраснела неровными пятнами, но тут в кухню вошла полненькая девочка в пижамке с Микки-Маусами и капризно протянула:

— Мне не подали в постель какао.

Наташа отвернулась к плите и принялась демонстративно помешивать ложкой в кастрюле какое-то варево. Лена сурово глянула на падчерицу:

— Новая горничная придет только к одиннадцати, так что придется подождать с завтраком. Впрочем, можешь сама себе налить!

Лиза кивнула, подошла к сушке, вытащила огромную синюю чашку, украшенную картинкой с Гуфи, и спросила:

— Где стоит какао?

— В шкафу, — кивнула Наташа.

Лиза вытащила желтую коробку с изображением зайца Квики и поинтересовалась:

— Сколько сыпать?

— По вкусу, — весьма нелюбезно ответила Наташа.

— А это сколько? — не успокаивалась Лиза.

Лена вновь покраснела, и ее детское личико приобрело злое выражение. Мне стало понятно, что супруге Разумова хорошо за двадцать, а вернее, ближе к тридцати. Обманчивое впечатление тинейджера создает субтильная фигурка и тоненький звонкий голосок. К тому же сейчас, когда мы стояли на кухне, ярко освещенной утренним солнцем, было видно, что лицо хозяйки покрывает ровный слой косметики, светлый тон и нежно-коричневые румяна. Макияж был сделан искусно, но меня поразил тот факт, что он нанесен так рано. Кстати, и ее волосы блестели как-то подозрительно ярко, наверное, напомаженные парикмахерским воском.

— А какой у меня вкус? — не успокаивалась Лиза.

— Три чайные ложки, — пробубнила Наташа.

Девочка насыпала гранулы и продолжила допрос:

— Теперь чего?

— Воды долей, — велела кухарка, потерявшая всяческое терпение. — И пей с наслаждением.

Лиза открутила кран и хотела сунуть кружечку под струю.

— Боже, — простонала Лена, отняла у нее чашку, взяла чайник, наполнила «Гуфи» и велела: — Иди к себе.

— Спасибо, — сказала Лиза и, осторожно неся кружечку в вытянутой руке, ушла.

Мы с Леной вернулись в кабинет, и хозяйка сказала:

— Значит, все, вы приступаете. Слава богу, а то у меня от домашних забот голова кругом идет!

Потом она секунду помолчала и выпалила:

— Видали, какой спектакль устроила Лизка? Вот уж актриса погорелого театра! А все потому, что какао с утра ей не подали. Избалована сверх всякой меры. Я пробовала ее приструнить, но Кондрат любит дочурку. Он не понимает, что только хуже ей делает, когда потакает во всем.

Я промолчала. Наверное, не слишком прилично прислуге обсуждать членов семьи, пусть даже и с хозяйкой дома. Только мне показалось, что Лиза не кривлялась, она на самом деле не знала, как разводят какао. Да и откуда ребенку это знать, если ему все подают?

Через неделю я совершенно освоилась и разобралась в ситуации. Бардак в доме и впрямь царил немыслимый. Кухарка Наташа готовила плохо, еда у нее то пригорала, то оказывалась практически несъедобной. К тому же наглая баба уверяла, что у Разумовых в день уходит две пачки сливочного масла, бутылка растительного и килограмма три мяса, это не говоря о деликатесах типа осетрины, шоколадных конфет и кофе. Домой кухарка уходила поздно вечером с набитой кошелкой.

Я терпела до четверга, потом не выдержала и спросила:

— Наталья, что у вас в сумке?

— А вам какое дело? — окрысилась повариха.

Но я уже вытаскивала из торбы примерно полкило карбоната, приличный шматок мяса и баночку икры.

— Тебе чего, больше всех надо? — подбоченилась Наталья. — Твое, что ли, беру?

Я окинула взглядом ее неряшливую фигуру и железным тоном отрезала:

— Вы уволены.

Потом припомнила прочитанные в юности романы Голсуорси и добавила:

— Без рекомендации и выходного пособия. И скажите спасибо, что я не обращаюсь в милицию по факту воровства.

— Да пошла ты! — гавкнула кухарка и убежала.

Пришлось самой стать к плите. Без лишней скромности признаюсь, что моя стряпня пришлась Разумовым по вкусу. Даже молчаливый Кондрат, съев одну тарелку мясной солянки, попросил добавки и сказал:

— Ленусик, наконец-то тебе удалось найти человека, который готовит, как моя мама.

Новая горничная Марина не понравилась мне еще больше, чем кухарка. Во-первых, девица без конца курила на кухне, и ей приходилось по пять-шесть раз повторять одно и то же. Она весьма неаккуратно убирала комнаты, тщательно моя середину и расталкивая пыль по углам. Но это не главное. Основное, что вызвало мое здоровое негодование — это ее наглое поведение. Два дня Марина прислуживала за столом в брюках. В среду нацепила мини-юбку и водолазку-стрейч, но, когда она в четверг появилась в столовой с супом, у меня просто отвисла челюсть: наглая девчонка влезла в кожаные шортики, нет, мини-трусики, два крохотных кусочка черного цвета, из которых вываливались наружу весьма аппетитные ягодицы, колготок она не носила. Сверху на ней была ярко-красная жилетка, застегнутая на две пуговицы. Руки обнажены, а из выреза выпадала большая грудь, размера четвертого, не меньше, что было особенно пикантно, если учесть небольшой объем бедер и осиную талию. Впрочем, при виде «рокерши» рты разинули и остальные члены семьи, только четырехлетний Ванечка спокойно возил ложкой по скатерти. Лена побагровела, а Кондрат хмыкнул. Глаза писателя маслено заблестели, и он пропел:

— Деточка, какой там у тебя супчик?

— Куриный, — прошептала Марина и, подойдя к хозяину, невзначай прислонилась к нему крутым боком. — Лапша...

— Наливай, — велел Кондрат и покосился на девчонку.

Та улыбнулась.

Лена побагровела, но ничего не сказала. Я же вошла после обеда на кухню и велела:

— Спасибо, Марина, но мы в ваших услугах больше не нуждаемся.

Девица попыталась сопротивляться, но я была непреклонна и, выдав ей конверт с месячным содержанием, выставила нахалку за дверь.

Таким образом, в четверг вечером я, разогнав прислугу, осталась на хозяйстве одна.

Честно говоря, без помощников оказалось трудно. В доме постоянно толклись гости, бесконечные подруги Лены, друзья Кондрата... Где-то около десяти вечера все усаживались за стол. В этом доме не ложились спать раньше часа. Даже четырехлетний Ванюша успокаивался только к полуночи. Его няня, приятная женщина лет пятидесяти, Анна Ивановна, пару раз со вздохом говорила:

— Ну как тут режим соблюсти, если отец его из кроватки выхватывает и к гостям тащит!

Анна Ивановна мне понравилась. Впрочем, няня не лезла в домашнее хозяйство и на кухне появлялась редко. Ванечку я тоже почти не видела.

Кондрат до безумия любил детей. Каждый день на Лизу проливался дождь подарков — шоколадки, мягкие игрушки, книжки, комиксы, чипсы... Получал свою долю и Ванюшка. Более того, каждый вечер, ровно в семь, они с Кондратом играли в войну. Носились по коридорам и комнатам с игрушечными пистолетами и ружьями. Увидав эту забаву в первый раз, я испугалась. Оружие выглядело и гремело, как настоящее. Безумие длилось минут сорок, потом Ваня победил, а Кондрат ушел в кабинет. Писал литератор днем, с часу до шести. И, следует отметить, трудился он упорно, ваял по десять страниц ежедневно и никогда не начинал гулянок, не закончив норму.

Лена целый день пропадала невесть где. Являлась домой только к десяти-одиннадцати. Она действительно была художницей и таскалась по выставкам, вернисажам и презентациям. Возле ее спальни была оборудована небольшая мастерская, и я входила туда, чтобы вытереть пыль. С первого раза мне стало понятно, что Лена не слишком работоспособна. На мольберте стоял незаконченный пейзаж, и ни в среду, ни в четверг, ни в пятницу на нем не прибавилось ни листочка. Впрочем, Лена не была противной или грубой. Просто пофигистка, любящая комфорт и удовольствия. Будь она женой простого инженера, в квартире у нее небось царила бы дикая грязь, а гора неглаженого белья упиралась бы в потолок. Но судьба подсунула ей на жизненном пути богатого Кондрата, и в доме убирали, готовили и подавали чужие, наемные руки. Да, она была ленива и глуповата, но казалась доброй и безалаберной. Денег не считала совсем, и, когда я поинтересовалась: «Сколько вы тратите в неделю на питание?» — Лена вытаращила от удивления глаза:

— А сколько надо?..

— Но ведь не все же свои доходы? — попыталась я добиться истины.

Лена пожала плечами:

— Не знаю.

— Что вы делаете, когда деньги заканчиваются? — обозлилась я.

— Беру у Кондрата еще, — спокойно пояснила Лена.

Я отступила, но тетрадь для записи расходов завела. В пятницу попробовала было показать ее хозяйке, но та отмахнулась:

— Евлампия Андреевна, мне это неинтересно, только скажите, когда сумма на хозяйство закончится!

Я вздохнула. Неудивительно, что они тратят бешеные деньги. Гигантские суммы у Разумовых уходили не только на жратву. Репетиторы, посещавшие Лизу, брали все, как один, по десять долларов за академический час. Ходило их пятеро — математик, «русалка», немка, географ и историк. Я так и не поняла, почему Лиза не посещает школу. На вид она казалась здоровой, обладала отменным аппетитом. Существовала только одна странность. Высокая рослая тринадцатилетняя девочка была на редкость инфантильна. Она читала комиксы про летающих пони, самозабвенно играла в Барби, смотрела мультики про кота Леопольда. Еще Лиза ничего не умела. У меня нет большого опыта общения с детьми, до сих пор я имела дело только с Кирюшкой. Но мальчик был занят весь день под завязку школой, уроками и секцией бодибилдинга. Потом, он умел варить пельмени, убирал, правда весьма неохотно, квартиру, гулял с собаками и в случае необходимости мог обойтись без взрослых. Ему бы и в голову не пришло просить: «Подайте чай» или «Намажьте бутерброд». За подобные просьбы можно было получить щелбан от старшего брата и гневный возглас Юли:

— Инвалид, что ли? Сам сделай!

Лиза же не умела ничего, она даже не научилась заваривать чай. Домашние учителя не задавали ей уроков, спортом девочка не занималась, подруг не имела и в свободное время раскрашивала картинки или играла на компьютере в игрушки, предназначенные для шестилетних детей. Ее комната просто ломилась от самых разнообразных прибамбасов — одних плюшевых зайчиков я насчитала около двадцати. Мне, привыкшей жить с животными, было странно, что в огромной квартире Разумовых нет никакого четвероного любимца. Ни кошки, ни собаки, ни хомячка, даже рыбок тут не было.

В пятницу вечером я твердо знала две вещи. В этот дом следует нанять домработницу, и искать ее я стану не в специализированной фирме, а по знакомым. Пусть без особых рекомендаций, медицинского образования и знания иностранного языка, просто женщину, которая потеряла основную работу и мечтает получить хоть какое-нибудь место. Я уже совсем хотела отправиться в субботу домой за Катюшиной записной книжкой, как случилось событие, разом изменившее все.

Как всегда ровно в семь, Ванюшка, напялив шлем, выскочил в коридор и завопил:

— Папа, прячься!

Анна Ивановна, использовавшая игру в войну как повод для заслуженного отдыха, привычно отправилась на кухню вкушать сладкий кофе.

— Выходи, Терминатор! — закричал Кондрат в ответ.

— Я сегодня не Терминатор, а большая зеленая Мышь, — возразил Ванька.

— Отлично, — согласился отец и велел: — А ну, Мышь, спасайся, сейчас страшный кот тебя съест!

— Никогда! — счастливо взвизгнул мальчишка.

И они принялись носиться по комнатам и коридорам, оглушительно паля из всевозможного оружия.

— Отвратительная забава, — пробормотала Анна Ивановна, прихлебывая кофеек, — шумная такая.

Я была с ней солидарна.

— Впрочем, — продолжала няня, — мальчикам это необходимо, и очень хорошо, что отец находит время для сына.

В этом случае я тоже целиком и полностью разделяла ее мнение.

В коридоре творилось невообразимое.

— Ага, — кричал Ванька, — сдавайся!

— Как бы не так, — ответил Кондрат. — Коты так просто не сдаются!

— У меня есть новый, антикотный пистолет! — взвизгнул Ванюша. — Получай!

Послышался звук выстрела, немного другой, чем те, что звучали до сих пор, потом второй, третий, четвертый... Следом раздался грохот. Очевидно, Кондрат, изображая смертельно раненного, упал на пол.

— Ага, — завизжал Ваня, — готов кот! Ура! Победа!

Мы продолжали молча пить кофе, слушая, как он, ликуя, твердит:

— Папа, вставай, неси приз. Ну папа, папулечка, поднимайся.

Внезапно мне отчего-то стало холодно. Звонкий голос мальчика дискантом выводил:

— Папа, встань, а-а-а...

Услыхав отчаянный, полный ужаса плач, мы с Анной Ивановной вылетели в коридор и на мгновение остолбенели.

ГЛАВА 3

Кондрат лежал на спине, широко разбросав в разные стороны руки. Его тело занимало почти все пространство от спальни Лены до кабинета. Джинсы задрались, и наружу торчала голая нога, густо поросшая черными волосками. Почему-то при взгляде на беззащитно выставленную конечность мне сделалось совсем нехорошо. Чуть поодаль, возле входа в гостиную, бился в истерике Ваня.

— Анна Ивановна! — велела я железным голосом.

Няня моментально кинулась к подопечному и затарахтела, хватая того на руки:

— Пойдем, Ванюшенька, в детскую.

— Не хочу! — вопил мальчишка. — Папочка, папулечка!..

— Папа устал, — быстро нашлась Анна Ивановна. — Поспит и встанет.

Ванюша всхлипнул и сказал:

— А папочка никогда так раньше не делал.

— Вот сегодня и решил пошутить, чтобы тебя напугать, — пела няня, утаскивая ребенка в глубь квартиры. — Пойдем, сейчас приз дам.

Когда они ушли, я приблизилась на шаг к литератору и спросила:

— Кондрат Федорович, вам плохо?

Но ответа не последовало, не раздалось даже стона или слабой просьбы о помощи. Набравшись смелости, я подошла вплотную, присела на корточки и заглянула в лицо хозяина. Глаза его были странно приоткрыты, правый больше, чем левый, рот скривился на сторону и слегка отвис, подбородок безвольно упал. Но самое страшное не это. На лбу, между бровями, там, где индуски рисуют точку, виднелось небольшое, аккуратное красное отверстие с чуть неровными краями.

Секунду я смотрела на дырочку и наконец поняла — это след от пули. Странно, но крови почти не было.

— Кондрат Федорович, — еще раз, отчего-то шепотом, позвала я, — пожалуйста, пошевелите рукой, если слышите, или моргните.

Но писатель продолжал безучастно лежать на спине. Произошло ужасное: играя в войну, Ваня убил своего отца. Чуть поодаль валялся не слишком большой черный пистолет. Я с опаской посмотрела на него. Горы прочитанных детективов твердо вбили в мою голову основную мысль: на месте преступления лучше ничего не трогать.

Постояв в коридоре пару минут и поняв, что Кондрат не дышит, я потянулась к телефону и призадумалась. Ясное дело, надо звонить в милицию. Но куда? «Ноль два» как-то не хочется. У Кондрата широко известное имя, он много писал о сотрудниках уголовного розыска, впрочем, все менты у него выходили мерзкими людьми, взяточниками, прикрывавшими дела за крупные суммы. Кстати, именно поэтому мне и не нравились его произведения. Дело в том, что у нас с Катюшей есть приятель, майор Володя Костин. Мы тесно дружим и даже ухитрились упросить нашу соседку Ниночку обменяться с Володей квартирой, так что теперь проживаем на одной лестничной клетке.

Так вот, я могу абсолютно авторитетно заявить: майор взяток не берет. А кто не верит, может приехать и полюбоваться на два его обтрепанных костюма и весьма поношенные ботинки... Кстати, и среди его коллег тоже нет сребролюбцев, работают ребята на совесть и страшно возмущаются, листая некоторые романы.

— Очень хочется этому Разумову по шее накостылять, — вздохнул как-то Володя, указывая на яркий томик. — Все-то у него сволочи. Что не сотрудник МВД, то дрянь.

— Не спорю, — влез в разговор другой майор, Слава Самоненко, — есть и такие, но ведь большинство работает честно. Представляешь, как нам обидно!

Я промолчала. До знакомства с ними я черпала свои знания о нашей доблестной милиции исключительно из детективной литературы, и, честно говоря, человек в синей форме не вызывал у меня ни уважения, ни восторга. И, только узнав Костина и Самоненко, я поняла, какие на самом деле бывают сотрудники правоохранительных органов.

Звонить нужно бы только Володе, но завтра ему исполняется сорок лет, круглая дата, почти юбилей. И мы сделали ему подарок — купили путевку в Объединенные Арабские Эмираты, причем на целых три недели. Март — месяц не самый приятный для отдыха, и начальство со спокойной душой отпустило майора, так что он как раз сейчас прилетел в Дубаи и, может, уже нежится на пляже и кадрит хорошеньких туристок, а я стою в чужой квартире возле трупа известного писателя и проклинаю тот час, когда Катюше пришла в голову идея об устройстве меня к этим людям.

Но ведь есть еще Слава Самоненко, он-то на работе.

— Господи! — взмолилась я, тыча дрожащим пальцем в кнопки. — Боже, сделай так, чтобы Славка сидел на месте...

То ли молитва помогла, то ли криминальная обстановка в городе разрядилась, но в трубке бодро прозвучало:

— Самоненко у аппарата.

— Славик, — зашептала я, чувствуя, как к горлу приближаются рыдания, — Славик, тут такое случилось!

Через час в квартире Разумова было полно народа. Кроме оперативной группы, явились еще съемочные бригады «Дорожного патруля» и «Криминальной хроники» и несколько молодых людей с диктофонами. И откуда только узнали! Впрочем, кончина Кондрата — лакомая тема для борзописцев всех сортов.

Славка прошел на кухню, окинул взглядом стройные ряды электроприборов и со вздохом пробормотал:

— Лампудель, можешь чайку сварганить или хозяйка не разрешит?

— Здесь хозяйка та, кто на кухне, — буркнула я и включила чайник. — Лене, то есть Елене Михайловне, все по фигу.

— Где она? — поинтересовался Слава.

Я пожала плечами:

— Сказала, что в тренажерный зал уехала, но мобильный все время сообщает: «Абонент отключен» или «Абонент временно недоступен».

— Где она занимается?

Я вновь пожала плечами:

— Вроде в ЦСКА, там клуб шейпинга. Во всяком случае, квитанции оттуда.

Тут в кухню вошел полный, неизвестный мне дядька и позвал Славку.

Лена явилась лишь вечером, около десяти. Труп Разумова унесли, я вымыла коридор. Ванечка, которому дали успокоительное, крепко спал. Лизе тоже накапали валокордина, и девочка лежала в кровати. Словом, в двадцать два часа в квартире стояла непривычная тишина.

Лена влетела в прихожую, напевая веселенький мотивчик, в руках у нее покачивались коробки с пирожными. Я вышла к двери, не зная, с чего начать рассказ.

Хозяйка повесила курточку и бодро спросила:

— Почему у нас могильная тишина? Где все?

Фраза прозвучала двусмысленно, и я, не удержавшись, ляпнула:

— Кондрата убили!

Лена разинула рот, потом хмыкнула:

— Кажется, до первого апреля еще месяц! Ну и шуточку у тебя, Лампа!

— Ты не понимаешь... — начала я и осеклась.

Странное дело, но мы с хозяйкой вдруг перешли на «ты», а до сих пор она меня иначе, как Евлампия Андреевна, не величала.

Следующий час мы сидели на кухне. Лена безостановочно курила сигареты, а я только удивлялась, глядя в ее побледневшее, но спокойное лицо. Честно говоря, я ожидала истерики, слез, обморока... Даже на всякий случай приготовила валокордин, нашатырный спирт и отыскала телефон их домашнего врача. Но Лена только смолила сигареты одну за другой и молча смотрела в темное окно. Наконец, очевидно, приняв какое-то решение, она отшвырнула пачку и сказала:

— Значит, так. Произошел жуткий, ужасный несчастный случай, и надо постараться, чтобы правда не попала в газеты. Ванька пока ничего не понимает, а когда станет старше? Представляешь, с таким грузом жить — убил родного отца. Мне никогда не нравилась их дурацкая игра в войну, все эти пистолеты... Давно знала, что они опасны... Лампа, ты можешь поговорить с этим Славой? Пусть сообщает журналюгам, что Кондрат покончил с собой. Я заплачу майору за молчание.

Я в изумлении уставилась на хозяйку.

— Но Кондрат...

— Кондрат... — раздраженно перебила меня Лена и налила себе полный стакан коньяка. — Кондрат всегда говорил, что писателя делает скандал. Чем громче орут газеты, тем больше тираж, вот пусть и получит свой последний скандал!

И она выпила залпом.

— Но для самоубийства нужна причина, — попробовала возразить я.

— Ха, — слегка заплетающимся языком пробормотала Лена. — Мне надо Ваньку спасать, а Кондрату уже без разницы. Как ты думаешь, согласится Анна Ивановна вдвоем с ним уехать на Кипр? У меня подруга там школьная. Вышла замуж за киприота, девочку родила.

— Не знаю, — ответила я. — Может, если хорошо заплатишь, хотя сейчас, наверное, с деньгами будет напряженка!

— Ерунда, — отмахнулась Лена. — Главное, Ваньку спрятать. На Кипр въезд без визы. Если няня согласится, утром их отправлю... Лизку в закрытую школу сдам, хватит, намучилась. Господи, знала бы ты, как мне было тяжело! Кондрат такой противный, эгоистичный, себялюбивый, капризный и по большей части просто невыносимый. Лизка — дрянь избалованная, вечное напоминание о прежней супруге! Гости дурацкие, гулянки, да я мечтаю спать ложиться в десять! Я жаворонок, а Кондрат сова! А его мерзкая манера ходить по дому в трусах? А отвратительные сигары? А любовь мыться в пять утра с воплем: «Лена, потри спину!» Боже, неужели все наконец кончилось? Продам эту дурацкую квартиру, куплю небольшую, трехкомнатную, нам с Ванькой хватит, и заживу припеваючи!

— Тебе придется работать, — только и сумела пролепетать я.

— Зачем? — изумилась Лена.

— Как, а деньги?

Вдова расхохоталась и вновь приложилась к коньяку.

— Да у меня столько средств, что на три жизни хватит, а в компьютере лежат двенадцать новых романов. Буду их продавать.

— Кому?

Она опять засмеялась:

— Наивняк ты, Лампа. У Кондрата раскрученное имя, его книги приносят дикие прибыли издателям. Да только скажу, что есть готовые детективы, — очередь выстроится! Я еще цены набивать стану. В «РОМО-Пресс» намекну, что «Альфаиздат» переговоры со мной ведет, а в «Альфаиздате» на «РОМО-Пресс» сошлюсь. Сразу гонорар и возрастет. Нет, с деньгами полный порядок. Да еще за квартиру выручу, джип его идиотский, на автобус похожий, мне не нужен, «Фольксвагеном» обойдусь.

— Значит, ты его совсем не любила, — промолвила я в растерянности.

Окончательно опьяневшая Лена срыгнула и громко произнесла:

— Я его ненавидела и думала, что этот ужас продлится еще много лет.

— Но ты же его ревновала!

— Вовсе нет. Просто не хотела, чтобы какая-нибудь баба увела его из-под носа. Охотниц на богатого муженька много, только деньги должны быть мои.

— Родная дочь Кондрата имеет право на часть наследства!

— Пожалуйста, — хмыкнула она. — Только деньги-то у меня наличными, про них никто и знать не знает. Романы на дискеты сброшу и спрячу. Что останется? Квартира и машина? Половина от всего — моя, а от второй части еще половина Ванина, а уж остаток Лизкин. Вот и помещу наглую девицу в закрытый интернат и буду из ее доли расходы отплачивать!

Я не нашлась, что возразить.

Утром, едва солнце выкатилось из-за горизонта, ко мне в комнату быстрым шагом вошла Лена.

— Извините, Евлампия Андреевна, — сухо и официально заявила хозяйка. — Понимаю, что бужу вас, но мне нужна ясность. Вы будете работать дальше?

Я только хлопала глазами спросонья, плохо понимая, что ей надо. Лена, очевидно, поняла мою заторможенность по-своему, потому что прибавила:

— Мы договаривались на тысячу долларов в месяц, но я буду платить полторы, если вы согласитесь жить здесь и избавите меня от хлопот о Лизе, квартире и готовке. Не бойтесь, толп гостей тут больше не будет.

— Вы вроде собирались продать квартиру, — робко заикнулась я, тоже переходя на «вы».

Лена сжала губы:

— Сие возможно лишь через полгода, только когда я войду в права наследства.

— Но вы хотели отдать Лизу в интернат!

— Девчонка пока останется тут! — рявкнула хозяйка и вылетела в коридор.

Недоумевая, что могло случиться ночью, я вылезла из-под одеяла и отправилась на кухню. Возле стола сиротливо валялся Ванин башмачок. Я подобрала его и понесла в детскую. Здесь меня ожидало неожиданное. Маленькая кроватка была аккуратно застелена, игрушки стояли на полочке.

Я пошла искать Лену и обнаружила ее в кабинете Кондрата, у компьютера.

— Простите, — кашлянула я.

Услыхав мой голос, вдова моментально закрыла файл, но я успела увидеть слова «По локоть в беде» и поняла, что она просматривала новый роман Разумова.

— Что такое? — спросила Лена. — Деньги на хозяйство нужны? Смотрите, они лежат в сейфе, за картиной с зимним пейзажем, шифр приклеен в столе, здесь.

— Нет-нет, где Ваня?

— Отправлен вместе с Анной Ивановной на Кипр, — совершенно спокойно ответила она и, глянув на часы, добавила: — Сейчас как раз взлетают, в девять утра.

Я пораженно молчала. Однако быстро она все устроила: и билет добыла, и отправила в аэропорт...

Лена постучала по столу карандашом и поинтересовалась:

— Все или еще что-нибудь?

Я отступила на кухню и принялась готовить завтрак.

Следующие два дня прошли как всегда. Лена уезжала с утра и возвращалась вечером. Лиза днем занималась с педагогами, а потом играла в компьютер. Гости и впрямь не появлялись. Шикарные, на мой взгляд, слишком пышные поминки устроили в Центральном доме литераторов. Народу собралось уйма, все перепились до свинячьего визга, включая женщин. По-моему, трезвых в зале было всего трое — Лиза, я и Лена. Вдова, одетая в строгое черное платье, сидела во главе стола и не прикасалась ни к чему.

После того как подали горячее, вокруг начались разговоры.

— Говорят, — пробормотала с набитым ртом выкрашенная в неестественно золотистый цвет тетка, — он покончил с собой.

— Прямо в лоб выстрелил, — подтвердил мужик в мятом пиджаке. — Полголовы снес, поэтому и гроб закрытый.

— Чего ему не хватало! — вздохнула тетка. — Денег — море, зарабатывал жуткие бабки, не то что мы, поэты.

— Сейчас время идиотов, — подхватил другой мужчина, в велюровой рубашке, — век быдла. Мы со своими философскими притчами не нужны.

Я внимательно вслушивалась в болтовню. Кто-то ловко запустил безотказную машину слухов. Вокруг обсуждали только самоубийство, никаких других версий не существовало. Лена продолжала сидеть, окаменев от горя, Лиза с детской непосредственностью наслаждалась мороженым. Ловкая, однако, барышня, моя хозяйка. Устроила все, будто волшебной палочкой взмахнула.

Однако в следующую пятницу ситуация вырвалась у Лены из-под контроля. С утра ей позвонил Слава Самоненко и попросил приехать для дачи показаний. Когда к полуночи Лена не явилась, я позвонила Славке домой.

— Да, — пробормотал он шепотом.

У Самоненко трое детей мал мала меньше, и звонить ему в такой час просто хамство.

— Слава, — тоже отчего-то шепотом сказала я, — у нас Лена исчезла, вдова Разумова.

— Ой, боже, грехи мои тяжкие, — вздохнул Славка. — Поспать и то не дадут. Не волнуйся, Лампа, она у нас.

— Где у вас? — изумилась я.

— В изоляторе временного содержания.

— За что?

— За убийство своего мужа, Кондрата Разумова, — пояснил приятель, сладко зевая.

— Не может быть!

— Вот что, Лампа, — вздохнул Славка, — устал я, спать хочу. Приезжай завтра ко мне на работу, все равно тебя опросить надо, там и побалакаем, а сейчас — извини! — И он отсоединился.

Ночь я провела без сна, ворочалась с боку на бок в жаркой постели. Едва дождалась полудня и, усадив Лизу заниматься математикой, понеслась к Славке.

В просторном кабинете на меня обрушился ливень невероятных сведений. Кондрат был смертельно ранен не игрушечной пулькой, не пластмассовым шариком.

— Подумай сама, — внушал майор, — разве такая штука пробьет лобную кость? В худшем случае синяк вскочит. Не спорю, попади кусочек пластмассы в глаз, мог случиться летальный исход, но в лоб?

— Но я сама видела дырку в голове у Кондрата, — прошептала я.

— Дырку! — передразнил Славка. — Вот именно, у ребенка в руках оказалось настоящее боевое оружие.

— Какой кошмар! — пришла я в ужас. — Но мальчик мог себя убить!

— Запросто, — согласился приятель. — Кто-то дал ему пистолет и сказал, что это замечательная игрушка.

— Перед тем как выстрелить, — вспомнила я, — он крикнул, что ему подарили новый револьвер. Но кто мог подложить смертоносную игрушку малышу? Неужели не пришло в голову, что она опасна...

— Тому, кто его вручил, — спокойно пояснил Слава, — хорошо было известно, что отец и сын каждый вечер играют в войну. Они ведь это регулярно проделывали?

Я кивнула.

— Ну вот, — продолжил Слава, — у мальчишки много игрушечных пистолетиков. Не помнишь, кто последний дарил наган?

Я тяжело вздохнула. Легче сосчитать звезды на небе, чем Ванины стрелялки. По-моему, каждый день он получал новинку. Гости в доме не переводились, шли косяком, и каждый тащил подарки для детей. Лизе, как правило, Барби или коробки отвратительно дорогих конфет, Ване всевозможное оружие. Анна Ивановна страшно ругалась, потому что многие из «данайцев» вручали четырехлетнему ребенку совершенно неподходящие штучки. Например, не далее как во вторник он стал обладателем ружья, пуляющего крохотными, но увесистыми шариками. Сначала расшалившийся Ванечка перебил штук десять хрустальных фужеров, а потом случайно попал няне в бок. Анна Ивновна с негодованием демонстрировала на кухне огромный кровоподтек. Естественно, ружье отобрали. Еще у него имелся лук, стрелявший очень острыми стрелами. В среду няня чуть не убила Семена Говорова, того самого ведущего программу новостей на втором канале. Говоров вернулся из Японии и не нашел ничего лучше, как презентовать младшему Разумову нож для харакири, правда, сувенирный, но достаточно наточенный.

— Значит, не помнишь? — переспросил Слава.

Я покачала головой:

— Понимаешь, дверь открывала Анна Ивановна, я же прыгала вокруг кулебяки с капустой, боялась, подгорит. А гости всовывали детям коробки сразу. Лиза хвасталась большим набором с косметикой, Алина Кармен ей привезла, ну знаешь, певица. Лиза мне и показала. А вот кто и что дал Ванечке... Правда, потом на кухню Анна Ивановна притащила несколько пустых упаковок из-под игрушечного оружия...

— Где они? — живо поинтересовался Славка.

Я удивилась:

— Лежат в кладовке. Я никогда не выбрасываю хорошие картонки.

— Почему? — спросил он.

— В хозяйстве пригодятся, потом, у нас Кирюшка вечно что-то мастерил, вот по привычке я и прибрала.

— Рачительная ты, Лампа, и экономная, — с завистью отметил Слава. — Не то что моя Нюся, та все вышвырнет с визгом. А Елена Михайловна когда домой в тот день явилась?

— Часов в десять. Ты ее правда арестовал?

— Задержал, — сухо поправил майор. — Обвинение пока не предъявлено, но за этим дело не станет.

— Да за что?

Славка поморщился:

— Твоя хозяйка ловкачка, думала, концы в воду спрятала, ну просто смешно, небось начиталась мужниных детективов. Но дело-то выеденного яйца не стоит. Знаешь, что у каждого пистолета номер есть?

— Конечно.

— Так вот. Тот, из которого шлепнули Кондрата, зарегистрирован в милиции, все чин-чинарем. Владелец его — Семенов Антон Петрович, к нему претензий нет. Потому как сей господин еще месяц тому назад заявил о пропаже оружия. Украли его, понимаешь, злые люди. Он пистолетик в «бардачке» своих «Жигулей» возил, так сказать, для собственной безопасности. Ну пока в магазин отлучился, машину вскрыли и сперли магнитолу, черные очки, перчатки и «зауэр». Понимаешь?

— Чего же тут непонятного? Из машин часто воруют.

— Ага, — пробормотал Славка, — правильно мыслишь, развелось жулья, рук не хватает всех переловить. Только, видишь ли, дело какое. Этот Антон Петрович — любовник Елены Михайловны Разумовой. И вышеназванная дама многократно жаловалась ему на тяготы семейной жизни, а потом откровенно предложила застрелить Кондрата. Семенов человек пугливый, он моментально отказался, но Елена не успокаивалась, обещая любовнику золотые горы. Тогда он разорвал с ней отношения, и тут пропал пистолет. Ну, чего молчишь?

А что сказать? Неужели Лена могла хладнокровно вложить орудие убийства в руки сына? Ведь она так волновалась за мальчика, что даже спешно отправила его на Кипр. Впрочем, может, потому так и спешила, чтобы убрать ребенка подальше. Не знаю, разрешает ли закон допрашивать четырехлетнего малыша, но Ваня бойкий мальчик, и если Лена и впрямь подарила ему пистолет... Ужас! И что теперь делать мне? Что будет с Лизой? Может, отвезти ее к родной матери?

— Слышь, Славка, — попросила я, — разреши мне поговорить с Леной.

— Зачем?

— Ну, во-первых, у меня на руках крупная сумма, выданная на хозяйство, потом Лиза, опять же, что делать с квартирой? И если ты ее арестовал, наверное, нужно передать пижаму, халат...

— Пижаму! — заржал Славка. — Только не забудь еще и бигуди.

— А что, нельзя?

— Лампудель, передачу можешь отдать завтра. Слева от центрального входа, если стоять к нему лицом, повернешь за угол и увидишь небольшую дверку, туда и принесешь. Только сегодня туда зайди, на список разрешенных вещей взгляни. Впрочем, я могу в кабинете ее покормить и дать сигарет. Хочешь, беги в магазин, тут рядом, приведут не сразу, полчаса есть.

Я кивнула и понеслась в ближайший гастроном.

ГЛАВА 4

Славка оставил нас одних в крохотном кабинетике для свиданий, правда, дверь снаружи он запер, а на окне красовалась частая решетка.

Лена выглядела плохо. Бледное лицо, лихорадочно блестящие глаза, растрепанные волосы и невероятно мятый костюм. Похоже, она спала не раздеваясь.

— Ешь, — велела я и выложила на письменный стол салат в пластмассовой коробочке, кусок копченой курицы, банку «Аква минерале» и три пачки «Вог».

Она схватила сигареты.

— Ешь, — повторила я.

— Не хочу.

— Надо же, а в газетах пишут, что в тюрьмах голодают!

Она пожала плечами:

— Носят жратву какую-то, только я в рот ничего взять не могу. Господи, за что мне это!

Я тактично промолчала и решила свернуть разговор на хозяйственные рельсы:

— Что делать с Лизой?

Лена буркнула:

— Понятия не имею. Позвони ее матери. Телефон найдешь в записной книжке — Сафонова Людмила.

— Потом, деньги на хозяйство...

— Слушай, Лампа, — забормотала хозяйка, — я тут долго не просижу, скоро недоразумение выяснится. Подожди просто.

— Говорят, ты убила Кондрата, — тихо уточнила я.

— Бред, — так же тихо, но четко ответила она. — Бред сивой кобылы! Ну зачем мне было убивать мужа? Посуди сама — все благосостояние от него.

Я молчала. Скорей всего, Лена не помнила, как с пьяных глаз рассказывала про новые романы, деньги и продажу квартиры.

— Он и впрямь мне надоел, — продолжала она, — не скрою, но жизнь жены модного литератора вполне комфортна, согласись!

Я кивнула:

— Еще говорят, что твой любовник уверяет...

— Антон — дрянь, — с яростью произнесла Лена. — Альфонс, жиголо, комнатная собачка! И если б я и впрямь решила пристрелить Кондрата, то никогда не обратилась бы к этому слизню, а наняла бы профессионала, киллера. Поверь, с моими деньгами это нетрудно. Подготовила бы алиби, улетела за границу и, уж конечно, никогда бы не стала впутывать ребенка. Я же не дура! Антона я ни о чем не просила!

— Но зачем ему придумывать такое!

— В этом весь вопрос, — вздохнула она. — Он меня специально оговорил.

Мы помолчали пару минут, потом хозяйка хлопнула ладонью по столу.

— Значит, так! Вечером сюда явится адвокат, и самое позднее к завтрашнему утру я освобожусь.

Потом ее увели. Мы остались со Славкой вдвоем.

— Славик, — попросила я, — можешь сделать так, чтобы мне разрешили жить вместе с Лизой, чтобы ее не отправили к родной матери? Ну представить меня теткой, что ли!

— Ладно, — согласился майор, — так уж и быть, помогу.

Потом он помолчал минуту и сказал:

— Либо сегодня вечером, либо завтра с утра могут прийти с обыском, усекла?

Я кивнула. Все понятно, прямо сейчас вытащу деньги из сейфа и унесу из дома, спрячу в надежном месте, а как только милиция уедет, вновь положу на место. Впрочем, может, Лену завтра уже отпустят...

Но назавтра она не вернулась, я прождала до обеда и позвонила Славке.

— Митрофанов, — рявкнул в трубку незнакомый голос.

— Будьте любезны Самоненко.

— Он в больнице, — коротко сообщил мужик и тут же отсоединился.

Полная дурных предчувствий, я набрала домашний номер майора. Схвативший первым трубку семилетний Рома заорал:

— Тетя Лампа, а папа заболел!

— Дай сюда, — велела мать и зачастила: — Слышь, Лампуша, вот уж не повезло, аппендицит скрутил. То-то он жаловался, что бок все время болит. Ночью по «Скорой» своолокли в Боткинскую и соперировали. В реанимации он, туда никого не пускают.

Я повесила трубку и растерянно посмотрела в окно, что делать?

Володя на берегу моря, Славка в больнице, помочь мне некому. Где-то около пяти раздался телефонный звонок. Мужчина, говоривший хорошо поставленным голосом, назвался адвокатом, Филимоновым Игорем Львовичем, и сообщил:

— Елене Михайловне предъявлено обвинение.

— И что? — испугалась я.

— Пока ничего, — спокойно ответил защитник. — Дело будете иметь со мной. Приезжайте, улица Крылатские Холмы, записку передам.

Плохо понимая происходящее, я натянула куртку и крикнула Лизе:

— Скоро вернусь!

Но всегда послушная, слегка апатичная девочка взбунтовалась:

— Не хочу оставаться одна!

— Это еще почему?

— Боюсь!

— Включи телевизор.

— Я никогда не сидела дома одна, — выпалила Лиза и разрыдалась.

Я тяжело вздохнула. А ведь правда. В квартире постоянно кто-то находился, и девочка никогда не оставалась одна.

— Я боюсь, — хныкала Лиза, — в комнате кто-то вздыхает, пол скрипит, боюсь...

— Одевайся, — велела я, — поедем вместе.

Она нацепила курточку и выпалила:

— Я готова.

На улице она уверенно двинулась в сторону гаража.

— Ты куда? — поинтересовалась я.

— Как — куда? — удивилась Лиза. — К машине.

Я посмотрела на нее. Действительно, вот в гараже стоят два роскошных дорогих автомобиля, но мы отправимся на метро. Во-первых, мне никто не давал разрешения на пользование джипом и «Фольксвагеном», а во-вторых, я не умею водить.

В метро Лиза поскучнела и пробормотала:

— Фу, плохо пахнет.

— Обычно, — ответила я. — Как всегда.

— Отвратительно, — настаивала она, потом прибавила: — И никто место женщине с ребенком не уступил.

Мне понадобилась пара секунд, чтобы сообразить, что под ребенком она подразумевает себя.

Игорь Львович оказался приятным мужчиной лет тридцати пяти. Мило улыбаясь, он протянул мне скатанную трубочкой бумажку. Я развернула «маляву» и принялась разбирать крохотные буковки: «Лампа, у меня другой следователь — Митрофанов Андрей Сергеевич, жуткая гнида, пообещал засадить на много лет. У него якобы есть какие-то доказательства мой вины. Не верь ничему и жди меня. Деньги в сейфе за картиной с зимним пейзажем, шифр в ящике письменного стола. Трать на хозяйство, не стесняйся. Бери мою машину. Съезди к этой сволочи Антону, Коломенский проезд, 18, квартира 17, и узнай, сколько он возьмет за то, чтобы отказаться от показаний. Игорю Львовичу можешь доверять. Надеюсь, ты меня не бросишь в тяжелую минуту. Хотя, если убежишь, не обижусь, все друзья лишь до появления первого милиционера».

«А мы и не дружили с тобой, — мысленно попробовала я поспорить с Леной. — Я нанималась к тебе экономкой».

— Где она? — спросила я у адвоката.

— В СИЗО, — ответил тот. — Кстати, вы, наверное, не захотите выстаивать с полной сумкой в очередях, оставьте деньги, у меня есть женщина, которая будет носить передачи.

Я полезла в кошелек и, отдавая ему ворох сотенных бумажек, поинтересовалась:

— Тут Лена пишет про какие-то доказательства ее вины...

Филимонов поджал губы:

— К сожалению, положение вашей двоюродной сестры сложное. Господин Семенов, с которым она поддерживала интимные отношения, оказался человеком нечистоплотным, крутил роман еще с одной дамой, Ангелиной Брит. Своих любовниц он принимал в строго назначенное время, боясь, что они столкнутся, и тогда скандала не миновать.

Но однажды Ангелина пришла в неурочный час и, стоя под дверью, а двери в «хрущобе», где проживает Семенов, сделаны из картона, услышала, что любовник ссорится с какой-то бабой. Сгорая от любопытства, она приложила ухо к замочной скважине и вся превратилась в слух.

— Уходи, — говорил Антон.

— Десять тысяч дам, если согласишься пристрелить Кондрата.

— С ума сошла! Убирайся!

— Пятнадцать!

— Сказал же, уйди!

— Двадцать!

— Послушай, я не пойду на убийство даже за миллиард!

— Идиот! — отрезала дама, и загрохотал замок.

Лина едва успела сбежать по лестнице вниз. Слава богу, Антон живет на первом этаже, и она пулей вылетела во двор. Вслед за ней на космической скорости вынеслась элегантная дама, села в синий «Фольксваген» и укатила.

Ангелина устроила Антону допрос с пристрастием. Мужик все подтвердил.

— Это моя бывшая любовница Лена, жена известного писателя Кондрата Разумова, — пояснил он. — Совсем с ума сошла, явилась нанимать меня в качестве киллера.

— А как следователь узнал про Ангелину? — поинтересовалась я.

— Она сама явилась. Прочитала в «Московском комсомольце», что Разумова арестована, и позвонила в милицию.

Да, похоже, Лена сильно влипла.

Не успели мы выйти на улицу, как Лиза занудила:

— Пить хочу.

— Потерпи до дома.

— Сейчас хочу, купи колу.

— Где?

— В ларьке.

Пришлось раскошелиться на банку. Выдув содержимое примерно наполовину, девчонка выбросила остальное в ближайший сугроб. Я не выдержала:

— Ну зачем? Там же еще осталось!

Она уставилась на меня круглыми глазами.

— Я не хочу больше, нести, что ли, в руке до дома?

— Надо было пакетик сока купить, он меньше.

Девчонка хмыкнула:

— Подумаешь, сто грамм воды вылилось!

— Но банка дороже!

— Мы что, нищие?

В переходе она затормозила у ларька с игрушками и восторженно взвизгнула:

— Ой, какая прелесть! Купи!

Я проследила за ее пальцем, указывающим на плюшевую собачку, и, решив не потакать капризам, категорично отрезала:

— Никогда!

— Почему? — оторопела Лиза.

— Денег нет.

— Как — нет?

— Кончились.

— Почему кончились? — недоумевала девочка.

— Потому что все вышли. Ты что, не знаешь, как деньги заканчиваются?

— Нет, — совершенно искренне ответила она и добавила: — У папы они всегда есть.

— Папа умер, — жестко сказала я. — Нам надо жить по средствам.

— А-а, — протянула Лиза и уточнила: — Значит, не купишь?

— Нет.

Из глаз девчонки полились крупные слезы, но я не дрогнула и всю дорогу до дома слушала душераздирающие всхлипывания. Ужинать Лиза не стала и демонстративно удалилась в детскую. Я решила сделать вид, что ничего не произошло, и крикнула:

— Чисти зубы и укладывайся!

— Не буду, — донеслось в ответ.

Я поставила чайник и вытащила тетрадь для расходов. Трачу не свои, следует аккуратно записывать. Итак, тысяча рублей отдана адвокату на передачу...

— Зубы почищу, только если принесешь собачку, — сказала Лиза, просовывая голову в кухню.

— Бога ради, не чисти.

Она удивилась:

— Ты не настаиваешь?

— Зачем? Твои зубы — тебе с ними и мучиться, начнется кариес...

— И тебе все равно?

— Абсолютно, — заверила я ее. — Мне со своими забот хватает.

— Есть хочу!

— Возьми в холодильнике.

— Дай!

— Извини, я занята.

Лиза разинула рот:

— Чем?

— Своими делами. Думаю, будет правильно, если ты мне сделаешь чай и бутерброды.

— Я тебе? — обомлела она.

— Конечно. Приготовь повкусней и отнеси к телевизору. Закончу писать, и посмотрим фильм.

— Вместе? — вновь остолбенела девчонка.

— Конечно. Попьем чайку, поболтаем.

— Со мной никто не пил чай у телика, — пробормотала Лизавета.

— Да? А вот мы с Кирюшей частенько баловали себя таким образом.

— Кто это — Кирюша?

Решив не вдаваться в подробности, я ответила:

— Мой сын.

— А с кем он сейчас?

— Уехал в Америку со своей матерью.

— Как это? — изумилась Лиза. — Твой сын уехал со своей матерью?

Я оторвалась от расчетов.

— Потом объясню, а сейчас сделай милость, не мешай. Видишь, деньги считаю.

— Ты же говорила, что их нет!

— На игрушки нет. Это на еду.

Лиза обиженно засопела. Я вновь взяла калькулятор, краем глаза наблюдая, как она вытаскивает из холодильника сыр. Потом она несколько раз пыталась привлечь меня к приготовлению еды, вскрикивая:

— Лампа, отрежь масло!

Или:

— Где лежит хлеб?

Но я не поддалась на провокации. Вмешалась только один раз, когда увидела, что Лиза пытается залить пакетик с «Ахматом» чуть теплой водой, а не крутым кипятком.

Примерно через полчаса мы сидели у нее в комнате. Перед нами на тарелочке лежали чудовищного вида бутерброды. Огромные, толстые, кое-как отрезанные кусищи белого хлеба, обмазанные сливочным маслом. Сверху красовались ломти сыра размером со словарь иностранных слов. В качестве украшения Лиза пристроила сверху крохотную веточку увядшей петрушки. И это желание украсить еду тронуло меня до глубины души.

Программа не обещала ничего хорошего, и мы, выбрав кассету про суперумного поросенка, уставились в экран. Лиза радостно хохотала, я улыбалась и пыталась доесть сырно-масляно-хлебную гору. Девочка-то неплохая, только очень избалована и ничего не умеет делать, да и откуда взяться навыкам, если ей до сих пор все подавали.

Около одиннадцати она безропотно умылась и легла. Я отметила, что она сама разобрала кровать, а не призвала меня, и крикнула:

— Спокойной ночи!

В районе полуночи мне захотелось пить, и я пошла на кухню, в комнате девочки раздался вздох.

— Ты не спишь? — удивилась я.

— Нет.

— Почему?

Лиза шмыгнула носом и промолчала. Впрочем, понятно, она привыкла укладываться около часу. Я вошла в детскую и велела:

— Давай спи спокойно.

— Меня папа всегда на ночь целовал, — прошептала она.

Я наклонилась и обняла девочку. Пахло от нее, как от шестимесячного щенка, — молоком, шампунем и чем-то приятным. Вспомнив наших мопсих Аду и Мулю, я вздохнула. Интересно, почему Разумовы не завели животных?

— Спи, детка, все будет хорошо.

Лиза напряженно сопела, потом попросила:

— Спой мне песенку.

— Песенку?

— Да, — прошептала девочка. — Анна Ивановна иногда уложит Ваню и ко мне заходит, колыбельную поет.

Я растерялась. Если чего и не знаю, так это колыбельных. Кирюшка никогда не просил ничего такого. Он любит перед сном поболтать о головоломках и кроссвордах. Вдруг из глубин памяти выплыли слова, и я невольно запела:

— Ай баю, баю, баю, не ложися на краю, придет серенький бычок, схватит Лизу за бочок, баю бай, баю бай...

В полной тишине мой голос звучал словно в соборе, ударяясь о стены. Девочка слегка повозилась в кровати и засопела. Я посидела еще пару минут, гладя ее по голове. Потом, удостоверившись, что мой великовозрастный младенец заснул, ушла к себе.

ГЛАВА 5

Утром я принялась обзванивать знакомых Лены. На свидание в тюрьму пускают не только близких родственников, и мне хотелось найти хоть кого-то, кто пришел бы и поддержал ее. На букве Д я поняла, что предпринимаю зряшные усилия. Реакция у всех была одинаковой. Сначала со мной мило разговаривали, но, лишь речь заходила о Лене и тюрьме, тон собеседников и собеседниц резко менялся. Друзья и подруги невразумительно мямлили о редкой занятости, отсутствии свободного времени. Кое-кто спешно уезжал, кое-кто страшно, просто смертельно болел. Лишь одна дама проявила честность и рявкнула:

— Никогда не звоните в наш дом. Мы с убийцей не хотим иметь никакого дела!

— Почему вы решили, что Лена убийца?

— Вчерашний «Московский комсомолец» читали? Нет? Так поинтересуйтесь! — И она со злостью швырнула трубку.

Я пошла к почтовому ящику, вытащила ворох газет и прочла заметку.

«Сегодня жене известного литератора Кондрата Разумова Елене предъявлено обвинение в убийстве мужа.

— Конечно, она отрицает свою вину, — сообщил нашему корреспонденту следователь Митрофанов, — но думаю, что под тяжестью улик ей придется сознаться. Вина Разумовой будет доказана полностью.

— Значит, вы считаете, что в этом громком преступлении виновата супруга?

— Без сомнений. Она единственная подозреваемая, и более того, у нас полно свидетелей».

Я отложила газету. Странное интервью. Насколько я знаю, никто не может быть объявлен виноватым, кроме как по приговору суда. До приговора любой обвиняемый считается невиновным. Крайне непрофессионально со стороны следователя делать подобные заявления. Но свою роль заметка сыграла. Похоже, что почти все знакомые отвернулись от Лены.

Я упорно продолжала набирать все новые и новые номера и через час знала: нет, не почти все отвернулись от Лены, а просто все, поголовно. Никто не хотел иметь дело с убийцей.

Разговор с матерью Лизы я оставила напоследок. Трубку подняли на пятнадцатый гудок, и хрипловатый голос сонно пробормотал:

— Алло.

— Позовите Сафонову Людмилу Николаевну.

— Я слушаю, — откровенно зевнула собеседница.

Но дрема моментально слетела с нее, как только она услышала про новости.

— Душенька, — запела она, — но я совершенно не могу взять Лизу!

— Почему?

— Во-первых, завтра в час дня я выхожу замуж и улетаю с мужем в свадебное путешествие. Как вы себе представляете медовый месяц вместе с ребенком-подростком?

Я молчала.

— И потом, — продолжала капризно Людмила, — я больше не являюсь матерью Лизы.

— Как это?

— Очень просто. При разводе девочка осталась с отцом. Ей был тогда год. Кондрат не давал мне отступного, пока я не согласилась на отказ от материнских прав.

— Отступного? — не поняла я.

— Дорогуша, — процедила Сафонова, — Кондрат был жуткий бабник, ловелас, любитель юбок. Будучи в браке со мной, он решил жениться на этой мелкой сучке Катьке Вавиловой, вот и предложил мне собирать чемодан. Но я не дура и потребовала отступного и ежемесячные алименты. Кондрат уже тогда печатался и в средствах не был стеснен. А он, в свою очередь, выдвинул условие — дочь остается с ним, причем я отказываюсь от нее официально, иначе денег не даст ни копейки. И что мне оставалось делать? Девочке лучше было у отца, он мог обеспечить ей нужный уровень жизни, а я нищая... Понятно?

Более чем, продала дочь и рада. Шмякнув трубкой о рычаг, я призадумалась: что теперь делать?

Поколебавшись минут пять, я позвонила следователю Митрофанову и нагло заявила:

— Надо поговорить.

— Вы кто? — изумился мужик.

— Близкая приятельница Славы Самоненко, Романова.

— И зачем я вам понадобился?

— Слава в больнице, с аппендицитом.

— Знаю.

— Когда примете меня?

— Да зачем?

— По телефону нельзя, — загадочно сообщила я.

— Приезжайте сейчас, — коротко бросил мужик.

Митрофанов оказался полноватым коротконогим парнем с нездорово отечным лицом. Либо пьет втихую, либо мучается почками. Маленькие глазки терялись под пышными, сросшимися на переносице бровями. Зато на голове волос было мало, и следователь старательно маскировал плешь, зачесывая волосы сбоку. Рот у него был презрительно сжат и напоминал куриную гузку. Словом, Митрофанов мне решительно не понравился. Как и я ему, потому что мужик окинул меня оценивающим взглядом и холодно поинтересовался:

— Чему обязан?

— Разрешите мне свидание с Разумовой.

— Это еще зачем?

Минут десять я уговаривала мужика, приводя те или иные аргументы, но сломался он только тогда, когда дверь в кабинет распахнулась и вошел Леня Меньшов. Я не приятельствую с ним, как со Славой и Володей, но все же знакома.

— Лампа? — удивился Меньшов. — Славка-то в Боткинской, слыхала?

Я кивнула.

— Ты ее знаешь? — поинтересовался Митрофанов.

— Конечно, — засмеялся Ленька. — Это мать Славкиного сыночка.

Митрофанов чуть не упал со стула.

— Мать сына?!

— Да я шучу, — объяснил Леня. — У Лампы дома живут два мопса, вот она Славкиной жене и подарила щенка, Вальтера. А Самоненко совсем с ума съехал, всем рассказывает про «сыночка», фотографии под нос сует. Неужели тебе альбомчик не показывал: Вальтер на диване, Вальтер с мячом, Вальтер спит...

— Показывал, — буркнул Митрофанов.

Короче, через час привели Лену. Следователь демонстративно взял в руки газету, но страницами не шуршал, скорее всего слушал.

Лена выглядела подавленной. Бледность лица перешла в желтизну, и пахло от нее чем-то затхлым, но лицо было аккуратно подкрашено, волосы причесаны. Выслушав про мои разговоры с ее знакомыми и про беседу с Лизиной матерью, она протянула:

— Ну а ты тоже думаешь, что видишь перед собой убийцу?

Я постаралась ответить поделикатней:

— У меня не слишком много информации по данному вопросу.

Внезапно ее глаза наполнились слезами.

— Лампа, клянусь здоровьем, я не убивала Кондрата. Честное слово.

Ее лицо уверенной в себе женщины вмиг превратилось в мордочку несчастного ребенка, потерявшегося в шумной толпе.

— Кто-то подставляет меня, специально оговаривает. Не просила я Антона никого убивать. Мне бы в голову не пришло обратиться к этому слизню.

— Но он говорит...

— Значит, ему заплатили, — уверенно сказала Лена. — Сходи к нему, Коломенский проезд, 18, и потряси за бока.

— Свидание закончено, — быстро подал голос Митрофанов, складывая газету.

Лена схватила меня за руку и быстро-быстро зашептала:

— Слышь, Лампа, все друзья бросили, родственников нет, адвокат балбес, лапки сложил, помоги, съезди к Антону, предложи ему денег.

В комнату вошел конвой.

— Разумова, пошли.

Но Лена не собиралась вставать.

— Все равно освобожусь, тебе заплачу, возьми все деньги в сейфе, только помоги.

— Разумова, двигай, — велел милиционер.

Она встала, дошла до двери, потом обернулась и тихим голосом сказала:

— Если ты бросишь, мне точно каюк. Видишь, как все складывается.

— Вы уверены, что она убийца? — спросила я у Митрофанова.

— Абсолютно, — ответил тот.

— Но...

— Никаких «но».

— Она отрицает!

— Все отрицают...

— Однако...

— Есть еще ко мне вопросы? — рассердился следователь. — У меня дел полно!

Я глянула в его одутловатое, злое лицо. Вопросов нет, господин Митрофанов уже все решил, и сдвинуть с занимаемой позиции его может только нечто экстраординарное, например, признание истинного убийцы. Потому что я верю Лене без всяких оснований, просто так, верю, и все, хотя это, конечно, может показаться странным.

В небольшом магазинчике, купив стаканчик отвратительного кофе и замечательно вкусную булочку с маком, я приняла окончательное решение. Итак, Лиза остается со мной. Девочке просто некуда деться. Я же потрачу все силы, чтобы найти истинного убийцу Кондрата. Ну не верю я в то, что мать хладнокровно дала ребенку боевое оружие. Даже если она ненавидела мужа и имела легион любовников. Ни одна мать не пойдет на такое, побоится, что малыш нанесет вред себе. А Лена искренне любит Ванечку. Да, она замечательная лентяйка, предпочитающая жить в свое удовольствие — спать до полудня, гулять до полуночи. Да, она наняла няню и не занимается мальчиком сама, но сына любит. Я видела, как она обнимает и целует его... И потом, ну зачем ей убивать Кондрата? Я жила в доме и наблюдала ситуацию изнутри. Похоже, что литератор не слишком много времени проводил с женой. Уж не знаю, какие отношения связывали их раньше, но сейчас они были ровные, спокойные, без страсти. Спали супруги в разных комнатах. Ежедневные гости не слишком способствовали романтическим отношениям, но, похоже, обе стороны подобное положение вещей устраивало полностью. Кроме того, скажите, ну кто убивает курицу, несущую золотые яйца? А Кондрат был для Лены именно такой несушкой. Конечно, она говорила про новые романы, спрятанные деньги, огромную квартиру, но...

Но Лена неглупа и отлично знает, что в нашем обществе выгодней быть женой писателя, чем его вдовой. Потому что поклявшиеся в вечной дружбе за поминальном столом люди наутро моментально забудут не только обещания, но и телефон, адрес, да и имя-отчество вдовы. Так, на всякий случай, вдруг и впрямь о чем-нибудь попросит. А уж арест действует как лакмусовая бумага.

У Лены осталась только я. Она наняла меня на работу, заплатила за месяц вперед, и, по-хорошему, я до сих пор являлась ее экономкой. И если хозяйка просит съездить к Семенову, то я просто обязана выполнить приказ.

Уговаривая себя, я дошла до метро и, засовывая в телефон-автомат карточку, наконец призналась самой себе. Да Лена мне просто нравится, и потом, не привыкла я бросать человека в беде, к тому я же обожаю детективы...

— Да, — сказала Лиза.

— Ты не волнуйся, часа через два я приеду.

— Хорошо, — прошелестела девочка.

— Возьми в холодильнике еду.

— Ладно.

Нет, определенно, нужно что-то придумать, Лизавета явно боится оставаться одна.

Дом 18 по Коломенскому проезду давно не ремонтировался. Дверь в подъезд угрожающе раскачивалась на одной петле. Наверное, городские власти не хотят тратить зря средства — пятиэтажка явно предназначена к сносу.

У Семенова в квартире никто не отзывался. Я присела на подоконник и закурила. Тут же распахнулась дверь соседней квартиры, и высунулся парень:

— Чего сидишь?

Я решила не обращать внимания на хамство и вежливо ответила:

— Жду Антона. Не знаете, где он?

Парень вылез на лестницу, почесался и сообщил:

— В табачный ларек двинул, обещался и мне сигарет принесть. Закурить не дашь?

— У меня ментоловый «Вог».

— Отрава, — резюмировал сосед. — Давай, других-то нет!

Он закурил и через секунду загасил сигарету.

— Не понравилась? — ехидно спросила я.

— Жуть, — хмыкнул юноша и ткнул пальцем в окно. — Вон Антошка идет. Надеюсь, купил «Мальборо».

Я проследила за его рукой и увидела высокого, стройного парня в черной куртке, не спеша пересекавшего пустой проспект.

— Ползет, кавалер, — хмыкнул сосед.

— Почему кавалер? — вяло поинтересовалась я, но ответа не услышала.

Откуда-то сбоку, из переулка, выскочила темная машина с квадратным задом и понеслась в сторону Семенова. Не ожидавший ничего дурного, Антон замер как раз посередине дороги. Автомобиль летел прямо на него. Парень рванул к тротуару, но шофер оказался проворней. Раздался глухой стук. Мы смотрели в окно, разинув рты. Взвизгнув на повороте, машина-убийца умчалась на шоссе, возле автобусной остановки осталось лежать тело.

Перепрыгивая через две ступеньки, я вынеслась на улицу и чуть не заорала от ужаса. У Антона просто не было головы. Череп раскололся почти пополам, внутри виднелось что-то тошнотворно-желтоватое, и вокруг медленно-медленно разливалась темно-бордовая, почти черная лужа. В правой руке трупа был блок сигарет. Отметив, что он купил-таки «Мальборо», я завизжала:

— Кто-нибудь, помогите!

Улица начала медленно наполняться народом. Потом приехала милиция. Хмурая женщина лет сорока стала меня допрашивать:

— Номер машины?

— Не разглядела.

— Цвет?

— Вроде черный.

— Марка?

— Не знаю, зад квадратный.

Дама вздохнула и, записав мои паспортные данные, сообщила:

— Вы свободны.

На плохо слушающихся ногах я добралась до метро и, забившись в самый укромный угол, закрыла глаза. Моментально возникла картина: мечущийся по шоссе парень и неумолимо давящая его железка. Я вздрогнула. Это был не случайный наезд, а хладнокровное убийство. На пустой дороге у водителя было полно места для маневра. Может, отказало рулевое управление или тормоза? Но, судя по тому, с какой скоростью шофер покинул место происшествия, подобное маловероятно.

Плохо соображая, я вошла в квартиру и крикнула:

— Лизавета, ты, наверное, есть хочешь?

Девочка вынырнула из кухни и гордо заявила:

— Нет. Я сварила суп.

— Что?!

— Суп, — повторила Лиза, сияя. — Попробуй, я сделала две порции.

Тут только мой нос уловил запах какой-то пищи. На кухне девочка гордо сняла крышку с кастрюльки и сообщила:

— Вот, по-моему, отлично вышло.

Перед моими глазами предстало нечто серо-желто-оранжевое с подозрительно розовыми кусочками.

— Надо добавить сметану, — вздохнула Лиза. — Только ее у нас нет. Ты не знаешь, где покупают сметану?

— В магазине, у метро, — машинально ответила я и, осторожно зачерпнув мешанину ложкой, поинтересовалась: — Из чего супчик?

— Из сосисок, — охотно поделилась секретом Лиза.

— Каких?

— Ну тех, что в холодильнике лежали, — затарахтела девочка и принялась рассказывать.

Собираясь сделать суп, она не знала, с чего начать, и отыскала поваренную книгу. Уяснив, что самое вкусное первое получается из мяса, девчонка кинулась к холодильнику и обнаружила, что говядины нет, только в углу морозильника сиротливо лежала кучка намертво смерзшихся сосисок. В связи со всеми происшедшими событиями я несколько дней не заглядывала в магазины, и наши припасы растаяли.

Решив, что сосиски тоже мясо, Лизок мелко искрошила их и поставила варить, потом положила в кастрюльку картошку, морковку, лук, немного вермишели, гречневой крупы и добавила для пущего вкуса томат-пасту. Первое получилось отменное, жаль, сметанки не хватает, потому что все рецепты заканчиваются одинаково: «Положите в тарелку сметану и подавайте к столу».

Глядя на ее абсолютно счастливое лицо, я смело налила суп в тарелку и стала есть варево, приговаривая:

— М-м, как вкусно. Лизок, у тебя явный талант.

Она скромно потупила глаза и попросила:

— Научи меня заваривать чай, не из пакетика, а настоящий.

— Без проблем, — ответила я и потянулась к жестяной коробке, где хранилась заварка.

В ту же секунду меня осенило, и я удивилась.

— Лизок, а как ты зажгла плиту?

Она вздохнула.

— Ужасно трудно. Крутила, крутила ручки, и ничего. Потом взяла в кабинете зажигалку, подпалила газету и поднесла к горелке. А как ее надо включать?

— Просто, — ответила я. — Поворачиваешь ручку и нажимаешь на эту кнопку. Смотри, раз!

Вмонтированная внутри плиты зажигалка сухо щелкнула, вмиг загорелось веселое сине-оранжевое пламя.

— Ну и дура же я! — искренне воскликнула Лиза. — Второй такой на свете нет!

Я молча наливала воду в чайник, потом все же призналась:

— Знаешь, Лизок, вторая такая дура есть — это я.

— Ты? — изумилась она.

— Еще не так давно я не умела ничего делать, — вздохнула я. — И первый раз разжигала плиту точно таким же «газетным» способом.

ГЛАВА 6

До полуночи мы с Лизой обсуждали нашу будущую жизнь. Потом приняли ряд стратегических решений. Огромные просторы двоим женщинам не нужны. Безумное количество комнат требует такого же безумного времени на их уборку. Поэтому оставляем для жизни мою спальню, Лизину детскую, гостиную, кухню и одну ванную с туалетом. Остальные помещения закрываем, ходить туда без особой надобности не будем. Далее. Отменяем всех репетиторов, и Лиза идет в обычную школу, хватит ей томиться без друзей.

— Кто же меня возьмет? — робко спросила девочка.

— А почему ты училась дома? — поинтересовалась я.

Она горестно вздохнула. Сначала ее отдали в колледж, где девочка благополучно проучилась до второго класса. Но учебное заведение назначило слишком высокую ежемесячную плату и прогорело. Тогда отец отправил Лизавету в американскую скул. Там преподавали коренные вашингтонцы только на своем родном языке и только свои предметы — историю Америки, ее литературу и географию. Через год Кондрат, случайно разговорившийся с Лизой о школе, ахнул. Девочка знала о Драйзере, но ничего не слышала о Лермонтове, более того, писать и читать по-русски она не умела. Схватившись за голову, отец определил дочь в другое учебное заведение. Но писателя, желавшего, чтобы девочка полюбила родной язык, шатнуло в другую сторону, и он пристроил ее в славянский институт благородных девиц. Там ходили в красивых сарафанчиках, учились вышивать, петь, танцевать, слагать стихи. Более того, два раза в неделю преподавали Закон Божий, и приходящий батюшка пугал детей геенной огненной. На время Великого поста из буфета пропадали мясные блюда, и каждый день начинался с молитвы.

Услышав, как Лиза бормочет перед обедом «Отче наш», Кондрат взбеленился и с воплем: «Монашка в нашей семье ни к чему!» — забрал дочь. Устроив Лизавете экзамен, папенька понял, что голова дочурки забита диковинными сведениями. Ребенок мог без запинки назвать церковные праздники, сообщить о муках первых христиан и вышить крестиком собор Василия Блаженного. Вместо русских сказок и книг вообще Лизок читала Жития святых. Таблицу умножения и правописание «жи» и «ши» ребенок не знал. Схватившись в очередной раз за голову, Кондрат отыскал математическую школу, где преподавали по высшему разряду точные науки. Находилось заведение в области, каждое утро Лизавету отвозили на уроки, а в восемь вечера забирали. В лицее имелось все: бассейн, катание на пони, обед из трех блюд, занятия ритмикой... Не было только обещанных глубоких знаний. Уроки длились по тридцать минут, детей старались не нагружать, уделяя особое внимание закаливанию. Зимой и летом их выводили босиком во двор, школьники делали зарядку на свежем воздухе. Следует отметить, что за два года, проведенные в санаторных условиях, Лиза ни разу не чихнула, но таблицу умножения так и не освоила. В лицее, писавшем в рекламном объявлении: «Преподаем математику лучше всех в России», изучение злополучной таблицы начинали в восьмом классе.

Отчаявшись найти для ребенка хорошую школу, Кондрат нанял учителей, и Лиза осела дома.

— А тебя не пробовали отдать в самую обычную, городскую школу? — поинтересовалась я.

— Там по сорок детей в классе и учительница указкой дерется, — повторила явно чужие слова Лиза.

— Случается и такое, — согласилась я. — Вот что, завтра пойдем в ту, где учился до отъезда Кирюшка. Кстати, она рядом, одна остановка на метро, будешь сама ходить.

— Я! — ужаснулась Лиза. — Одна по улицам! Но там кругом насильники! Девочке нельзя без сопровождающего.

— Слушай, — вышла я из себя. — Я живу на свете поболее твоего и до сих пор не встретила ни одного насильника. — Потом помолчала и добавила: — К счастью.

На следующий день, поднявшись рано, мы отправились в Дегтярный переулок. Кирюшкина классная руководительница Людмила Геннадьевна носит прозвище Милочка и полностью ему соответствует, к тому же она преподает математику и обладает настоящим христианским терпением. Во всяком случае, объяснять материал она может бесконечно, разжевывая его до такой степени, что ученикам не остается ничего делать, кроме как глотать поданное.

Мы посекретничали в учительской, потом сбегали к директору, и в одиннадцать утра я унеслась, пообещав Лизе, что зайду за ней около пяти.

Путь мой лежал к свидетельнице Ангелине Брит, столь удачно подслушавшей разговор Лены и Антона. Все в ее показаниях казалось странным. Ну зачем обсуждать проблему убийства в коридоре, возле хилой входной двери? Почему бы не сделать это в комнате, предварительно убедившись, что рядом никого нет. И еще одно, листая телефонную книжку Лены, я наткнулась на фамилию Брит, редкую, совсем не распространенную.

На звонок ответила девица.

— Ангелину можно?

— Слушаю.

— Мне надо с вами встретиться.

— Зачем? — резонно спросила она.

Я секунду поколебалась и решила пока не говорить правды.

— У вас есть знакомые за границей?

— Да, — ответила Ангелина, очевидно, она была не слишком умна. — Женя Фейгенберг в Израиле. А что?

— Она прислала вам посылку. Хочу отдать.

— Класс, — взвизгнула Брит. — Ну, Женька, вспомнила про мой день рождения. Можете домой ко мне приехать? Уж извините, я приболела слегка.

И, испугавшись, что я не поеду к гриппозной даме, она быстренько добавила:

— Ничего серьезного, межреберная невралгия: прыгнула после бани в ледяной бассейн, меня и скрутило.

— Ладно, — изображая недовольство, пробормотала я. — Так уж и быть, давайте адрес.

К дому Ангелина я подскочила, запыхавшись. В моих руках покачивался пакет, изображающий посылку. Недолго мучаясь, я заскочила по дороге в обувной магазин, выпросила коробочку, набила ее старыми газетами, обернула в красивую подарочную бумагу... Суну Ангелине в дверях, небось не станет при мне открывать и пригласит выпить кофейку, а там уж как-нибудь начнем говорить на интересующую меня тему.

Но вышло не совсем так, как я предполагала. Брит, красивая, рослая брюнетка, всплеснув руками, сказала:

— Ну и хлопот я вам доставила! Сначала посылку из Израиловки волокли, а теперь еще и на дом доставили. Хотите кофейку?

Радуясь, что пока все идет по плану, я кивнула, и меня препроводили на кокетливо убранную кухню, всю в рюшечках, бантиках и керамических свинках.

— Садитесь, садитесь, — щебетала хозяйка, включая чайник. — Есть чудесный торт, «Наполеон».

Я расслабилась, но тут произошло непредвиденное. Со словами: «Ну-ка посмотрим, что Женюрка прислала», — Лина быстро содрала с «подарка» хрусткую бумагу, подняла крышку и во все глаза уставилась на скомканные «Мегаполисы».

— Это что? — оторопев спросила она. — У Женьки «крыша» съехала?

— Нет, — ответила я. — Ваша подруга не имеет к этому пакету никакого отношения.

В этот момент чайник, выключаясь, щелкнул, и Лина так и подскочила.

— Ой! Вы кто?

— Евлампия Романова.

— Что вам надо? — испуганно поинтересовалась она. — Кто вас прислал?

— Сама пришла, — усмехнулась я. — Вопрос задать хочу.

— Какой? — неожиданно побледнев, спросила Ангелина.

— Почему вы соврали следователю о том, что подслушали разговор Лены Разумовой с Антоном Семеновым?

Брит помертвела, потом вспыхнула ярким цветом. Неровные пятна поползли со лба на щеки, потом на шею. Так внезапно краснеют женщины от климактерических приливов. Ангелине явно стало жарко, на верхней губе выступили капельки пота, и она судорожно облизнулась. Но ни о каком климаксе не могло быть и речи: девице едва за двадцать, максимум двадцать пять, и она просто жутко испугалась, патологически, почти до обморока.

— Так как, детка? — проникновенно запела я. — Будем говорить правду или поедем на Петровку? Кстати, знаете, что человека, который намеренно обманывает сотрудников правоохранительных органов, крепко наказывают! Это называется на языке Уголовного кодекса «лжесвидетельство», и дают за него ни много ни мало пятнадцать лет.

— Сколько??? — в ужасе залепетала дурочка, никогда не читавшая кодекс. — Сколько???

— Много, — успокоила ее я. — Лучше сразу признаться, тогда просто пальчиком погрозят.

— Кто вы? — наконец сообразила задать вопрос она.

— Частный детектив, нанятый адвокатом Елены Михайловны Разумовой, — спокойно пояснила я, и, увидав, что щеки Лины приобрели цвет снятого молока, добавила: — Так кофейком угостите? Хотя я предпочитаю чай, цейлонский, крупнолистовой.

— Це-цейлонского нет, — пролепетала Ангелина. — Только «Липтон» в пакетиках.

— Ладно, — милостиво согласилась я и сказала: — На ваше несчастье, я докопалась до многого и искренне советую покаяться.

Брит дрожащими руками пыталась открыть пачку, но ногти срывались и елозили по целлофану. Отобрав у нее коробочку, я вытащила два мешочка и, сунув их в чашки, приказала:

— Сделайте кипяток и залейте.

Хозяйка схватила «Тефаль», тоненькая струйка потекла в кружку, меня стало раздражать ее молчание, и я выложила последний аргумент:

— Врать опасно. Вот Антон Семенов солгал, и где он теперь?

— Где? — эхом отозвалась Брит.

— В морге, на цинковом столе с канавками...

— Почему с канавками? — как-то вяло и безучастно поинтересовалась она.

— Ну должна же при вскрытии куда-то кровь стекать, — резонно отметила я.

При этих словах девушка аккуратно поставила чайник и тихо осела на пол, потом легла. Я подскочила и увидела, что она в глубоком обмороке. В первый раз вижу, чтобы люди так теряли сознание, сначала осторожно убрав посуду. Пожалуй, последний пассаж о прозекторском столе был слишком груб. Ругая себя, я открыла сумочку и вытряхнула на табуретку содержимое. Расческа, ключи, пудреница, две конфетки, кошелек, губная помада, ручка... Ага, вот он. Не так давно Кирюшка подарил мне ментоловый освежитель в баллончике.

— Классная штука, — уверял мальчишка. — Намного лучше «Дирола» или «Стиморола». Пшикнешь разок, и во рту «зимняя свежесть». Попробуй, Лампа, ты же куришь!

Дымлю я мало и нерегулярно, но презент с благодарностью приняла и тут же опробовала. Смело скажу, большей гадости в жизни не встречала. Рот моментально наполнялся горькой слюной, и на языке прочно поселялся вкус дешевой зубной пасты. Сразу вспомнилось детство — мама заставляла меня чистить зубы после каждой съеденной конфетки болгарской пастой «Поморин», и весь день во рту ощущался вкус соленого мела.

Освежителем я, естественно, больше не пользовалась, но баллончик невесть зачем таскала с собой. Вот и пригодился!

Нажав на подбородок Лины, я просунула распылитель между ее губами и пару раз нажала на головку. Аромат ментола разнесся по кухне. Девушка заворочалась и села. Наверное, она надеялась, что противная гостья исчезла, а все случившееся — просто дурной сон. Но я была тут как тут. Сидела возле нее на кухонном полу, чувствуя сквозь джинсы ровное тепло, исходящее от кафельной плитки. Надо же, у этой пижонки полы с подогревом!

— Антон умер, — прошептала Ангелина.

— Его убили, — пояснила я.

— Как?

— Задавили машиной.

Брит заплакала, сквозь рыдания начали прорываться слова, складывающиеся в рассказ.

Она работает в газете «Мир литературы», пишет о всяких новинках, берет интервью у писателей.

К Разумовым в дом она была вхожа, несколько раз брала интервью у Кондрата. С Леной знакома шапочно. Знает только, что та — жена Кондрата, и все. Иногда они встречались на тусовках, раскланивались. По телефону разговаривали только один раз, в декабре. Разумов с купеческим шиком отмечал в Доме литераторов свое пятидесятилетие, и мадам приглашала на фуршет. Впрочем, Лена, очевидно, обзвонила всех журналистов, потому что вокруг гигантских столов, заставленных блюдами с рыбой, мясом и плошками с икрой, толпилось много корреспондентов и сверкало софитами телевидение. Кондрат четко уяснил истину — пишущую братию следует подкармливать и подпаивать.

Несколько дней тому назад Ангелине позвонили. Какой-то бесполый голос, не то мужской, не то женский, поинтересовался:

— Хочешь получить пять тысяч долларов?

— Да, — оторопела она. — А за что?

Она не принадлежит к высокооплачиваемым журналистам и постоянно нуждается в деньгах.

— У тебя есть компьютер, подключенный к Интернету, — скорей утвердительно, чем вопросительно заявил говоривший. — Пиши адресок, войди прямо сейчас. Через полчаса перезвоню.

Лина положила трубку и глянула в окошечко определителя, там высветилась только восьмерка, следовательно, звонили из автомата.

Ничего не понимая, она нашла сайт и прочитала задание. Предложение соврать сначала испугало ее — Антона она хорошо знала.

— Откуда? — поинтересовалась я.

Брит вздохнула:

— Мы с ним вместе учились на факультете журналистики.

— Он работал корреспондентом?

Ангелина хмыкнула:

— Угу, внештатным, на гонораре.

— Где?

— Говорил, что везде. Только врал.

— Почему?

— Антон красавчик, — пустилась в объяснения Лина, — смазливенький такой, сладенький, кудрявенький, словом, зефир в шоколаде. А жил он тем, что богатые любовницы дадут. Одна — квартиру купила, другая — машину, третья — мебель... Он офигительным успехом у престарелых баб пользовался. Они его из рук в руки, словно переходящий приз, передавали.

— Да ну? — фальшиво улыбнулась я.

— Вот вам и «ну», — хихикнула Лина. — Могу кучу назвать — Зоя Рашидова, Светлана Булгакова... Только вот Лена Разумова туда никак не монтировалась, сомневаюсь я что-то в ее связи с Антоном.

— Да?

— Антон имел дело только с тетками за сорок, — разоткровенничалась Лина. — Говорил, они более благодарные, чем молоденькие. Многие считают, будто в последний раз в любовные авантюры пускаются, вот и не жалеют денег на Антошеньку. А Лена...

— Ну? — поторопила я ее.

— Поговаривают, будто у нее роман с Юрой Грызловым. Они действительно частенько вместе показывались, обнимались...

Я пожала плечами. Подумаешь, на артистических и писательских сборищах все постоянно обнимаются и целуются, но это еще ни о чем не говорит.

Не успела Ангелина прочитать указания, как вновь зазвонил телефон.

— Я не... — завела девушка.

Но бесполый голос прервал ее, велев:

— Спустись и посмотри в почтовый ящик.

Она покорно пошла вниз, вытащила самый обычный белый конверт без адреса и, вернувшись домой, обнаружила там пятьдесят сотенных, красивых, новых зеленых бумажек, приятно хрустящих в руках.

Опять раздался звонок.

— Особенно не шляйся сейчас, сиди дома, — велел «наниматель». — На днях сообщу, куда идти.

— Я не хочу, — ответила она.

— Тогда положи деньги назад, — приказал голос.

— А если не положу? — хихикнула глупая девица.

— Ты сейчас стоишь у стола, — монотонно сообщил собеседник, — в джинсах и розовой рубашечке, а теперь села на стул, один чулок ковыряешь.

— Вы меня видите, — обомлела Ангелина.

— Как на ладони, — пояснил незнакомец. — Так что баксы не спрячешь. Ладно, позвоню через часок, подумай пока.

Очевидно, «работодатель» хорошо знал Ангелину. Та промаялась шестьдесят минут, вновь и вновь пересчитывая деньги, правда, задернув окна портьерами. Кучка банкнот просто гипнотизировала девушку. Не так давно она влезла в долги, купив шубку из нутрии. Ей, постоянно сталкивающейся с модными литераторами и их расфуфыренными женами, было некомфортно снимать в прихожей довольно поношенную дубленку. Весной и осенью она обходилась черненькой курточкой, благо тинейджерский стиль в моде. Но зимой носить куртешку — это уже не мода, это, простите, нищета. В декабре дама обязана влезть в шубу, желательно, норку или шиншиллу, но и нутрия, на худой конец, сойдет.

Долг тяготил ее ужасно, целая тысяча. И хотя подруга, снабдившая ее необходимой суммой, уверяла, будто подождет с деньгами, Лина чувствовала себя крайне некомфортно. Вообще журналистка, покупая шубку, имела в кармане почти подписанный контракт с журналом «Фам», французским еженедельником, начавшим выходить в Москве на русском языке. Главный редактор хотел сделать серию из десяти интервью, взятых у жен известных писателей. Платить пообещал по сто пятьдесят баксов за материал, и Лина с легким сердцем пустилась в «шубную» авантюру. Но в последний момент договор сорвался, и девица осталась на бобах.

А тут такая сумма! Словом, через час Ангелина испеклась на огне жадности и оказалась полностью готова. Делов-то, уговаривала она себя, розыгрыш какой-то! Ничего не случится, просто так человека не обвинят, начнут, наверное, разбираться. А она отдаст долг и уедет на месяц в Дубай, отдохнуть по-человечески. Ну скажет, в конце концов, что ей показалось! О том, что Антону тоже придется давать какие-то показания, Ангелина не подумала. И потом, Лена Разумова такая противная, еле-еле кивает при встречах и быстро проходит, обдавая запахом французских духов и ослепляя блеском бриллиантов...

Я посмотрела на Лину с жалостью.

— Влипла ты, детка!

— Делать-то что? — всхлипывала собеседница.

Я призадумалась. Ох, сдается мне, что Антон Семенов тоже получил денежное предложение от некоего незнакомца. Только сейчас парень уже ничего не сможет рассказать. Внезапно мои ладони покрылись липким потом. Господи, может, его и убили для того, чтобы не болтал лишнего?

ГЛАВА 7

Встав с пола, я протянула девчонке кухонное полотенце.

— Давай утирай сопли.

Ангелина покорно высморкалась и повторила:

— Так что делать?

— Сейчас поедем к следователю Митрофанову, и ты расскажешь правду.

— Боюсь, — прошептала она.

— Ерунда, — успокоила я. — Не волнуйся, он нормальный мужик, все правильно поймет. Между прочим, на основании твоих «шуточных» показаний Лену Разумову посадили в СИЗО и могут осудить лет эдак на пятнадцать. Ты готова жить с таким грехом на душе, пусть даже за пять тысяч долларов? Уж извини, но, по-моему, сумма маловата. По мне — продаваться, так за более крупные деньги. Кстати, как только Лена окажется на свободе, она тебя отблагодарит, купишь еще одну шубу.

— Мне машина нужна, — тихо пробормотала Ангелина. — В метро надоело, целый день по городу езжу.

— Значит, приобретешь автомобиль, — разрешила я и велела: — Собирайся.

Хозяйка пошла в ванную наводить красоту, я схватилась за телефон. Но следователь не спешил поднять трубку. Наконец я услышала высокий звонкий голос:

— Романова.

— Что? — удивилась я.

— Как — что? — переспросила женщина. — Романова.

— Да.

— Что — да?

— Ну я Романова. Только как вы догадались, что я вам звоню?

Невидимая собеседница звонко рассмеялась:

— Ни о чем я не догадывалась, просто назвалась, это моя фамилия.

— Надо же, — пришла я в полный восторг, — моя тоже. Представляете, как тяжело Ивановым?

Выяснив недоразумение, я попросила Митрофанова.

— Только-только уехал. Звоните в понедельник в десять утра.

— Но мне сегодня надо!

— Ничего не могу поделать. Вернется в понедельник.

Я растерянно положила трубку. Совершенно не предполагала, что майора не окажется на месте.

В кухню вошла причесанная и накрашенная Ангелина.

— Я готова.

— Вот что, поход откладывается до понедельника.

Лина радостно закивала головой. Ишь, как повеселела, узнав, что «смертная казнь» отложена. Еще сбежит за выходные. Сегодня пятница, и впереди у жадной девицы, готовой отправить за жалкие пять тысяч долларов невиновного человека на скамью подсудимых, целых два дня на раздумья. Сейчас я за порог, а она и улетит... Нет, ее следует запугать до последней степени.

— Вот что, котеночек, — проникновенно произнесла я, — имей в виду, выходить из дома тебе нельзя.

— Почему? — удивилась она.

— Человек, убивший Антона, будет теперь за тобой охотиться. Он убирает свидетелей, и ты, моя киска, следующая в очереди к могиле.

— Вы так считаете? — севшим голосом спросила хозяйка.

— Конечно. Так что лучше тихонько пересиди дома. Да еще задерни шторы и на всякий случай не включай свет, вдруг он снайпер.

Девица ринулась к окну и опустила жалюзи.

— Хорошо, — одобрила я. — Значит, так, дверь никому не открывай, в особенности незнакомым мужчинам, за продуктами не ходи и на всякий случай не снимай трубку телефона, пусть думают, что тебя дома нет. Жди меня в понедельник к девяти.

Ангелина трясущейся рукой протянула мне связку ключей.

— Возьмите.

— Зачем?

— Сами откроете, у меня вторые есть.

— Я не поняла, зачем ты мне ключи даешь.

— Я побоюсь даже к двери подойти! Мало ли что!

— В «глазок» посмотришь.

— Нет, боюсь.

Я со вздохом положила ключи в карман. Так даже лучше. На лестнице я с удовлетворением услышала, как за дверью гремят замки, и двинулась к метро. Настроение было прекрасным, даже отвратительная мартовская слякоть под ногами не раздражала. Ну кто бы мог подумать, что все так просто и быстро выяснится? Думается, следователь уже в понедельник отпустит Лену...

Наверное, все люди боятся телефонных звонков, раздающихся глубокой ночью. Ну кто может трезвонить после полуночи? Только если беда или несчастье. Поэтому, когда в четыре утра раздалась звонкая трель, я так и подскочила на кровати. Что еще могло случиться?

— Эй, Лампа, — раздалось в трубке, — у тебя какой размер ноги?

— Тридцать девятый, но вообще надо мерить, — машинально ответила я и тут же заорала: — Сережка, ты откуда?

— Из Майами, — последовал спокойный ответ. — Вот стоим с Кирюшкой в универмаге и мучаемся, какие кроссовки тебе брать.

— В каком универмаге! Ночь ведь!

— Это у тебя, — хмыкнул Сережка. — А тут самый день, другое время.

Если я чего и не могла никогда понять, то как это в Москве час дня, а в Париже одиннадцать утра. Почему?! Только не надо рассказывать про Луну, Солнце и наклон земной оси, осознать сей факт невозможно. Садишься в столице России в самолет, ну, скажем в десять, и прилетаешь в Лондон все в те же десять! Уму непостижимо.

— Эй, Лампец! — кричал Сережка. — А какие ты больше хочешь — на липучках или со шнурками?

— Дай, дай сюда! — завопил Кирюшка и, выхватив у старшего брата трубку, принялся вываливать новости.

Катя работает, Сережа с Юлей тоже, а он, несчастный ребенок, ходит в школу, где преподают на английском, вернее, американском языке. Учителя — уроды, дети — дебилы, в седьмом классе еле-еле читают и решают задачки по арифметике.

— Прикинь, Лампуша, — веселился Кирка, — они про алгебру с геометрией и не слыхивали.

Собаки здоровы, кошки тоже, жаба Гертруда благополучно перенесла полет, но отчего-то впала в спячку, хотя в Майами тепло и они купаются, правда, в бассейне.

— Хорошо вам, — позавидовала я. — Все вместе...

— Небось боишься без животных? — хихикнул Кирюшка и посоветовал: — А ты кошечку заведи. Мне мама Рейчел специально купила, чтобы один дома сидеть не боялся, с собачкой не страшно.

Повесив трубку, я засмеялась. И как только сама не додумалась.

Утром за завтраком я поинтересовалась у Лизы:

— Не знаешь, почему у вас нет домашних животных?

— У папы была аллергия на шерсть, — сообщила она.

— Вот что, собирайся.

— Куда?

— Поедем на Птичку и купим котенка.

— Ура! — завопила Лиза, кидаясь к шкафу.

Всю дорогу в метро мы обсуждали предстоящее приобретение и наконец выработали четкий «портрет» будущего любимца. Во-первых, хотим кота, потому что не желаем потом возиться с котятами; во-вторых, берем того, который понравится, невзирая на породу; в-третьих, он должен быть здоров, с розовыми, чистыми ушками, мокрым носиком и сверкающими глазками...

На рынке мы сначала немного растерялись. Слишком много красивых котят сидело в корзиночках, перевозках и сумках. Но цены! Начинались они с трехсот долларов, и я, захватившая всего тысячу рублей, приуныла.

— Эти мне не нравятся, — прошептала Лиза, ткнув пальцем в роскошный контейнер, где нежилась снежно-белая кошка в окружении пухлых комочков.

«Суперэлита. Матильда Грей де Бурбон, очень дешевые котята, всего 500 долларов», — гласила табличка.

— Мне они тоже не по душе, — быстро подхватила я и уволокла девчонку подальше.

По счастью, ей не показались и безволосые сфинксы, и рыжие персы. Русская голубая выглядела апатично, а сиамская — злобно. Прошатавшись около двух часов, мы сели в кафе.

— Как непросто выбрать, — вздохнула Лиза.

— Бутылочка вам нужна? — раздался робкий голосок.

Я обернулась и увидела крохотную старушку с огромным пакетом, где позвякивали емкости из-под пива.

— Нет, бабушка, берите.

Пенсионерка протянула ручку, и тут из-под ее дешевой куртки с облезлым кроличьим воротником раздалось душераздирающее мяуканье.

— Кто у вас там? — поинтересовалась я.

— Ой, горе, — ответила бабка и вытащила на свет тощего, похожего на шнурок, черно-белого котенка. — Кошка родила, зараза. Двенадцать лет ей, думала, все, а она убегла, потом вернулась, и вот, пожалуйста! Одного-то и принесла всего, топить рука не поднялась. А кормить средствов нету, сама бутылки собираю. Думала, продам рублей за сто, так никто не берет. Беспородный он, а тут все со свидетельствами. Хотя знаешь чего...

— Чего? — в один голос спросили мы с Лизой.

— Я тут часто хожу, — пояснила бабулька, — и одну странность приметила. Видишь кошечку?

И она ткнула пальцем в роскошную клетку с пятнистой особой под гордой вывеской «Победительница в классе А, суперэлита, котята от интерчемпиона».

— Ну и что?

— А то, — злорадно сообщила бабуся. — Она тут целый год появляется с котятами. Ну скажи, бывает у них двенадцать пометов? То-то и оно! Зато все со свидетельствами, а я честно признавалась: моя Муська с помойки, и жениха себе небось там же нашла.

В эту секунду котенок разинул розовую пасть с крохотным язычком, похожим на кусочек свежайшей «Докторской» колбасы, и заорал.

— Есть хочет, — констатировала бабка.

Лиза отщипнула кусок булочки и протянула крикуну. «Кошки не любят хлеб», — хотела я остановить ее. Но котенок разом проглотил угощение, он и правда жутко проголодался.

— Давай возьмем этого, — предложила Лиза, скармливая заморышу кусочек сыра.

— Может, еще походим?

— Нет, — отрезала она. — Смотри, какой несчастный.

— Только мы хотели кота...

— А он и есть кот, — обрадованно подтвердила бабуська, пряча сторублевку, — самый настоящий мужчина.

Лиза сунула котенка под шубку и засмеялась.

— Ой, царапается.

Мы медленно побрели к метро.

— А что он ест? — поинтересовалась она.

— Ну, молоко, мясо, сухой корм...

— Смотри, смотри, — прервала меня девочка, — что там дядька делает?

Она ткнула пальцем в быстро удаляющегося мужика.

— Идет себе, — ответила я.

Но Лиза подбежала к сугробу и принялась раскапывать снег.

— Он сюда что-то засунул!

— Перестань, — испугалась я, — вдруг бомба!

— Да ну, — отмахнулась она и вытащила на свет пакет с надписью «Рамстор».

— Сейчас же брось, — велела я.

Но в тот же момент пакетик зашуршал и заплакал.

— Ой, — сказала Лиза и раскрыла упаковку.

Чуть не столкнувшись лбами, мы заглянули внутрь. Там лежал крохотный, едва раскрывший глазки щеночек. Нежно-кремовая шерстка намокла, очевидно, в пакете оказались дырки, черненький носик смешно морщился, а хрупкое тельце безостановочно, словно под током, тряслось и вздрагивало. Из хрупкой, похожей на цыплячью, грудки вырывался протяжный, совершенно человеческий стон.

— Вот сволочь! — с возмущением произнесла я, заматывая найденыша в шарф. — Вот гад ползучий!

— Кто? — спросила Лиза.

— Да мужик этот в куртке, — пояснила я. — Наверное, хотел продать, а когда покупатель не нашелся, решил избавиться от щенка.

— Он бы замерз! — всхлипнула Лиза. — Маленький какой! Что делать будем?

— Как — что? Себе возьмем. Или хочешь назад закопать?

— Нет, только ведь мы купили котенка!

— Ну и подумаешь, станут жить вместе.

— Говорят, кошка с собакой дерутся!

Я запихнула щенка под свою куртку и, почувствовав, как несчастное создание перестало трястись, пояснила:

— Они-то не знают, что им воевать положено! Вот и будут дружить.

Всю субботу и воскресенье мы возились с новыми домочадцами. Купали их, выводили блох, кормили, укладывали спать... Потом встал вопрос об имени.

— Ну, с котом понятно, — вздохнула Лиза. — Быть ему Пингвой.

— Кем?

— Ну Пингвин или, сокращенно, Пингва. Да посмотри на него внимательно.

Я присмотрелась и расхохоталась, а ведь правда! Котенок удивительным образом смахивал на пингвина. Брюшко и часть лапок белые, спинка иссиня-черная.

Так же просто решился вопрос и с собачьей кличкой.

— Мы его нашли в пакете «Рамстор», — объяснила Лиза, — следовательно, назовем его Рамиком или Сториком.

Я нашла идею неплохой, и Пингва с Рамиком обрели гражданский статус.

В понедельник ровно в девять я стояла перед дверью Ангелины. Сначала я не поняла, что это за бумажка приклеена чуть повыше замка, потом пригляделась и ахнула. Квартира жадной девчонки была опечатана!

Полная дурных предчувствий, я нажала на звонок к соседям. Высунулась девушка с крохотным, каким-то кукольным младенцем на руках.

— Вы из поликлиники? Надо же, как быстро.

— Нет. Скажите, пожалуйста, где Лина, не знаете?

Девчонка взмахнула руками и чуть не выронила от возбуждения ребенка.

— Как? Вы не слыхали?

— Да что случилось?

— Ее убили, еще в субботу. Вот ужас. Между прочим, я ее нашла, — затараторила соседка, потряхивая кряхтящего ребенка. — Жуть сплошная.

— Как убили? — прошептала я, прислоняясь к косяку. — Кто? Она же обещала никому дверь не открывать!

— А вы ей кем приходитесь? — жадно поинтересовалась девица.

— Двоюродной сестрой, — машинально соврала я.

— Ну надо же! — пришла в полный ажиотаж молодая мать. — И ничегошеньки не знаете!

— Мы договорились сегодня пойти вместе в магазин, — пояснила я, чувствуя огромную, каменную усталость. — Вот я и приехала.

— Да вы проходите, я все расскажу, — пояснила соседка.

Квартирка у нее оказалась точь-в-точь, как у Брит, но ужасно грязная. Небольшая кухонька у той сверкала чистотой и симпатичными штучками: керамическими свинками и гномиками, ярко-красными чашечками и розовой клеенкой.

У соседей царил иной «пейзаж». Повсюду грязные, сальные тряпки, банки, не слишком чистые кастрюли и заляпанный донельзя холодильник «ЗИЛ». Девица сунула младенца в высокий стул и, схватив чашку с надписью «Марина», поинтересовалась:

— Кофейку со мной выпьете?

Больше всего мне хотелось ответить: «Нет, так как боюсь подцепить гепатит, кишечную палочку или еще какой-нибудь микроб, вольготно живущий в грязи». Но вслух я лицемерно произнесла:

— С удовольствием, Мариночка.

— Откуда вы знаете мое имя? — изумилась хозяйка.

Потом перевела взгляд на кружку и рассмеялась:

— Муж подарил на Новый год. Денег у него вечно нет, вот и прикупил барахло в ближайшем ларьке, дрянь китайская, уже глазурь облезла.

Не слишком чистой рукой она открыла банку кофе «Пеле» и насыпала порошок в чашки. Я вздохнула, боюсь, что эту дрянь не смогу не то что пить, а даже нюхать! Хотя, если двоюродная сестра лишится аппетита при известии о кончине родственницы, это никого не удивит.

— Так что же произошло?

Марина размешала ложечкой напиток и начала самозабвенно рассказывать. Конечно, ее можно понять, сидит день-деньской с младенцем, небось обалдела от скуки, а тут такое!

Они с Ангелиной дружили по-соседски. Одалживали друг у друга сигареты, хлеб и сахар, когда ленились выходить на улицу. Еще Лина, если была дома, соглашалась покараулить маленького Петьку, пока Марина бегала за покупками. Ставила лишь одно условие — мальчишка должен спать. Покачать коляску она не отказывалась, но, не имея собственных детей, боялась, что не справится с шаловливым малышом.

В субботу после полудня Марина, покормив сыночка, сунула его в коляску и позвонила в дверь к Лине. Соседка не спешила открывать. Марина понажимала на звонок и решила, что ее палочка-выручалочка куда-то ушла. Делать нечего, пришлось развернуть коляску, чтобы толкать Петьку домой, поход по магазинам временно откладывался.

Лестничная клетка узкая, и, ворочая «кабриолет», Мариночка случайно задела соседскую дверь. Она легко подалась, приоткрылась щель. Удивившись, Марина всунула голову внутрь и спросила:

— Аля, ты дома?

В ответ — тишина, но дверь не распахивалась до конца, ей явно что-то мешало. Марина перевела взгляд вниз и увидела голые ноги. Взвизгнув от ужаса, она втолкнула Петю домой и вызвала «Скорую». Приехавшие медики обратились в милицию. Труп увезли, Марину допросили, но она не могла сообщить ничего вразумительного, ничего не зная толком.

— Пристали ко мне! — возмущалась она. — Скажите, кого видели да кого видели? Ничего не видела, с утра стирала, потом у плиты толклась, да у меня даже «глазка» на двери нет!

— А как ее убили?

Марина пожала плечами:

— Вроде по голове стукнули тяжелым предметом, вот жуть! Небось ограбить хотели.

Я одним махом опрокинула в себя омерзительный, пахнущий жидким мылом кофе и откланялась. Спустившись для вида на этаж ниже, подождала несколько минут и вновь вернулась к двери Лины. Марина не соврала, в двери ее квартиры не было «глазка», впрочем, на двух других тоже. Аккуратно поддев пилочкой для ногтей бумажку с печатью, я отодрала ее и открыла дверь ключом.

В прихожей пахло чем-то тошнотворно-сладким, на полу виднелась бурая засохшая лужа. Стараясь не наступить в нее сапогами, я начала осторожно осматриваться. Неужели Ангелина не послушалась и впустила кого-то в квартиру? Может, любовника? Но исследование спальни показало, что свою последнюю ночь она провела лишь в компании коробки шоколадных конфет и телевизора. На разобранной широкой кровати сиротливо валялась единственная подушка и небольшое одеяло. Но окончательно убедила меня в моей правоте брошенная в кресло ночнушка, не слишком чистая, с рваным воротником. Такую ни одна женщина не наденет для кавалера, а вот если собирается просто дрыхнуть, тогда с превеликим удовольствием влезет в «непарадную», но уютную рубашку.

На кухне не было грязной посуды, только чайная ложечка со следами чего-то красного, похожего на клубничное варенье. В холодильнике ничего примечательного — пара яиц, грамм сто не слишком свежей колбасы, полпачки сливочного масла и несколько йогуртов «Данон». Нехитрый набор одинокой, не обремененной семьей девчонки. Ванная небольшая, даже крохотная, в ней я нашла лишь гель, шампунь и несколько кремов, а в шкафу, в коридоре, сиротливо висела черная шубенка из стриженой нутрии — показатель благосостояния хозяйки.

Перед уходом я взяла телефонную трубку и нажала на кнопочку. У нас дома точь-в-точь такой «Самсунг», и он держит в памяти пять последних номеров. Переписав цифры, я осторожно глянула в «глазок» и, не найдя никого снаружи, выскользнула из квартиры. Потом, поплевав на белую полоску, вновь приладила ее на старое место. Нет, все-таки милиционеры дикие люди, думают, что простая бумажонка, хоть и с печатью, отпугнет всех от двери.

В школу за Лизой я ехала почти в прострации и, забрав девочку, плохо вслушивалась в ее веселый щебет. В голове крутились свои мысли.

То, что Ангелина была напугана, — это ясно. Вряд ли она в таком состоянии открыла бы дверь незнакомцу. Значит, к ней пришел хороший приятель, которого она без долгих размышлений пригласила войти. Вот только кто он? Или она? Основная надежда на номера телефонов, вдруг Лина созвонилась с кем-то и позвала в гости кого-то, хорошо ей известного, а это лицо...

— Лампа, — дернула меня за рукав Лиза.

Отогнав видение гадко ухмыляющегося звероподобного мужика, опускающего на голову несчастной Ангелины отрезок водопроводной трубы, я вздрогнула и спросила:

— Что случилось?

— Ничего, — ответила Лиза. — Только мы стоим перед дверью минут пять, а ты глаза выпучила и губами шевелишь.

Тут лишь до меня дошло, что мы успели добраться до дома.

ГЛАВА 8

Рамик, повизгивая, кинулся к нам со всех лап. Он нервно скулил и путался под ногами, мешая снимать сапоги.

— Ой, погоди, — отбивалась Лиза, — сейчас кушать будешь.

Щенок пришел в еще больший ажиотаж и начал скакать, словно мячик на резинке. Мы вошли на кухню и обомлели. Занавески кто-то нарезал, пытаясь сделать из них лапшу. Неровные ленты покачивались на сквозняке.

— Что это? — ахнула Лиза.

— Думаю, Пингва катался на портьерах, а потом начал по ним бегать вверх-вниз. Когти острые, а занавески из тонюсенького батиста.

— Где он? — поинтересовалась девочка и тут же вскрикнула: — Смотри!

Маленькое черненькое тельце неподвижно лежало возле холодильника. Мы кинулись к котенку и через секунду поняли: Пингва засунул голову в щель между дном холодильника и полом. Уж как он это проделал, уму непостижимо, свободное пространство всего шириной в два пальца! Минут пять мы пытались вытащить несчастного, но уши не давали голове вылези. Стоило потянуть посильней, и бедолага заходился в диком визге. Поняв, что так мы ничего не добьемся, попробовали приподнять холодильник, но потерпели сокрушительную неудачу. Громадный четырехкамерный «Бош» оказался каменно-тяжелым, обхватить его скользкие бока было просто невозможно. В конце концов Лиза разрыдалась:

— Он погибнет!

— Прекрати, — велела я. — Слышала, что у кошки семь жизней? Лучше скажи, кто живет в соседней квартире?

— Бандит, — всхлипнула девочка. — Андрей Петрович.

— Как бандит?

— Ну просто, — ответил ребенок. — Папа говорил, что он из мафии, а из какой — не помню.

— Сиди тут, — приказала я и решительным шагом двинулась к соседу.

Бандит, мафиози — это отлично, такие люди хорошо питаются, занимаются на тренажерах и обладают отличной физической подготовкой.

Сосед оправдал мои ожидания. На пороге возникла гора мышц, вбитая в спортивный костюм, на шее здоровенная золотая цепь, волосы на голове почти сбриты, и жевательная часть черепа намного больше мыслительной.

— Чего надо, мамаша? — вежливо осведомился бандит.

На Андрея Петровича он явно не тянул, свежий цвет лица и пухлые щеки выдавали возраст — лет двадцать пять, не больше.

— Я ваша соседка...

Андрей кивнул.

— Очень прошу, помогите нам?

Парень сморщился:

— Бабок дать? Сколько?

— Нам не нужны бабушки, — путано принялась объяснять я. — Понимаете, мы купили Пингвина, он еще маленький, засунул голову под холодильник, а мы с Лизой не можем его вытащить!

— Что-то я никак в твою пургу не врублюсь, — вздохнул Андрей и почесал затылок сотовым телефоном. — Объясни чисто конкретно, в чем базар?

Я не слишком поняла, о чем он говорил, но на всякий случай повторила:

— У меня на кухне на полу лежит Пингвин, который засунул голову под «Бош».

— Живой? — глупо поинтересовался бандюган.

— Кто?

— Пингвин!

— Нет, дохлый, — рассердилась я.

— Так в чем вопрос? Сверни ему шею и выкини.

— Не могу, он живой.

— Тьфу, — сплюнул браток, — совсем запутали, то живой, то дохлый. Надоть-то чего?

— Поднимите холодильник.

— Не вопрос, — хмыкнул «спасатель» и, обдав меня запахом одеколона «Труссарди», пошел на кухню.

— Где Пингвин? — поинтересовался он.

— Вот, — показала Лиза.

— Так это кошка, — протянул Андрей, легко отрывая от пола огромный холодильник, — а говорили пингвин!

— Он и есть Пингвин, — пояснила Лизавета, прижимая к себе обалдевшего котика. — Зовут его так, Пингва.

— Твою... — начал сосед, потом глянул на Лизу и сдержался.

— Спасибо вам, — проникновенно сказала я.

— За спасибо не работаем, — хмыкнул парень. — Процент со сделки, или на счетчик поставлю.

Но, увидав мое вытянувшееся лицо, засмеялся.

— Шуткую я так, всегда готов, по-соседски, когда чего, ну гроб вынести...

— Спасибо, гроб пока не надо, — пробормотала я.

— Зовите, коли чего.

— Спасибо.

Тяжело ступая, Андрюша пошел к двери и тут увидел Рамика.

— Отличный пес вырастет, — со знанием дела сообщил он, — мастино-неаполитано. Зверь — смерть на четырех лапах.

— С чего ты так решил? — Я перешла от испуга на «ты». — Почему мастино-неаполитано? И вообще, это что за порода такая?

Андрей хохотнул:

— У приятеля мастина живет, огроменная. Так щенок точь-в-точь такой был, мелкий и серый, а потом елда выросла, уж простите...

— Рамик беленький... — начала было я сопротивляться и осеклась. Ну надо же, утром, когда мы уходили, шерстка найденыша напоминала по цвету кусок сахара, вымоченного в кофе. А сейчас это был рафинад, засунутый в слабый раствор черных чернил. Наш новый жилец серел...

— Что такое елда? — спросила Лиза.

Андрей Петрович крякнул:

— Ну чисто конкретно не объясню. У мамаши спроси.

— Как выглядит мастино? — задумчиво протянула я.

— Ща, — пообещал сосед и, бряка золотыми цепями, исчез за порогом.

— Что такое елда? — не успокаивалась Лиза.

— Не знаю, — пробормотала я, растерянно оглядывая весело вертящего хвостом Рамика, — но, судя по тому, что наш сосед произнес потом «уж, извините», думаю, нечто крайне неприличное, и тебе следует забыть это слово как можно скорей.

— Ага, — протянула девочка. — Ну вообще-то, папа все время матом ругался, но такого я не слышала...

Я только вздохнула: эта привычка нашего бомонда отвратительна.

— Вот, — раздался за спиной запыхавшийся голос, — вот, глядите, мастина!

Я обернулась. На пороге стоял радостный Андрей. В левой руке он сжимал настенный календарь.

— Вот, — повторил он и ткнул пальцем в фотографию.

Я перевела взгляд на снимок и почувствовала, как подкашиваются ноги. На красивой глянцевой бумаге была запечатлена собака Баскервилей. Словно для того, чтобы дать понять всем читателям календаря, какого роста монстр, фотограф поставил чудовище возле лошади, и, уж поверьте, собачонка оказалась лишь чуть-чуть ниже кобылы. Огромное серое тело стояло на мощных конечностях с угрожающими когтями. Одного взмаха такой лапки хватит, чтобы отправить на тот свет зазевавшегося человека. Но самой ужасной была морда. Крупный череп с торчащими ушами покрывала темно-серая короткая шерсть, ближе к глазам начинались складки, которые словно стекали к шее. Впрочем, у наших мопсих Мули и Ады тоже полно складок на лице, но маленьких, уютных, и выглядят они из-за них крайне умильно. Тут же на морде пролегали борозды, а сверкающие в открытой пасти белоснежные зубы не оставляли сомнения — загрызть медведя этому мастино, как мне чихнуть. Окончательно доконали глаза — крохотные, кроваво-красные и почему-то слегка закатившиеся. Словом, не собачка, а отморозок.

— Тут и про историю его написано, — радовался сосед. — Да читай, мамаша, не тушуйся, потом только верни, а то я люблю, в тубзике сидя, собак разглядывать!

Я молча кивнула и принялась изучать «Краткое описание породы»:

«...Собаки мастино-неаполитано дошли до нас с древнейших времен, почти не растеряв своих удивительных моральных и физических качеств. Еще в Древнем Риме животных этой породы использовали для охраны рабов. Принимали они участие и в гладиаторских боях, подчас на равных сражаясь со львами. Мощный скелет, железные мышцы, удивительная реакция делают из мастино-неаполитано отличных охранников и бойцов. В быту неприхотливы, в еде не капризны, любят хозяина, хорошо относятся к детям, дружелюбны к членам семьи. Но следует помнить: заведя дома мастино-неаполитано, вы получаете оружие. Собак данной породы нужно обязательно дрессировать. В ряде стран, например Франции, Италии, Германии, мастино, как питбуль, бультерьер и другие бойцовые породы, подлежат полицейской регистрации. Отдельные экземпляры, в основном кобели, достигают в холке высоты 1,45 см и веса около 90 кг. Купив мастино, вы никогда не будете бояться за сохранность своего имущества».

Дрожащими руками я отложила календарь и уставилась на крохотного Рамика, с упоением жующего Лизины тапки. Боже! На морде щеночка четко обозначились морщины, готовые оформиться в складки, а шкурка, казалось, потемнела еще больше. И он неприхотлив в еде — третий день сметает все подряд, вчера даже апельсин сожрал с кожурой! И что мы будем делать, когда он вырастет до метра сорока пяти? Я-то едва-едва дотянула до метра шестидесяти и вешу всего сорок восемь килограммов. Господи, да мне придется на нем верхом на прогулку ездить!

— Может, кормить его поменьше? — задумчиво спросила Лиза. — И тогда не такой вымахает.

— Не знаю, — прошептала я. — Во всяком случае, сегодня же запрещу ему спать в моей кровати, а то привыкнет, и в конце концов на коврике у двери окажется не пес, а хозяйка.

Пытаясь собрать воедино расползавшиеся мысли, я набрала знакомый номер и услышала:

— Митрофанов у телефона.

— У меня есть срочное сообщение.

— Кто вы?

— Романова, подруга Самоненко.

— Приезжайте.

На этот раз майор опять был не слишком любезен. Выслушав мой горячий рассказ о признаниях Ангелины, он сказал:

— Отлично. И где Брит?

— Ее убили, — тихо ответила я.

На следователя новость не произвела никакого впечатления.

— Вы отпустите Лену?

— Почему? — изумился майор.

— Как! Ведь Ангелина соврала.

— И откуда это известно?

— Ну я же только что говорила...

— А через десять минут явится еще кто-нибудь и расскажет, будто Брит пошутила...

— Но...

— Вот что, уважаемая, — хмуро сказал следователь, — дружеские отношения с майором Самоненко еще не повод не давать работать мне. Ступайте, мы разберемся.

— Отпустите Лену.

— Идите, идите.

Я обозлилась до крайности и выпалила:

— Вам просто велели засадить Разумову, заказ дали. Ежу ясно, что она не виновата и кто-то просто пытается подставить ее!

Митрофанов промолчал. Но короткая шея, торчащая из не слишком чистого воротничка рубашки, сделалась пурпурно-красной. Да он гипертоник и непременно заработает инсульт, если будет так злиться.

— Вы уже все решили до суда, — продолжала я наседать на мужика, — даже головой подумать не желаете. Вы что, так уверены в том...

— Уважаемая, — железным голосом произнес Митрофанов и нажал кнопку.

Моментально раскрылась дверь, и в кабинет вошел милиционер.

— Проводите гражданку на выход, — велел следователь.

— Пройдемте, — сказал мент.

— Вам это так не сойдет, — пообещала я. — Все равно я не успокоюсь, пока вы не освободите Лену, жалобу напишу министру.

— Хоть господу богу, — хмыкнул Митрофанов.

— Пройдемте, — настаивал сержант.

— Не хочу.

— Сейчас применю дозволенные меры, — пригрозил конвойный.

— Какие, например? — полюбопытствовала я, усаживаясь поудобней.

Митрофанов мерзко улыбнулся:

— Вызову подмогу, и оформим вас на трое суток как хулиганку.

— С места не сдвинусь.

— А и не надо, на стуле оттащим.

Поняв, что он не шутит, я встала и ледяным тоном произнесла:

— Все равно я добьюсь правды.

— Хотеть не вредно, — хмыкнул майор и приказал милиционеру: — За проходную выведи, чтобы по зданию не шлялась.

По длинным извилистым коридорам в сопровождении сержанта я шла с гордо поднятой головой и сцепленными за спиной руками. Навстречу неслись мужики с папками, портфелями и пакетами. Один из них притормозил.

— Лампа, тебя арестовали?

Я узнала Леню и гордо произнесла:

— Митрофанов велел вывести за проходную, но все равно я сумею доказать свою правоту.

— Да уж, зная твой характер, думаю, Митрофанову мало не покажется, — хихикнул Ленька и убежал.

Я проследовала на выход, чувствуя, как внутри булькает злоба. Сержант удостоверился, что я отошла метров на двадцать от проходной, и зашептал что-то дежурному, весьма невежливо тыча в мою сторону пальцем.

Я двинулась к метро, в груди разгорался готовый вырваться наружу огонь — никогда, ни разу в жизни меня так не оскорбляли! Даже старик-профессор Лихтенборг, принимавший на втором курсе зачет по хору и заявивший: «Милочка, ставлю вам «удовлетворительно» лишь из сострадания. Но не подумайте, что жалею вас. Честно говоря, берегу свои уши. Поете, голубушка, как беременный крокодил».

Даже Анна Ромуальдовна Фихт, преподававшая фортепьяно и регулярно подзывавшая меня в буфете словами: «Мальчик, принесите булочку. Ах, детка, извини, но ты так смахиваешь на юного Брамса!»

Один раз я не утерпела и, зарулив в библиотеку, уставилась на гравюру композитора, но даже тогда не обиделась на Анну Ромуальдовну. В конце концов, старушка подслеповата...

Даже когда вальяжный охранник в бутике «Валентино», окинув брезгливым взглядом мою серо-розовую китайскую курточку, надменно процедил: «У нас цены в долларах, и вообще дорого очень!» — было не так обидно.

Но сейчас! В груди пылал огонь мщения. Бедный Эдмонд Дантес, граф Монте-Кристо, не испытывал и сотой доли таких мстительных чувств. Я неслась к метро, не надев шапки и не застегнув куртки. Ну, Митрофанов, погоди! Взяточник, дрянь, негодяй, готовый подвести под расстрел ни в чем не повинную женщину! Ну ничего, скоро Славке станет лучше, его переведут в обычную палату, а там и на работу выйдет. Я же пока брошу все силы на поиски настоящего убийцы.

Перед глазами встала картина. Огромный кабинет с портретами Путина, Дзержинского и Льва Толстого. Из-за дубового стола, расписанного трудолюбивыми мастерами Хохломы, поднимается импозантный седовласый генерал, весь в орденах и красных лампасах. «Спасибо, спасибо, глубокоуважаемая Евлампия Андреевна, разрешите вручить вам грамоту и именные часы. А этого, — и он тычет пальцем в стоящего у двери Митрофанова, — а этого субъекта лишаем воинских званий и прогоняем из наших рядов. Он недостоин...»

— Слышь, едрена Матрена, заснула, что ль?

Я вздрогнула. Так, я стою в метро у кассы, сзади напирает раздраженная очередь.

— Эй, тетка, давай шевелись, — пробурчал переминавшийся за спиной мужик.

— На десять поездок, — выдохнула я и протянула деньги.

Ох, боюсь, не скоро дождаться мне подарка от генерала.

ГЛАВА 9

Дома я горестно отметила, что Рамик за несколько часов ухитрился еще больше почернеть и вырасти. Подтерев бесчисленные лужицы в коридоре, я обнаружила совершенно съеденные колготки Лизы и громко спросила:

— Ну, колитесь, кто из вас чулочки схарчил?

Но щенок и котенок радостно прыгали вокруг меня, не испытывая никаких угрызений совести. У них, как у древних греков, начисто отсутствовало это понятие. Решив, что парочка еще маловата для воспитательных процессов, я зашвырнула пропавшие «Леванте» в помойку и занялась телефоном.

По первому номеру не отвечал никто. По второму вкрадчивый мужской голос почти прошептал:

— Редакция «Мир литературы».

Решив действовать напролом, я потребовала:

— Скажите, как связаться с корреспонденткой Ангелиной Брит?

— А зачем она вам? — совсем завял мужик.

— Хочу передать информацию о книжной выставке.

— Давайте, я приму.

— Нет, я имею дело только с Ангелиной, она мне платит.

— Я тоже не забесплатно...

Решив не продолжать беседу, я положила трубку. Так, тут, наверное, ничего подозрительного, мало ли какие дела на службе.

По третьему номеру ответили моментально:

— Центр досуга «Лотос».

— Простите, — не поняла я.

— Желаете заниматься в группе или с тренером?

— Моя подруга Ангелина Брит ходит к вам, я хочу, как она.

— Сейчас, сейчас, — проборомотал любезный парень, — Брит, ага, она посещает тренажерный зал по субботам и средам и берет индивидуальные уроки у Сорокиной Анны. Вас тоже к ней записать?

— Это дорого?

— Пятьдесят рублей час.

— А на когда можно?

— Хотите сегодня в семь? Сейчас мало народа, заодно можете и в бассейн попасть или сауну, — начал соблазнять меня регистратор, почуяв во мне клиентку.

Я отсоединилась, набрала другой номер, но там не снимали трубку, не отозвались и по следующему. Лишь сухой щелчок дал понять, что работает определитель.

Велев Лизе не кормить слишком много Рамика, я поехала в тренажерный зал. Он находился буквально в двух шагах от квартиры несчастной Ангелины. Очевидно, владельцы переоборудовали подвал, потому что вход был со двора, и идти пришлось ступенек пять вниз.

В сверкающей приемной на стенах были развешаны фотографии красавцев и красоток в крохотных купальных костюмах. На мужчинах — еле заметные плавочки, на дамах — кусочки материи, размером с почтовую марку. Всех их фотограф запечатлел в одной позе, в полуповороте, правая нога выставлена вперед, руки сцеплены в замок, мышцы играют, а на лице застыла наклеенная улыбка.

— Наши чемпионы, — сообщил паренек, увидав мой неподдельный интерес. — Если вы будете регулярно заниматься, скоро такой же станете.

Ни за что не хочу быть похожей на гору намасленных бицепсов и трицепсов, уж лучше останусь самой собой.

— Сорокину можно?

— Аня! — заорал паренек.

Появилась невысокая девушка в спортивном костюме. На мой взгляд, инструкторша выглядела полноватой, но, скорее всего, под ярко-красной тканью выступал не жир, а бугрились накачанные мускулы.

— Мне вас посоветовала Ангелина Брут.

— Алечка! — обрадовалась Сорокина.

И мы прошли в раздевалку. В большой комнате было совершенно пусто, дверцы железных шкафчиков были нараспашку, похоже, клиенты не слишком спешили в центр.

— Раздевайтесь, — велела Аня.

Я быстренько вылезла из джинсов и предстала пред строгим оком инструкторши в лосинах и маечке, взятых в шкафу у Лены. Нехорошо, конечно, пользоваться чужими вещами, но своей спортивной формы у меня нет. И если честно признать, никогда не было. Правда, один раз, будучи первоклассницей, я сходила на лыжах и тут же заработала воспаление легких. С тех пор с физкультурой было покончено. Ну а в консерватории к студентам не привязывались, ставили автоматом зачеты, понимая, что будущие пианисты и скрипачи берегут руки. Хотя кое-кто из девочек бегал, а мальчики играли в футбол.

— Мрак, — изрекла Аня, окинув меня взглядом. — Жуть! Работы нам непочатый край, если хотите приобрести рельеф, придется упорно заниматься. Вес, естественно, прибавится, но не за счет жира, а за счет мышечной массы. А то, простите, на вас без слез не взглянешь, не женщина, а червяк какой-то!

И быстренько добавила:

— Шучу, конечно. Значит, так, сначала занимаемся, а потом глотнем чайку с медом и поболтаем. Мне надо как следует познакомиться с клиентом, чтобы правильно тренировать его, идет?

Конечно, я очень хочу потрепаться с милой тренершей, но хорошо бы сделать это до занятий, а еще лучше вместо них.

— Может, сначала попьем чаю? — предложила я.

Аня вскинула красивые брови.

— Что вы! Идите в зал.

Следующий час прошел кошмарно. Сначала я приседала с железкой на плечах, потом таскала на себе какие-то громадные пружины, затем толкала ногами нечто, больше всего напоминавшее мешок с опилками.

— Ничего, ничего, — подбадривала проделывающая все вместе со мной Анечка. — Даю минимальную нагрузку, просто для младенца.

Но, наверное, грудничики более выносливые, чем я, потому что на «бегущую» дорожку я вползла полностью обессиленной, прерывисто дыша. Ноги, тяжелые, словно свинцовые гири, отказывались повиноваться, попа тянула вниз, спину ломило.

— Ну, давайте, через силу, еще разок, — велела Аня и добавила: — Спорт формирует характер, учит преодолевать себя, воспитывает силу воли.

«Мой характер уже сформировался, — думала я, вяло перебирая неподъемными ногами. — Преодолевать себя не хочу, без силы воли великолепно прожила больше тридцати лет, а вместо спорта предпочитаю поедание вкусного ужина и чтение газет на диване».

— На сегодня хватит, — сжалилась Аня и выключила тренажер.

Я моментально шлепнулась на четвереньки, чувствуя себя словно упавшая с пятнадцатого этажа кошка. Сорокина с легкой жалостью оглядела руины клиентки и сказала:

— Отдышитесь чуток и идите в тренерскую.

Глядя, как она легко, совершенно не запыхавшись после часа тренировки, быстрым шагом движется по залу, я горестно вздохнула и попробовала сложить в кучу плохо повинующиеся конечности. С третьего раза мне это удалось. Постанывая и покряхтывая, я поползла в указанном направлении. Там на столике весело пускал пар чайничек и пахло летом — мятой и какими-то еще незнакомыми травами. Глядя, как я осторожно опускаюсь на стул, Анечка хмыкнула и, подавая чашку, спросила:

— Похоже, вы не слишком увлекаетесь физической культурой.

— Лина говорила, что тренировки приятные, легкая нагрузка, — пробормотала я, с наслаждением глотая горячую ароматную жидкость.

— Алечка занимается давно и регулярно, — ответила Аня. — Она очень следит за собой, понимает, что для женщины фигура — главное.

— А когда она начала к вам ходить?

— А как за Кондрата Разумова замуж вышла, — спокойно сказала Аня. — Все говорила, что муж любит красивых женщин, и ей нужно соответствовать.

Чашка с великолепным чаем чуть не выпала у меня из рук.

— За кого?

Аня сделала глоток и пояснила:

— Есть такой писатель, детективы сочиняет, Кондрат Разумов, небось видали на лотках. Его произведениями все зачитываются. Очень здорово пишет, не оторваться. Правда, он уже в возрасте, ему за полтинник перевалило, а Але еще и тридцать не стукнуло. Но, в конце концов, не в годах счастье.

— Вы уверены, что она жена Кондрата?

— Конечно, — ответила Аня. — Мы с Алей немного подружились, она мне и свидетельство о браке показывала, и фото. В прошлый раз, кстати. А потом засобиралась и забыла, смотрите.

И тренерша положила на столик четыре снимка. Я принялась рассматривать фотокарточки. Кондрат и Лина возле входа в Дом литераторов, оба улыбаются, писатель обнял ее за плечи. Далее они же сидят в его кабинете, у компьютера, и вновь почти в обнимку. Потом на кухне у самовара и в джипе, том самом, что тоскует сейчас, потеряв хозяина, в гараже.

— Я хотела отдать Але фото в субботу, — как ни в чем не бывало продолжала Сорокина, — но она позвонила и сообщила, что загриппповала. Но я думаю, она сочла неприличным идти на занятия сразу после смерти мужа.

Я только открывала и закрывала рот, плохо понимая происходящее, а Анечка методично рассказывала:

— Конечно, ужас, разом всего лишиться. А как они хорошо жили. Вот она недавно в новенькой шубке пришла и говорит: «Муж подарил. Хотел норку, да я отговорила, не люблю выпендриваться, а нутрия очень демократична».

Я молча перебирала карточки, на оборотной стороне стоял штамп: «Работа Николая Королева, агентство «Триза».

В метро я вошла слегка обалдевшая. Интересное дело, почему Ангелина прикидывалась женой Кондрата? Что за свидетельство о браке она демонстрировала? И потом, фотографии, они явно сделаны у писателя дома, я прекрасно узнала интерьеры нашей квартиры, да и двор отлично получился.

Часы показывали половину девятого вечера. Я нашла телефон-автомат и позвонила Лизе.

— Извини, душенька, задержалась. Хочешь куплю вкусненького?

— Не надо, — радостно сообщила она. — Мы уже едим курицу-гриль.

— Где ты ее достала?

— Андрей Петрович принес. Он еще и пирожные, и бутылку вина достал, только я сказала, что не пью...

Похолодев от неприятных предчувствий, я велела:

— А ну позови сюда этого Казанову.

— Алле вам, — сказал Андрей. — Слушаю.

— Так вот, слушай внимательно, — железным тоном произнесла я. — Лизе только тринадцать, она несовершеннолетняя и ни о чем таком не знает.

— Вы че? — удивился он.

— Сам знаешь, че, — огрызнулась я. — Имей в виду, через пятнадцать минут я приду домой, забирай свои подарки и уходи.

— Так я, в натуре, блин, совсем и не к девке, — пояснил Андрей. — Она малолетка, мне без надобности, опять, у себя в доме срать и птичка не станет, без понтов, мамаш.

— Зачем тогда явился?

— Так к мастине, я собак люблю до жути.

— А курица?

— Так мастине принес, а девчонка крылышко срубала.

— Пирожные и вино тоже щенку?

— Ха, — заржал браток, — тесто вам из уважения прихватил, а в бутылке вовсе и не вино, а энергетический напиток, «Ред бул» называется, в нем градуса, как в кефире. Да вы че, Лампада Андреевна, я с пониманием, очень уж собак люблю, опять же скучно вечером, я по-соседски.

Слегка успокоившись, я повеселела и сказала:

— Ладно, ждите, сейчас буду.

Лиза и Андрей мирно сидели на кухне. В центре стола красовалась вазочка с восхитительными, но ужасно дорогими итальянскими пирожными, в основном корзиночками, наполненными взбитыми сливками и клубникой; не так давно я облизывалась возле этих кондитерских изделий. Но цена! Одно пирожное стоило сорок пять рублей. Насчитав на блюде двадцать штук, я вздохнула и укорила:

— Сколько денег на ерунду потратил!

— Он еще курицу-гриль принес, — наябедничала Лиза. — Я два крыла съела, а остальное они схарчили.

Я проследила за ее пальцем и увидела Рамика и Пингву почти в бессознательном состоянии у пустых мисочек.

— Им нельзя столько мяса, заболеют!

— Разве это мясо? — ухмыльнулся Андрей. — Тьфу, птичка. Вот мама моя, когда жива была, иногда суп варила вкусный, морковка кружочками, лук, курочка и вермишель звездочками. А как она померла — ни разу такого не ел. Все прошу баб, ну сварите лапшу куриную, и вечно у них блевотина выходит.

— Сколько же тебе лет? — поинтересовалась я.

— На третий десяток перевалило, — вздохнул сосед. — Двадцать четыре стукнуло, старость подгребает.

— Мама твоя давно скончалась?

Андрей глянул в окно, помолчал и ответил:

— Мне двадцать два было.

— Бедный, — пожалела его Лиза. — Наверное, у тебя папа остался. Знаешь, папа лучше мамы!

Сосед поскучнел, затем поковырял в ухе.

— А я отца и не знаю.

Повисло молчание, прерываемое только легким похрапыванием обожравшегося Рамика.

— Сам-то ты чем занимаешься? — не удержалась я.

Андрей широко улыбнулся:

— Сначала при Глобусе состоял, а потом наши в легальный бизнес ушли, надоело по улицам носиться, бесперспективно, да и жить охота. Мне-то еще повезло. Из бойцов редко кто больше года бегает, с кем начинал — все доской прикрылись. Ну а у меня возраст уже пожилой, да и папа больше не желает с властями свариться. В общем, у нас на троих автосервис и бензоколонка, все по-честному, путем. Разберем иногда машинку-другую, не без этого, но в основном нормальный клиент идет, деньги имеем.

Вновь повисло молчание. Затем Андрей засмеялся:

— Ну мастина, вот жадный!

Рамик, еле-еле передвигаясь на коротеньких лапках, доплюхал до мисочки Пингвы и начал подъедать оставшийся там кусочек куриной кожицы.

Ночью я лежала без сна, глядя, как по потолку бегают тени. Только не подумайте, что я принадлежу к категории людей, беспрестанно повторяющих: раньше сахар был слаще, масло маслянее, а солнце теплее. И еще — при коммунистах не было голодных, а на три рубля люди жили неделю. Неправда это, нищих при Советах было полно, у нас в консерватории работала гардеробщицей тетя Катя, получавшая пенсию сорок пять рублей, так ректору, взявшему на службу старушку из жалости, пришлось оформить «на вешалку» внучку бабки. По законам тех лет пожилая женщина не имела права подрабатывать, и она должна была тихо окочуриться с голода, пытаясь прокормиться на сорок пять рублей.

И все же вряд ли при брежневском режиме Андрей оказался бы в банде. Скорей всего, пошел бы работать на завод. Существовали партийные и профсоюзные организации, домком, соседи, в конце концов... А сейчас! Ему еще повезло, парень-то он неплохой... Внезапно я сообразила, что милый мальчик, любящий животных и старающийся подружиться с нами, вероятно, замешан во многих преступлениях, и решила подумать на другую тему.

Скоро по потолку перестали бегать квадратики света, часы в кабинете Кондрата монотонно пробили три раза, началось самое страшное время суток. Катюша, всю жизнь проработавшая в больнице, уверяла меня, что именно на промежуток с трех до пяти приходится основная смертность, в это время чаще всего случаются инсульты и инфаркты. Но, как ни странно, и большинство людей родилось на свет именно в эти часы. Я, как правило, проваливаюсь в сон и просыпаюсь только по звонку будильника. Но сегодня сердце колотилось в груди, и покой все не приходил.

Почему убили Кондрата? Кому была выгодна смерть преуспевающего литератора? Кто решил подставить Лену? Из-за чего лишили жизни Антона Семенова и Ангелину Брит? И где искать организатора всех этих преступлений? Ох, чует мое сердце, режиссер у спектаклей один. Только как до него добраться?

«Все-таки Андрюша неплохой парень», — неожиданно вяло подумала я и заснула.

Разбудил меня Пингва. Залез на кровать и стал скакать, сдирая с меня одеяло.

— Уйди, негодник, — пробормотала я, глянула на будильник и заорала: — Лиза, вставай скорей, школу проспали, уже десять! Лиза, быстрей!

В ответ — звенящая тишина. Ругая себя на все корки, я влетела в детскую. Широкая кровать была застелена покрывалом, на нем вольготно раскинулся Рамик. Машинально отметив, что песик еще прибавил в росте, я кинулась на кухню. Посередине стола стояла сковородка, накрытая крышкой, сверху белела записка: «Дорогая Лампуша, я ушла в школу, вернусь поздно, нас сегодня ведут в музей. Тебя будить не стала, отдыхай. Завтрак готов».

Я подняла крышку и увидела сильно подгоревшую и абсолютно холодную яичницу с малоаппетитным кусочком жирной ветчины. Из глаз от умиления чуть не хлынули слезы. Лизок постаралась и сготовила что могла. Я не слишком люблю жареные яйца, да еще в компании с беконом, но эти проглотила в полном восторге и принялась одеваться. Съезжу в «Мир литературы», поспрашиваю коллег Лины. Все-таки негодяя, задумавшего всю комбинацию, нужно искать возле Брит. Ведь открыла же она, смертельно напуганная, добровольно дверь, значит, отлично знала пришедшего, доверяла ему. Хотя почему это я употребляю мужской род? Вдруг все придумала женщина?

ГЛАВА 10

«Мир литературы» помещался в большом здании, украшенном множеством табличек. Здесь мирно соседствовали «Загадки и кроссворды», «Друг зверей», «Женский взгляд», «Володя» и «Светлый путь». Поднявшись на третий этаж, я пошла по длинному коридору, стены которого украшали картины и гравюры. Множество совершенно одинаковых белых пластмассовых дверей сверкали табличками: «Отдел информации», «Сектор критики», «Фотоотдел». Поколебавшись, я толкнула дверь корректорской и поинтересовалась:

— Скажите, Ангелину Брит где найти?

Пять миловидных женщин разом оторвались от бумаг и уставились на меня. Наконец одна курносенькая блондиночка осторожно спросила:

— А вы ей кто?

— Автор, статью принесла.

Женщины одновременно вздохнули, блондиночка все так же немногословно сказала:

— Ступайте в отдел информации.

В нужной комнате перед компьютером сидела девица в невероятно короткой юбчонке. Вначале мне показалось, что она просто-напросто забыла надеть с утра эту деталь туалета — ну опаздывала на работу и прилетела в одном свитерке. Кстати, одна из наших преподавательниц, милейшая Валентина Сергеевна, однажды ворвалась в лекционный зал с воплем:

— Простите, проспала.

Студенты благосклонно закивали. Что ж, профессора тоже люди, и ничто человеческое им не чуждо. А Валентина Сергеевна хоть и читала занудный предмет «История музыки», но была неплохой теткой, абсолютно безвредной, только очень рассеянной.

— Извините, извините, — бормотала она, выпутываясь из длинной шубы. — Итак, начинаем. На рубеже XVII и XVIII веков в Италии...

— Простите, — робко кашлянула пианистка Машенька Рогова. — Простите...

— Ну, в чем дело? — рассердилась Валентина Сергеевна, крайне негативно реагирующая на то, что ее отвлекали от лекции.

Деликатная Машенька покраснела и пролепетала:

— У вас это, юбка, то есть ну, в общем...

Валентина Сергеевна глянула вниз и обнаружила, что стоит перед аудиторией в прелестной белой блузочке, заколотой у горла настоящей камеей, и... в одних чулках. Несчастная взвизгнула, схватила шубу... Мальчики деликатно отвели глаза. Преподавательница замоталась в каракуль и сказала историческую фразу:

— Боже, какое счастье, что я нацепила утром целые колготки!

...— Вам кого? — лениво поинтересовалась девчонка.

— Ангелина Брит тут сидит?

— Она умерла, — спокойно ответила корреспондентка, не отрываясь от монитора. — Если вы материал принесли, давайте мне.

Пораженная полным бездушием, с которым журналистка говорила о смерти коллеги, я решила изобразить ужас и воскликнула:

— Такая молодая! Отчего?

Девчонка дернула плечиком:

— Небось любовник пристрелил. Брит была страшно неразборчивая, любого к себе в постель волокла, вот и допрыгалась.

— Вы ее хорошо знали?

Репортерша фыркнула:

— Я с ней не здоровалась, потому что предпочитаю не иметь дело с людьми такого сорта! Если принесли материал — кладите на стол. Нет, тогда не мешайте, у нас номер идет.

— Статьи нет, — пробормотала я.

— Тогда что вам надо?

— Видите ли, Лина одолжила мне крупную сумму денег, я хотела отдать...

Нелюбезная собеседница отложила мышку и первый раз посмотрела в мою сторону:

— Ангелина вам дала в долг?!

— Да, а что такого?

— Она вечно сама рубли сшибала, нимфоманка!

Я растерянно стояла на пороге.

— Уходите, не мешайте, — процедила девица, но потом сжалилась и добавила: — Спросите в соседней комнате Олю Кондратьеву, вроде они дружили...

В расположенном рядом помещении несколько человек ругались над огромным листом бумаги.

— Не лезет твоя заметка, — говорил один. — Хвост висит.

— Отруби, — велел другой. — Сколько хвоста-то?

— Сто строк, — буркнул первый.

Воцарилась тишина. Потом третий, черненький, с длинными волосами, собранными в хвостик, хихикнул:

— Денис, ты что, с дуба упал? Да там во всем материале не больше ста двадцати строк!

— Тогда вообще сниму и поставлю в среду.

— Сегодня последний гонорарный день! — возмутился «хвостатый».

— Газета не резиновая! — отрезал первый.

— Простите, — робко вклинилась я в их беседу, — где Оля Кондратьева?

Мужики заткнулись и повернули головы. Взгляд у них был отсутствующий, скорей всего они отреагировали на звук, не поняв смысла вопроса.

— Оля где? — повторила я.

— На поминки уехала, у нас сотрудница скончалась, — последовал ответ.

Поминки! И как я не додумалась! Ведь там явно соберутся близкие знакомые Лины.

— А не знаете, где проходит прощание?

— Нет, — в один голос ответили двое, а третий сказал: — У сестры Али, на улице Войскунского, дом семь, а квартиру не помню.

Но номер квартиры мне не понадобился. Когда я входила во двор, мимо проехал желтый автобус с табличкой «Ритуал». Возле третьего подъезда он притормозил, и из пахнущих бензином глубин начали выходить люди, в основном заплаканные женщины в черных платках. Одну, толстую и неопрятную, вели под руки двое простоватых мужиков. Я пристроилась в хвост траурной процессии и вошла в квартиру.

Как водится, на большом столе между мисками с салатом «Оливье», тарелками с блинами и селедкой стояли тесной толпой бутылки водки. Народ выпил, не чокаясь, закусил, потом повторил... Я внимательно разглядывала гостей, всем было хорошо за сорок, даже ближе к пятидесяти. Молодая дама только одна — не слишком красивая, носатая девушка с крепкими ногами. Дождавшись, когда основная масса присутствующих отправиться курить на лестницу, я подошла к ней и спросила:

— Вы Оля?

— Да, — дружелюбно ответила Кондратьева.

— Дружили с Линой?

— Ну можно сказать и так, — осторожно произнесла она.

— Ужас какой, — вздохнула я. — Молодая...

— А вы ей кто? — полюбопытствовала Оля.

— В общем, никто. Просто встречались у Кондрата Разумова.

Она вздрогнула и нахмурилась:

— А Кондрат здесь при чем?

— Абсолютно ни при чем, — начала я выкручиваться. — Просто я двоюродная сестра Лены Разумовой, вдовы...

— Надеюсь, вы не собираетесь устроить скандал, — сухо буркнула Оля. — Лучше сдержитесь, место не слишком подходящее, и потом, здесь родители, родственники, пожалейте их.

— Зачем мне начинать скандал? — удивилась я.

Оля отвела глаза в сторону, помолчала, потом процедила:

— Пойдемте в кухню.

В крохотной, едва ли пятиметровой комнатенке она села на табуретку между грязной плитой и отчаянно тарахтевшим холодильником, вытащила пачку «Мальборо» и отчеканила:

— Вы из милиции. Говорите прямо, что надо.

— Вовсе нет. Лена Разумова моя...

— Ни одна из родственниц Елены Михайловны никогда бы не пришла на поминки к Але, — вздохнула Оля. — Ну если только с желанием устроить красивый скандал.

— Ладно, — сдалась я, — ваша взяла. Только я работаю не в милиции, а в адвокатуре. А почему Лена конфликтовала с Ангелиной?

Оля грустно улыбнулась:

— Аля была чудовищем.

— В каком смысле?

— В прямом. Настоящий монстр. У нее и друзей нет никого, только я, да и то... — Девушка махнула рукой.

— Она была способна на подлость?

— Она за деньги могла все, — пояснила Оля. — Она вообще была такая беспринципная. Всегда думала, где бы урвать, и вечно со всеми ругалась, завидовала, интриговала, сплетничала. Наши тетки в редакции ее терпеть не могли.

— Почему?

Кондратьева посмотрела на тлеющую сигарету и тяжело вздохнула:

— Сейчас объясню.

Ангелина работала в «Мире литературы» четыре года. Ее коньком были интервью с писателями. Не секрет, что многие поэты и прозаики бывают противными, желчными людьми, отвечающими назойливым репортерам: «Звоните через неделю, занят!» За некоторыми приходилось по году бегать, чтобы выдавить из них пару ничего не значащих фраз. Чем популярнее литератор, тем он закидонистей. И на редакционных летучках многие из корреспондентов разводили руками, ну не получилось встретиться. Многие, но не Аля. Уж как ей удавалось добиться успеха, не знал никто. Но только, получив задание, Брит через две недели бросала на стол редактора готовый материал. После того как она ухитрилась пробиться к поэтессе Инге Маслянской, не захотевшей дать интервью даже журналу «Пиплз», Алю зауважали. Зауважали, но не полюбили. Она отличалась патологической бесцеремонностью.

Она страшно хотела выйти замуж, — объясняла Оля. — Просто до дрожи, причем не за простого работягу, а обязательно за писателя.

Ангелина просиживала вечера в Центральном доме литераторов, подыскивая жертву. Ресторан и бар этого клуба наполняют писатели всех мастей, и пару раз у Алечки случались непродолжительные романы. По непонятной причине возле хорошенькой девчонки не задерживались кавалеры. Но Аля не унывала и действовала напролом. Узнав, что Галя Федорова из фотоотдела собирается выйти замуж за модного поэта, она напросилась к той в гости и на глазах у ошеломленной невесты чуть не отдалась жениху на кухне. Зареванная Галочка выгнала нахалку, но та только хихикала. В результате Федорова осталась в девках, впрочем, Ангелина тоже. Затем она отбила парня у Ритки из своего отдела, а потом внаглую закрутила роман с мужем Анны Георгиевны из корректуры. Словом, половина женского коллектива проходила мимо Брит, гордо подняв голову. Но той, казалось, все по фигу.

Она смеялась и говорила, что мужики — идиоты, — вздыхала Оля, — кретины, созданные для того, чтобы выполнять ее прихоти...

Правда, пару раз ей предлагали выйти замуж, но она со смехом прогоняла кавалеров.

«Со свиным рылом в калашный ряд, — фыркала она презрительно на Олины уговоры. — Нет, мне нищие не нужны. Знаешь, как писательские жены живут? Да куда тебе, а я по квартирам хожу и все вижу! Нет, только член Союза, другой мне не пара».

Но охота на мужа каждый раз заканчивалась неудачей.

— Она и шантажом не брезговала, — делилась Олечка. — Закрутила роман с Кареловым. Знаете небось, про уголовный розыск кино идет по четвертому каналу, вот Владлен для него сценарии пишет. А когда кавалер от нее сбежал — поставила условия: или он покупает ей шубу, или она все расскажет его жене.

— Какую шубу? — поинтересовалась я.

— Из нутрии, черную, — пояснила Оля. — Ну, Карелов и подарил ей манто, легче деньги потратить, чем нервы! Сценарист явился к Ангелине и швырнул ей в лицо пакет:

— Подавись, дрянь!

— Повежливей, Владик, — прочирикала та, вытряхивая из упаковки шубу. — Фи, да она отечественная! Не мог греческую купить!

Владик произнес три коротких слова и хлопнул дверью.

— Вы уверены, что он подарил ей шубу? — удивленно спросила я.

— Абсолютно, — заверила Оля. — Я как раз на кухне сидела, можно сказать, на моих глазах сцену устроили!

— А что произошло с Разумовым?

— Аля поехала брать у него интервью вместе с фотокорреспондентом Колей Королевым из агентства «Триза». Коля рассказывал, она так себя вела, что ему просто стыдно стало.

Когда Ангелина с Королевым вышли на улицу, она вздохнула:

— Видел, Николай, какая квартирка? А джип? Вот это мне жених!

— Он давно женат, — попытался урезонить размечтавшуюся нахалку фотограф.

— Ну и что? — удивилась Аля. — Супруга не горб, не на всю жизнь.

А потом по редакции поползли слухи о романе между Ангелиной и Кондратом. Как-то Настя Поварова из отдела писем влетела в секретариат и затарахтела:

— Девчонки! Чего расскажу! Алька-то за Разумова замуж вышла!

— С чего ты взяла? — оторопели сотрудники.

— Приношу ей письма, а у той на столе свидетельство о браке лежит, ну я и полюбопытствовала. Там черным по белому написано: Брит Ангелина и Кондрат Разумов.

— Во дела! — ахнула начальница. — Добилась своего. Интересно, почему она не хвастается!

Спустя неделю Оля и Брит дежурили по номеру и сидели в кабинете, разбирая гранки. Внезапно дверь распахнулась, в комнату впорхнула очаровательная женщина в элегантной шубке из серой норки, кожаной шляпке и больших черных очках. Следом за ней вплыл запах незнакомых, но, очевидно, очень дорогих духов.

— Вам кого? — буркнула Ангелина. — Мы заняты.

— Тебя, душечка, — прочирикала женщина и моментально заперла дверь.

Оля только хлопала глазами, иногда к ним в редакцию, несмотря на охрану, прорывались ненормальные, желавшие, чтобы «Мир литературы» опубликовал их бессмертные творения. Олечка до дрожи боялась психов и на всякий случай пододвинула поближе телефон. Но дамочка сняла очки, а Аля протянула:

— Елена Михайловна, вы...

— Я, душенька, именно я, Елена Михайловна Разумова, — пропела посетительница. — Хочу поболтать с тобой.

— Оля, выйди, — попросила Ангелина.

— Нет-нет, кошечка, сидите, — велела жена писателя. — Как раз хорошо, будете свидетельницей. Ну, Алечка, значит, вы теперь супруга Кондрата?

Брит вспыхнула:

— Кто вам такую глупость сказал!

— Имей в виду, — спокойно произнесла Лена, — постель — еще не повод для знакомства. Потрахалась с Кондратом, ладно, мне не жаль, но на большее не рассчитывай и в Доме литераторов никакими поддельными документами не размахивай, нашла, где фальшивки демонстрировать! Учти — приблизишься к моему супругу ближе, чем на метр, вылетишь не только из редакции, но и из Москвы. Отправишься служить в газету «Голос Задрипанска». Поняла, дрянь?

— Да как ты смеешь, наглая тварь, — взвилась Аля. — Мы с Кондратом скоро поженимся. Это ты вылетишь из столицы, назад в свое Кобылятино, лимита подзаборная! Думаешь, Кондрат не рассказал, где он тебя подобрал, шлюха! То же мне — фу-ты ну-ты из себя корчит!

— Сука, — выплюнула Лена.

Ангелина вскочила и замахнулась на соперницу, но та преспокойненько достала из сумочки баллончик и пшикнула любовнице своего мужа в лицо. Лина всхлипнула и свалилась в обморок, положив голову на кипу рукописей. Оля в испуге попыталась тыкать пальцем в кнопки.

— Прекратите, кисонька, — тихо приказала Лена.

Оля в ужасе отложила трубку.

Лена засмеялась:

— Не бойтесь, вас не трону. Просто я пришла проучить эту наглую кошку. Другие интеллигентничают, глаза отводят, но я не из таких...

С этими словами она взяла со стола бутылочку с чернилами и вылила Але на голову. Оля ойкнула. Лена вновь радостно засмеялась и принялась вытряхивать на неподвижно лежащую корреспондентку все, что попадалось под руку, — конторский клей, белую «замазку», еще баночку чернил, на этот раз красных, довершил «коктейль» стакан растворимого кофе. Оглядев «натюрморт», Лена удовлетворенно вздохнула и схватилась за ножницы. Вмиг блузка Брит превратилась в лохмотья, ревнивая жена ухитрилась разрезать ей джинсы и не поленилась отодрать каблуки у туфель. Потом, слегка запыхавшись, мадам Разумова швырнула на стол несколько зеленых бумажек, и пояснила оцепеневшей Оле:

— Это на баню, парикмахерскую, новый прикид. Пусть ни в чем себе не отказывает. — И была такова.

Происшедшее мигом стало известно в редакции, но большая часть женского состава была на стороне Лены, злорадно потирая руки.

— Молодец, Разумова, — озвучила в буфете общее мнение Галя Федорова. — Я сама хотела Альке по морде надавать, только мне было боязно.

Выйдя из редакции, я попала под снегопад. Странный март в этом году, на календаре пятое число, а на улице настоящая зима, снег валит хлопьями, пронизывающий ветер задувает под куртку.

Значит, Ангелина Брит была вруньей. Мне-то она рассказала «охотничью» историю про громадный долг за купленную шубу и таинственного незнакомца, раздающего указания через компьютер! А теперь выясняется, что манто мадемуазель получила в качестве отступного и к тому же, очевидно, ненавидела Лену Разумову, вот и наболтала гадостей, чтобы ту засадили понадежнее. Прочитала небось, как все, в газете «Московский комсомолец» про арест вдовы и решила ей отомстить.

ГЛАВА 11

Купив у метро горячий крендель, я спустилась в подземный переход и в относительном тепле начала, жуя булку, разглядывать сверкающие витрины.

Нет, что-то в моих рассуждениях не так. Ну откуда Ангелина могла знать про показания Антона Семенова? О них в прессе не говорилось ни слова. И потом, Брит на самом деле перепугалась до полусмерти, узнав от меня о том, что парня задавила машина. Ладно, предположим, она отличная актриса и ловко изобразила ужас. Но ведь реакцию организма не подделаешь. А я четко помню, как она побледнела, даже посинела, над верхней губой выступил пот... Нет, такое не сыграть, она действительно впала в ступор, причем настолько, что была готова признаться во лжи следователю и даже дала мне ключ! Неужели она знала человека, который организовал убийство?

Внезапно мне стало жарко, и я стянула шапочку. Ну конечно! Милая Алечка врала с самого начала. Не было никакого таинственного звонка и интернетовского сайта. Брит была в курсе всего — она участвовала в оговоре Лены и небось имела представление об убийце Кондрата. Вот почему она так перепугалась, услыхав про судьбу Антона, поняла, что будет следующей. Перепугалась настолько, что была готова сесть в СИЗО за лжесвидетельство, небось надеялась, что убийца там до нее не доберется!

По спине побежал озноб. «Так, спокойно, Лампа, теперь купи еще один крендель, сядь в метро на скамейку и думай. Что бы ты делала, окажись в подобной ситуации? Я бы постаралась убежать. А если нет денег?»

Поезда проносились мимо меня с ужасающим грохотом, но я словно выпала из жизни. Значит, так, предположим, средств нет, друзей тоже, и большинство знакомых с радостью наступят на голову. Итак, как бы я поступила? Очень просто. Позвонила бы тому, кто все задумал, и потребовала: «Давай денег, не то пойду в милицию. Кстати, МЕНЯ убивать нельзя, потому что я написала о тебе все правду, и после моей кончины бумаги моментально попадут к следователю. Так что неси бак-сы, да побольше, и обеспечь мою безопасность».

Ну или что-нибудь в таком роде. И скорей всего, Брит так и поступила, только убийца не поверил сказке о признаниях и отправил негодную девчонку на тот свет. И что из этого следует? А то, что нужный человек находится по одному из молчавших вчера телефонов, и надо как можно быстрее мчаться домой.

Не успела я открыть дверь, как Пингва кинулся к моим ногам.

— Сейчас получишь есть. А где Рамик?

Щенок не явился на зов. Я поблуждала по комнатам и нашла его на полу в кухне, под столом. Рядом сидела Лиза.

— Смотри, — шмыгнула девчонка носом, — ему плохо.

Бедолага и впрямь выглядел не лучшим образом. Маленький носик сухой и горячий, бока судорожно вздымаются, пасть приоткрыта.

— Рамик, — позвала я. — Хочешь колбаски?

Но даже сочный розовый кружочек не вызвал у него никакого оживления.

— Когда я пришла, — всхлипнула Лиза, — тут по кухне валялись куриные кости. Небось влез в ведро. Кто-то дверку не закрыл.

Курины кости — это плохо, собакам их нельзя, острые края ранят кишечник.

— Срочно едем к ветеринару, — крикнула я. — Одевайся.

В этот момент зазвонил телефон.

— Электролампа Андреевна, — пробасил Андрей. — Хочу...

— Извини, — прервала его я, — мы в больницу торопимся, к такси бежим.

— Заболел кто?

— Рамик.

— Погодьте секунду, — отреагировал сосед. — Сам свезу, только штаны натяну.

Полная благодарности, я замотала щенка в байковое одеяло и вытолкала Пингву в коридор.

— Лиза, запри все двери!

— А бедный Пингва останется в прихожей!

— Целей будет, ничего не сожрет и голову никуда не сунет.

Вновь зазвонил телефон. Думая, что это Андрей, я схватила трубку и прокричала:

— Мы готовы, выходим!

В ответ раздался незнакомый сочный баритон:

— Добрый день, Юрий Грызлов беспокоит.

— Слушаю.

— Вы мне вчера звонили...

— Я?

— Вы.

— Ошибка вышла.

В этот момент дверь распахнулась, на пороге нарисовался браток.

— Ну, погнали!

— Вы вчера набирали мой номер, — продолжал настаивать мужчина. — Я — Юрий Грызлов.

— Электролампа Андреевна, — закричал Андрей, — ну давайте скорей, мастине совсем плохо!

— Извините, это ошибка, — буркнула я и отсоединилась.

Во дворе прямо у подъезда стоял огромный «Линкольн Навигатор» темно-зеленого цвета.

— Залазьте, — велел Андрей. И мы понеслись по улицам, разбрызгивая в разные стороны жидкую грязь.

Внутри сильно пахло кокосом, несчастный Рамик еле-еле пошевелился и чихнул, потом еще раз.

— Чего с ним? — испугался водитель. — Как бы в ящик не сыграл мастина.

— Наверное, на освежитель воздуха среагировал, — предположила я.

Быстрым движением Андрей сорвал оранжевую елочку с надписью «Cocos», качавшуюся на зеркальце, и вышвырнул в окно. Сзади незамедлительно раздалась трель.

— Эх, твою... — начал сосед и быстро добавил: — Ну держись, ща прикатим!

В ту же секунду огромный автобусообразный джип сделал крутой вираж, и на секунду мне показалось, что я сижу в салоне самолета, готовящегося к взлету.

— Ща, мастина, ща, — приговаривал Андрей, влетая в широкий двор и нажимая на тормоз.

Следом за нами, моргая синим маячком и воя сиреной, вкатил милицейский «Форд».

— Лизок, — велел сосед, — хватай мастину и рви когти, покуда легаши не закурлыкали, да ищи конкретного профессора, а не лабудашник!

Девочка ужом выскользнула наружу, прижимая к себе сверток. Мы с Андрюшей затаились.

— Эй, — постучал в стекло сержант весьма сурового вида. — Документики попрошу и права.

— Без проблем, — согласился браток и протянул требуемое.

Милиционер принялся изучать бумаги. Закончив чтение, он без всякой улыбки велел:

— Вышли из машины.

Так же внимательно парень осмотрел салон, багажник, потом со вздохом поинтересовался:

— Чего убегал?

— Я и не думал, просто торопился, собака у меня заболела, боялся, тапки откинет.

Сержант повернулся и пошел к «Форду».

— Обломалось, — радостно заржал Андрей. — Думал капусты срубить, а фиг тебе! Документики как слеза, и ни ствола, ни «дури»...

Широко улыбаясь, он вошел в лечебницу и тут же стал серьезным. Лиза сидела у кабинета, поглаживая Рамика по голове.

— Че профессор, глядел? — поинтересовался парень.

— Велели подождать, — вздохнула девочка.

— Так, — зло сверкая глазами, протянул Андрей Петрович. — Ну где тут лепилы-то?

— Там, — ткнула Лиза рукой вдоль коридора.

Мы промчались по чисто вымытому, воняющему хлоркой коридору. Андрей рванул дверь. Довольно пожилой мужчина весьма грубо рявкнул:

— Дверь закройте с той стороны, не видите, я занят!

Но я увидела, что он преспокойненько вкушает чай с тортом.

— Слышь, дядя, — тихо произнес Андрей, — собаке моей плохо, мастине, боюсь, кабы не подохла, уж погляди.

— Погодите, — не сдавался ветеринар. — Освобожусь и подойду.

Вмиг глаза парня превратились в щелочки, и он, сунув руку за пазуху, произнес:

— Чифирек-то брось да к мастине иди, не то маслин наглотаешься.

— Уже бегу, — произнес побледневший Айболит, глядя с ужасом, как Андрей медленно вытаскивает из-за пазухи ладонь. Я тоже оцепенело следила за происходящим. Но в руке сосед держал не револьвер, а дорогой кошелек.

Нелюбезный ветеринар оказался неплохим специалистом. После кое-каких неприятных процедур Рамик повеселел и даже начал помахивать хвостиком.

— Больше никаких куриных костей, — строго наказал эскулап, моя руки. — Неделю — строгая диета, потом потихоньку переходите на привычный корм. Виданное ли дело, собака чуть не подохла.

Дома, успокоившись, я взялась за телефон. По двум номерам никто не отзывался, но после третьего набора раздался легкий щелчок определителя и интеллигентный баритон:

— Слушаю.

— Извините, вы знали Ангелину Брит?

— С кем имею честь?

— Видите ли, — изложила я придуманную версию, — Аля — моя племянница, она на днях скончалась, сейчас я обзваниваю ее знакомых, хочу поставить в известность.

— Интересно, — протянул голос. — Естественно, я знал Брит, она приходила брать у меня интервью. А как, простите, к вам обращаться?

— Евлампия Андреевна. А как ваше имя?

— Дорогая, — засмеялся мужчина, — мы великолепно знакомы, более того, я страстный поклонник вашей кулебяки с капустой. Ей-богу, даже моя маменька готовила ее хуже.

Я рассмеялась:

— Да уж, это высший комплимент! И все-таки, кто вы?

— Юрий Грызлов, приятель Кондрата. Только вот не пойму, каким образом экономка Разумова оказалась тетей Ангелины?

Я молчала, понимая, что сморозила дикую глупость.

— И потом, — как ни в чем не бывало продолжал Юрий, — вы ведь мне один раз уже звонили, я нашел на определителе номер, набрал, а в ответ — отстаньте!

— Извините, — принялась я оправдываться, — я не поняла, собачка заболела, в ветеринарную клинику торопилась.

— Тогда понятно, — согласился Грызлов, — братьев меньших жаль. Помните у Есенина: «...и зверье, как братьев наших меньших, никогда не бил по голове». Так зачем я вам понадобился?

— Вы хорошо знали Ангелину?

— Не слишком.

— Скажите, зачем она звонила вам в пятницу, может, в субботу?

Грызлов помолчал, потом произнес:

— Евлампия Андреевна, не хотите поужинать?

— Когда?

— Ну, через час примерно, в Центральном доме литераторов кухня хорошая. Собирайтесь, там и побеседуем.

Отшвырнув трубку на диван и крикнув: «Лизавета, вернусь к одиннадцати», — я бросилась к двери.

Нетерпение просто гнало меня, толкая кулаком в спину, потому что я наконец вспомнила, где слышала малосимпатичную фамилию Грызлов. Покойная Ангелина, говоря о Лене Разумовой, бросила фразу: «У нее роман с Юрой Грызловым». Я искренне считаю, что точность — вежливость королей, и поэтому никогда никуда не опаздываю. К зданию из крупных светлых кирпичей я подкатила спустя ровно пятьдесят минут после телефонного разговора, но у больших, роскошных деревянных дверей уже прогуливался мужчина лет сорока, одетый не по погоде в чересчур легкую и светлую куртку. Я пошла к нему навстречу и моментально узнала мужика. Он и правда за ту неделю, что я работала у Разумовых, трижды приходил к Кондрату и кулебяку нахваливал, даже попросил с собой несколько кусков, но вот только я не знала, что он Юрий, потому что, знакомясь со мной, мужик протянул сильную, сухую ладонь и произнес:

— Гера.

Когда мы уселись за стол и, детально обсудив достоинства киевских котлет, судака «Орли», цыплят табака, заказали горячее и десерт, я спросила:

— Разве Гера уменьшительное от Юры?

Грызлов рассмеялся. Его простое, открытое лицо выглядело бесхитростным, а крупноватый нос придавал ему какой-то свойский вид. Круглые карие глаза улыбались, и от их уголков лучиками бежали к вискам морщинки. Наверное, он чаще смеется, чем сердится.

— Нет, просто отец решил назвать меня именем своего деда — Юрий, а мать была категорически против, настаивала на том, чтобы в метрике записали — Игорь. Они даже поругались, но папа победил. Однако мама не сдалась и звала сына только Герочка, а поскольку папа строил мосты и мотался из конца в конец по необъятной Стране Советов, то дома он бывал редко, и я привык к другому имени. Сейчас родителей уже давно нет в живых...

Мы принялись молча ужинать. Юра оказался прав, готовили в писательском ресторане вкусно, впечатлял и интерьер — кругом резное дерево, а у одной из стен камин, кажется, настоящий.

— Зачем вы, Евлампия Андреевна, прикидывались тетей Ангелины?

Я глупо хихикнула. К вкусной говяжьей вырезке, фаршированной грибами, нам подали в высоком, узком графине изумительное красное вино. Я не слишком привыкла к алкоголю, максимум, что позволяю себе, — ложечку коньяка в кофе, наверное, поэтому некрепкое вино сразу ударило в голову, и мозги стал заволакивать туман.

— Зовите меня просто Лампа.

Юра вновь рассмеялся:

— Как мило, первый раз встречаю даму, представляющуюся таким образом.

Я вновь хихикнула, ощущая в желудке приятную тяжесть. Вообще, вечер складывался на редкость приятно: отличный кавалер, вкусный ужин, да и вино весьма и весьма неплохое. Хотя, честно говоря, я не знаток горячительных напитков. Почувствовав, как сердце наполняет любовь ко всем окружающим, я, глупо улыбаясь, ответила:

— А я необычная дама!

— Согласен, — закивал Юра. — Вы красавица, умница и удивительно обаятельный человек. Так о чем будем беседовать?

Действительно, о чем?

— Как вы, человек явно интеллигентный, попали к Кондрату в прислуги? — спросил Юра, чокаясь со мной.

— О, эта такая смешная штука, — улыбнулась я в ответ. — Вообще-то вы правы, на самом деле я арфистка...

— Да ну! — ахнул собеседник. — То-то, я гляжу, руки такие артистичные. За это следует выпить...

Мы вновь опустошили фужеры. Дальнейшее я помню плохо. Вроде я рассказывала Грызлову о себе, потом несла чушь о Кондрате, Лене и Ангелине... Затем мы как-то оказались на улице, следом — провал в памяти. Последнее, что помню, странно вытянувшееся лицо Лизы и ухмыляющегося Андрея, зачем-то засовывающего мою голову в тазик.

Утром, проснувшись, я попробовала, как всегда, сесть, но это у меня отчего-то не вышло. Голова кружилась и отчаянно болела, желудок подкатывал к горлу, во рту поселился вкус кошачьей мочи. Только не подумайте, что я употребляю этот напиток, я его никогда не пробовала, но, наверное, если хлебнуть, испытаешь вот такое же ощущение.

Глаза я побоялась открыть, свет резал даже сквозь сомкнутые веки, и жутко хотелось пить.

— Электролампа Андреевна, — раздался бодрый оклик.

Я невольно поморщилась: голос вонзился в мозги, словно раскаленный кинжал в сливочное масло.

— Электролампа Андреевна, — настаивал голос.

Так по-дурацки меня величает только наш сосед-бандит.

Кое-как разлепив губы, я прошептала:

— Пить.

Тут же к моему лицу прикоснулось нечто холодное, пахнущее отчего-то дрожжами. Крепкая рука помогла мне принять полусидячее положение, и в рот полилась жидкость. Из моей груди тут же вырвался стон негодования:

— Но это же не вода!

— Правильно, — хихикнул Андрей. — Пиво «Балтика», светлое, третий номер, самое лекарство.

— От чего? — просипела я и наконец сумела открыть глаза.

— От птичьей болячки, — пояснил «врач». — Пейте, пейте, ща полегчает...

Я машинально сделала еще пару глотков и, чувствуя, как желудок становится на место, поинтересовалась:

— Не поняла, от какой болезни?

— Перепил, — продолжал веселиться сосед. — Ну вы вчера и хороши были, просто космонавт.

— Почему космонавт?

— А они на центрифуге с тазом тренируются, потому что блевать тянет...

— Ты хочешь сказать, что я...

— Ага, — заржал браток. — Напилися, как хрюшка на Пасху, и всю прихожую уделали. Лиза-то перепугалась, думала, вы заболели и щас полусапожки отбросите, но я ее успокоил. Не рыдай, говорю, подотри сопли, тетка твоя ужратая. Ну тут она повеселела, вас в кровать, полы помыла...

— Ужас, — прошептала я, — ужас...

— Со всяким случается.

— Но я никогда, никогда...

— Вот умирать станете, будет чего вспомнить, — философски отметил Андрей.

И тут зазвонил телефон.

— Как самочувствие? — поинтересовался Грызлов.

— Великолепно, — ответила я, стараясь не упасть. — Лучше не бывает.

— Тогда я сейчас приеду.

— Зачем?

Юрий засмеялся:

— Ты неподражаема, жди.

Отметив, что он перешел со мной на «ты», я выползла в ванную и увидела разбитую стеклянную полочку.

— Я умыть вас хотел, — хихикнул браток, — а вы руками размахались.

Я уставилась в зеркало. Морда была похожа на суповую тарелку, вместо глаз щелочки, щеки отчего-то раздулись, а нос странным образом задрался кверху.

— А еще вешалку обвалили, — ябедничал страшно довольный сосед.

— И часовню развалила...

— Какую часовню? — удивился Андрей.

— Да так, — ответила я и попыталась спешно привести то, что осталось от лица, в порядок.

Очевидно, ремонтные работы не слишком удались, потому что Юрий, окинув меня взглядом, присвистнул.

— Нечего удивляться, — обозлилась я, — вино небось плохое оказалось, и вообще вы зачем явились?

— Пойдемте, душа моя, на кухню, выпьем кофию, — совершенно не обиделся прозаик. — Вы вчера рассказали, что хотите помочь Лене Разумовой, более того, считаете, будто я любовник Брит, вот я и пришел...

Я молча двинулась по коридору. Интересно, что еще я успела наболтать до того, как впала в бессознательное состояние?

Андрей, сидевший за столом, встал и произнес:

— Электролампа Андреевна. — В ту же секунду он увидел Юру и поперхнулся. — Гости у вас, так я пойду, зовите, коли чего...

— Кто это? — поинтересовался Грызлов.

— Сосед.

— Сосед? — удивился Юра. — Но рядом жила старушка-актриса...

Я пожала плечами:

— Извините, я не в курсе.

— Вы с ним дел не имейте, — неожиданно резко сказал гость. — Очень мне его лицо не понравилось, прямо бандит.

Я промолчала. Лицо как лицо, мое выглядит сейчас намного хуже.

— Значит, так. С Брит я никогда не спал. Только давал ей интервью, — перешел на другую тему Грызлов. — Но я очень хорошо отношусь к Лене Разумовой и даже состоял с ней в интимных отношениях, но только до ее женитьбы с Кондратом. Мало того, я их и познакомил, специально.

— Зачем?

— Знаете, — улыбнулся Юра, — мужчины делятся на две категории: на тех, которые женятся, и остальных. Так вот я из второй группы, а Кондрат принадлежал к первой. Леночка хотела получить супруга, Разумов только что развелся, вот я и свел два сердца. Остались мы в дружеских отношениях, я часто бывал у них дома. Надо сказать, из Лены получилась отличная жена, то, что надо — спокойная, достойная, жаль, что так вышло.

— Вы верите, что она убийца?

Юра вытащил пачку «Давидофф», понюхал сигарету, положил назад, потом погасил улыбку.

— Я знаю. Недели за две до кошмарного происшествия Лена пришла ко мне в слезах. Оказывается, Кондрат завел очередной роман с девчонкой, причем продавщицей из овощного магазина «Лорелея». Знаете на углу лавчонку?

Я кивнула.

— Так вот Джульетта там работает. Ромео иногда покупал у нее манго или виноград для своих, улыбался, словом, понятно?

— Более чем.

— Леночка человек крайне сдержанный, — продолжал Юра. — Честно говоря, думаю, она никогда не любила Кондрата, вышла замуж за деньги и положение. Правда, честно отрабатывала конфету — ушла с работы, родила ребенка.

Я внимательно слушала Юрия. Из его слов выходило, что Лена крайне дорожила своим статусом и всегда закрывала глаза на «зигзаги» супруга. В целом правильная позиция. Если уж мужчина решил бегать на сторону, его не остановит даже атомный взрыв, к тому же — запретный плод сладок, а любые ограничения вызывают желание их преодолевать. Глупые женщины устраивают скандалы со слезами, соплями и битьем посуды, а потом недоумевают, отчего муж все-таки уходит. Умные жены молча засовывают испачканную губной помадой рубашку в стиральную машину и заводят разговор о последнем матче «Зенит» — «Торпедо». В результате они оказываются в выигрыше. Лене удавалось удерживать около себя ветреного литератора лишь благодаря такому поведению. Надо сказать, что после очередного романчика писатель бежал к жене с подарком, чувствуя легкий укор совести. Словом, все были довольны, но тут возникла прелестная продавщица. Звали ее, естественно, не Джульетта, а намного проще — Зина Иванова. Лена вначале решила, что события будут развиваться по накатанной колее — сначала легкий флирт, а потом в ее шкафу окажется новая шубка или колечко на пальчике, но вышло по-другому.

Девчонка оказалась хитрущей. Прикинулась невинной, в постель не ложилась, подарков не принимала и не садилась в роскошный джип. Потерявший голову Кондрат предложил ей... выйти за него замуж. Зина согласилась. Дело оставалось за малым: избавиться от Лены. Разумов пошел по испытанному пути — предложил жене квартиру, машину, отступные и неплохие алименты, но супруга ответила категорическим отказом.

— Она приехала ко мне в слезах, — объяснял Юрий, — бросилась на диван, прорыдала около двух часов, а потом с дикой злобой произнесла: «Если не мне, то и никому не достанется».

Грызлов попытался утешить ее, но та словно с цепи сорвалась, трясла головой и безостановочно повторяла: «Я его убью, я его убью».

Юра в конце концов отвез ее домой. Лена слегка успокоилась, и Грызлов подумал, что истерика закончилась. Всерьез слова об убийстве он не воспринял. Ну кричат же иногда люди в запале: прирежу, оторву голову, но ведь на самом деле ничего такого не совершают. Известие о смерти Кондрата упало на Юру, словно топор, и он долго не мог прийти в себя.

— И зачем бы ей отправлять на тот свет мужа? — удивилась я.

Грызлов спокойно повторил:

— Кондрат собрался уходить. Вот она и решила, что лучше стать вдовой, чем брошенной женой, выгодней.

— В чем выгода?

— В деньгах. Вдове положены гонорары. Знаете, сколько моя бы получала! На всю жизнь хватит!

— Что-то я не видела книги под вашим именем, — удивилась я.

— Я пишу под фамилией Мальков, — пояснил он.

Но меня, опытного читателя, не так-то легко провести.

— Ой, ой, Андрей Мальков скончался в прошлом году под плач поклонников.

— Согласен, но книги-то его выходят!

— Небось остались рукописи.

Юра широко улыбнулся:

— Душенька, вы абсолютно безграмотны в издательском бизнесе. Андрюша Мальков милый, талантливый человек, но писал медленно — две книги в год. Такого невыгодно раскручивать, читателю хочется постоянных новинок. Я же кропаю истории мгновенно, за месяц выпекаю роман. Вот нам и предложили работать под одним псевдонимом.

— Да зачем?!

— Святая простота. Он уже имел имя, хорошо раскупался, после его кончины псевдоним целиком и полностью принадлежит мне. Читатель жаждет творений Малькова — он их получит. Закон рынка. Если я выпущу сейчас повесть под фамилией Грызлов, еще неизвестно, будет ли она коммерчески успешна. Но черт с ними, с псевдонимами. Суть проста. Вдова, владеющая рукописями, и брошенная жена — это не одно и то же, уж поверьте!

— Почему же вы не сообщили об этом разговоре в милицию?

— Не в моих правилах топить женщину, даже если она и виновата, — прозвучал ответ.

ГЛАВА 12

На следующий день я маялась у входа в магазинчик «Лорелея». Разговаривать мне с Зиной Ивановой или нет? Пока для Лены все складывается очень плохо, еще спасибо, что Грызлов оказался порядочным человеком и не утопил окончательно бедную бабу. Но, несмотря на уверенный тон Юры, я почему-то ему не слишком поверила. Ладно, побеседую с девчонкой и, если она подтвердит, что Кондрат решил бросить жену, тогда... Тогда не знаю, что делать!

Внутри крохотного зальчика не было покупателей, за прилавком скучала женщина лет пятидесяти.

— Взвесьте килограмм бананов, — попросила я.

— Пожелтей? — спросила тетка.

— Да, вот эти, — ткнула я пальцем в аппетитную гроздь.

Продавщица водрузила «африканскую картошку» на весы и взяла калькулятор.

— А где Зиночка? — поинтересовалась я.

— Уволилась, — ответила тетка. — С вас двадцать пять сорок.

Я порылась в кошельке и сказала:

— Вот жалость.

— Почему?

— Да она у меня спрашивала, не хочет ли кто тут комнатку сдать, недорого, так я нашла ей сказочный вариант.

— Ну? — удивилась продавщица. — Какой?

— Соседи мои, из двухкомнатной, уезжают на два года и ищут порядочную девушку, которая будет жить у них совершенно бесплатно.

— Странно как, — недоверчиво протянула торговка.

— Да нет, — пожала я плечами. — За кошкой следить надо, кормить за свой счет.

— Идите сюда, — велела женщина и подняла прилавок.

Через секунду мы оказались в крохотной комнатенке без окна, зато с телефоном.

— Зинк, — заорала баба в аппарат, — тут про комнату...

Я выхватила у нее трубку:

— Алло, Зина, мне срочно нужно с вами поговорить.

— Ничего не понимаю, — воскликнул тихий голосок. — Какая комната!

— Все при встрече, — успокоила я ее.

— Приезжайте, — сказала она.

— Куда?

— Хонская улица, 16, метро «Выхино».

Ну ничего себе, другой конец города. Примерно час я тряслась в вагоне, пришлось, конечно, делать пересадку, от духоты хотелось спать. Пытаясь бороться со сном, я купила на лотке новую книгу Малькова и стала читать. На двадцатой странице меня затошнило. Конечно, я понимаю, что, когда автор пишет от первого лица, он совсем не имеет в виду себя. И вообще, милая старушка Агата Кристи ваяла зверские романы, убивая людей всеми возможными в те времена способами. Но чтобы Юра Грызлов создал такое! На первых десяти страницах отвратительно натуральное описание расчлененного трупа, на следующих — более чем подробный отчет о патологоанатомическом вскрытии останков. Полистав книжонку дальше, я наткнулась на сексуальную, нет, почти порнографическую сцену.

Вспомнив милое, располагающее лицо Юры, его мягкую улыбку и ласковые глаза, я вздохнула. Надо же, какие демоны таятся иногда на дне мужской души. Нет уж, лучше я буду читать женщин, их, по крайней мере, так не заносит. Хотя книги Малькова явно пользуются успехом. Я насчитала троих на одной «ветке» метро и четырых на другой с яркими томиками прозаика в руках.

У метро «Выхино» раскинулся рынок. Все спрошенные торговцы и аборигены лишь пожимали плечами. Никто не знал, где Хонская улица.

— Слыхать слышал, — пробубнил мясник.

— Вроде направо, за обувным, — предположила тетка с батонами.

— Налево перед хлебным, — посоветовал газетчик.

— Прямо, никуда не сворачивая, — безапелляционно направила бабулька с кошелкой, откуда высовывались пустые бутылки.

Окончательно растерявшись, я прошла по проспекту и уперлась в огромную серую бетонную башню, подавляющую своими размерами. Ни за что бы не согласилась жить в таком здании. Дом походил на гигантский карандаш, наверное, некомфортно иметь в нем квартиру на последнем этаже. Мне бы все время казалось, что она упадет. На углу висела табличка «Хонская, 16». Стоит ли упоминать, что Зинина квартира оказалась под крышей?

Но открывшая дверь хозяйка, очевидно, не боялась высоты. Впрочем, она находилась в том счастливом возрасте, когда человек вообще ничего не опасается и уж совсем не думает о смерти. На вид Зиночке не дашь больше шестнадцати.

— Это вы из риелторской конторы? — вежливо спросила она.

На всякий случай я кивнула и вошла в довольно просторную прихожую, сверкавшую лаковым полом.

— Очень странно получилось, — тарахтела Зиночка. — Наверное, из компьютера не удалили мой номер телефона. И никак я не пойму, при чем тут комната, я покупала квартиру...

Я села на стул и, недолго думая, сообщила:

— Я не имею никакого отношения к агентству по продаже недвижимости.

— Да? — удивилась девочка. — Тогда в чем дело?

— Кем вам приходился Кондрат Разумов?

Я надеялась, что молоденькая хозяйка растеряется или смутится, но та недрогнувшим голосом сообщила:

— Почему я должна обсуждать свои личные дела?

— Так вы его знали?

— Предположим.

— А Лену Разумову?

— Слыхала.

— В курсе, что ее посадили?

— Кого? Жену Кондрата?

— Да.

— За что? — удивилась девушка. — Солидная, богатая дама, такой нет нужды воровать.

— Следователи считают, что она убила мужа.

— Она? Кондрата? Ну и чушь, — с абсолютной уверенностью заявила Зина. — Вы-то кто?

— Сестра Лены. А следователю прислали анонимное сообщение, якобы моя родственница застрелила супруга из-за того, что он решил развестись с ней и жениться на вас.

— Глупости, — разозлилась Зина. — Тогда уж ей бы надо меня прикончить!

Что ж, девчонке не откажешь в логике.

— Значит, все неправда! — обрадовалась я. — Злые языки врут?

— Идите сюда, — велела она и втолкнула меня в просторную кухню с новенькими беленькими полками.

Сев за кухонный стол, она подперла голову кулаком и поинтересовалась:

— Зачем вам надо знать про меня и Кондрата?

Я посмотрела на разлучницу. День сегодня солнечный, яркий свет наполнял кухню, и мне стало понятно, что Зине, конечно, не пятнадцать, впрочем, ей вряд ли исполнилось двадцать. Никакой роковой красоты не заметно. Наоборот, любовница Кондрата выглядела намного проще его законной супруги. Сероватые, не слишком аккуратно подстриженные волосы, того же оттенка глаза, бледные щеки и губы. Да и фигура не слишком хороша — плоский бюст, полноватые бедра, короткие ноги. Словом, она выглядела как ребенок, детство которого прошло над тарелкой с картошкой. Если сказать честно, элегантной, фигуристой Лене Зина и в подметки не годилась. Даже странно, что такой ловелас, как Разумов, обратил на нее внимание. Хотя чудными тропами ходит страсть.

— Так зачем? — вновь спросила Зина.

— Уяснить для себя хочу, виновата моя сестра или нет?

Девица вздернула белесые брови:

— Спросите у нее.

— Спрашивала...

— И что?

— Говорит, даже в мыслях не было мужа убивать, тем более таким жутким способом.

— Каким? — поинтересовалась Зиночка.

— Кто-то, но следователь уверен, что Лена, подсунул четырехлетнему Ванечке боевой пистолет. Мальчик играл с отцом в войну и выстрелил. К несчастью, попал в цель, прямо в лоб, между бровями. Надеюсь, Кондрат скончался сразу, не успев понять происшедшего.

— Кошмар, — прошептала Зина, опускаясь на табуретку. — Какой жуткий кошмар. Бедный Кондрат! И несчастный ребенок, ничего себе грех — жить всю жизнь со знанием, что убил отца!

— Ему не сказали и сразу отправили за границу, чтобы избежать допросов в милиции. И теперь Лену обвиняют в организации преступления... Якобы она узнала о том, что муж собрался разводиться с ней...

— Все неправда! — отрезала Зина. — Вот слушайте, как было.

Зиночка еще очень молода, двадцати не исполнилось. Господь наградил ее хорошим умом, прилежанием, вот только внешностью слегка обделил. С другой стороны, если подумать, так ум лучше, чем исчезающая с возрастом красота. В школе Зина была хорошисткой, закончила десятилетку без троек и вполне имела шансы на поступление в институт. Но только ни в какие высшие учебные заведения девочка не пошла. По нынешним временам у студента за спиной должны быть мама и папа, содержащие чадо до диплома. Но Зиночкины родители, вернее мама, инвалид, имеет пенсию в четыреста рублей, которой не хватает даже на самые необходимые лекарства, а отца у Ивановой не было.

Поэтому пришлось Зине стать за прилавок и торговать бананами. Сначала она думала, что поднакопит деньжат и все-таки пойдет учиться, но потом поняла, что ее судьба — тяжелые ящики и недовольные покупатели. Не лучше было и дома. Стоило ей, еле-еле разгибаясь после тяжелого двенадцатичасового рабочего дня, вползти в квартиру, как налетала соседка, и начинались жалобы. Зинина мама плохо владела руками и вечно проливала на пол в кухне суп, в ванной — воду или еще что-нибудь. Вот и приходилось дочери хвататься за швабру и чистить места общего пользования. О собственной отдельной квартире девочка даже и не мечтала, понимая нереальность подобных желаний.

Таково было положение дел, когда в «Лорелею» начал заходить Кондрат. То, что он мужик со средствами, Зина сообразила сразу. Разумов подчас оставлял в овощном за один раз ее месячную зарплату, скупая экзотические фрукты, охотников до которых из-за непомерной цены не находилось.

Потом литератор начал ухаживания. Сначала он подарил ей свои романы с милым автографом. Зиночка детективы не читала, отдавая предпочтение дамским романам, но презент приняла, не у каждого есть книги с дарственными надписями от автора. Следом начались подарки, Кондрат действовал по отработанной схеме — букеты, конфеты, духи... После парфюмерной стадии последовало предложение провести уик-энд на даче, в Кропотове. Зина была умной девочкой и сразу поняла, что к чему. Более того, она давно ожидала чего-нибудь в этом духе и решила согласиться. Не то чтобы она влюбилась в Кондрата, но он выгодно отличался от ее прежних кавалеров — не пил, не ругался матом, не задирал юбку и не одалживал денег. «Если уж терять невинность, так с этим мужчиной, в приятной обстановке, а не с каким-нибудь полупьяным студентом в гараже», — рассуждала она. Все получилось, как она хотела. Кондрат был мил, купил шубку, давал деньги и свозил на неделю в Египет.

Зина просто таяла от восторга, так она еще никогда не жила. Но потом счастье кончилось, потому что в магазинчик пришла Лена. Продавщица слегка струхнула, увидав законную жену, честно говоря, испугалась, что та затеет драку...

Но Лена вела себя крайне мило. Увела ее в ближайшее кафе и сообщила:

— Детка, мой супруг — неуправляемый бабник, и просто жаль тебя, праздник скоро кончится... поэтому предлагаю сделку.

— Какую? — спросила Зиночка.

— Насколько я знаю, ты живешь вместе с мамой в коммуналке?

Продавщица кивнула.

— Так вот, я обменяю вашу жилплощадь на отдельную квартиру и устрою тебя на приличное место работы, сможешь по вечерам учиться. Идет?

— А что я должна за это сделать? — осторожно поинтересовалась Зина, знавшая, что бесплатный сыр лежит только в мышеловке.

— Раз и навсегда распрощаться с Кондратом, — отрезала Лена.

Зинуля согласилась. Дальше начались чудеса. Через две недели она стала хозяйкой квартиры на Хонской. Лена пристроила продавщицу в газету «Созвездие» курьером. Должность невелика, зарплата, впрочем, тоже, но зато ее без проблем приняли на вечернее отделение журфака, как работающую по профессии. Вот выучится, получит диплом, станет литсотрудником...

— Погоди, погоди, — прервала я, — в университет зачисляют летом, а сейчас март!

— Ну и что? — удивилась Зина. — Я уже семь месяцев учусь!

— Когда же произошла вся история?

— Год назад, в апреле, — спокойно пояснила она. — В июне я в Хургаду ездила, а в июле Лена пришла. Кстати, с Кондратом я больше не виделась. Он, правда, пару раз заходил в магазин, но я не хотела нарушать данное слово. Лена мне очень помогла, и я ей благодарна по гроб жизни. Так что ни о какой женитьбе речи не шло. Честно говоря, он ничего такого и не предлагал.

Чтобы слегка отвлечься, я зашла на рынок и начала бесцельно шататься по рядам, оглядывая горы смерзшихся окорочков и рыбных тушек. Может, Юра напутал и Лена имела в виду другую Зину? Потому что очень странно впадать в раж спустя почти год после событий. И потом, моя хозяйка, очевидно, уже не раз проделывала нечто подобное, откупалась от любовниц мужа, совершенно не собираясь убивать супруга. Может, Грызлов ошибся — у Кондрата было две любовницы с одинаковым именем Зина? И обе работали в овощном магазине? Глупее не придумаешь!

Дома первым делом я схватила телефон. Сейчас позвоню Грызлову, но аппарат затрезвонил сам.

— Электролампа Андреевна, — прохрипел неузнаваемый голос.

— Андрей? Что с тобой?

— Забегите на секунду.

Недоумевая, я толкнулась в соседнюю двухкомнатную квартиру и вздохнула. Вот как современная молодежь понимает красоту жилища. Небольшой холл был застелен небесно-голубым ковролином, одна стена занята зеркальным шкафом-купе, на другой висели картины, сразу четыре штуки. Я моментально узнала полотна — ими торгует при входе в супермаркет неопрятный мужик лет сорока. Больше всего его произведения напоминают поздравительные открытки, яркие и нелепые. И если пейзажи были еще хоть на что-то похожи, то жанровые сценки вызывали содрогание. Пару раз я со вздохом тормозила возле художника, искренне жалея бедолагу. Ну кому придет в голову купить этакую красоту, в особенности вон то изображение кукольно хорошенькой девочки, купающей в тазике собаку с несуразно большой головой. Теперь я знала ответ на вопрос. Потому что самое почетное место в домашней экспозиции занимала как раз эта толстенькая девица, истово намыливающая гидроцефального щенка.

— Андрей, ты где? — крикнула я.

— Тут, — раздался слабый вскрик.

Войдя в довольно просторную спальню, я ахнула. На широкой кровати, где в изголовье были встроены магнитофон и радиоприемник, лежал наш бандит. Невольно отметив, что постельное белье у него офигительное, все разукрашенное гоночными машинами, я поинтересовалась:

— Ну и что стряслось?

— Плохо мне, — пробормотал Андрей и повернул голову.

Я вновь ахнула. Лицо парня странно расширилось, словно растеклось в разные стороны.

— Боже! Где болит?

— За ушами, — пробормотал он, — голова еще, горло, насморк. Вчера холодной колы со льдом попил — наверное, простыл. Купите аспиринчику...

Я приложила ладонь к его лбу, потом принесла градусник. Через пару секунд серебристая линия взлетела до сорока. Посчитав дело слишком серьезным, чтобы обойтись одним аспирином, я вызвала «Скорую».

Машина прибыла на редкость быстро, и милая женщина лет тридцати тут же поставила диагноз:

— Свинка.

— Что? — изумилась я. — Разве ею болеют в таком возрасте?

— Заразиться можно и в старости, — усмехнулась докторша.

Следующие два дня мы с Лизой неотлучно сидели у кровати Андрюши, честно говоря, ему было совсем плохо. Градусник стабильно показывал сорок, и большее время наш сосед валялся в полузабытьи. Воскрес он только вечером в четверг и попросил:

— Поесть бы чего!

Обрадованная его проснувшимся аппетитом, я моментально налила тарелку куриного супа — морковь кружочками и лапша звездочками.

— Вкусно как, — пробормотал браток, проглотив первую ложку.

Я чуть не разрыдалась от умиления. Похудевший за время болезни, без золотых цепей и кожаной куртки, Андрей, взъерошенный, с миской в руке больше всего походил на мальчика-подростка. Впечатление усиливала пижама, усеянная картинками из диснеевских мультиков. Кто бы мог подумать, что наш браток купит себе ночное белье с изображениями Гуфи и Микки-Мауса.

— Ешь, детка, — машинально сказала я и погладила его по стоящим дыбом волосам. — Кушай, поправляйся.

— Спасибо, Электролампа Андреевна...

Я моментально разозлилась:

— Слушай, прекрати называть меня Электролампой.

— Но вас ведь так зовут!

— Просто Лампа. Не электрическая, не газовая, не керосиновая...

— Понял, — ответил он, дохлебывая суп.

Оставив около него Лизу, я вернулась домой и позвонила Грызлову, но телефон не отвечал.

Внезапно вошла Лиза.

— Слышь, Лампочка, у нас есть картонка?

— Где-то валялась. А зачем тебе?

— Чего время зря терять. Андрей заснул, а я хочу из этой шерсти помпоны сделать, трафаретка нужна, — и она показала моток ярко-красного цвета.

Открыв дверь кладовки, я обнаружила на полках несколько упаковок из-под игрушек. Сразу нахлынули неприятные воспоминания. Все эти замечательные вещи преподнесли Ване. Грузовик, пушка, набор солдат, автомат и... пистолет. Жаль только, что красочная бумага не может рассказать, кто последний держал ее в руках... Ведь именно в эту красивую коробку и был положен вместо игрушечного настоящий «зауэр»... Хотя... Я повертела в руках чек. Сверху стояло «Разноцветный праздник», внизу «Спасибо за покупку» и сумма — две тысячи триста двадцать пять рублей семь копеек. В особенности умиляют копейки. Ну и цены у игрушек! Цена — как у настоящего «зауэра».

ГЛАВА 13

С утра, убедившись, что Андрей повеселел и смотрит телевизор, я поехала в «Разноцветный праздник». Магазин с этим названием был в справочнике только один, на Соловьевском Валу.

«У нас все для вас», — реял над входом громадный плакат. Что верно, то верно. На стеллажах и впрямь стояло и лежало несметное количество игрушек — машинки, куклы, железные дороги, пистолеты, головоломки, наборы для вышивания... Посетители отчего-то отсутствовали. Правда, после первого взгляда на ценники стало понятно, отчего люди обходят «Разноцветный праздник» стороной.

— Почему вот эта Барби стоит четыре тысячи рублей? — поинтересовалась я у девушки-консультанта. — В ларьке напротив точно такую же выставили всего за двести.

— У нас фирменный товар от «Мател», — охотно объяснила продавщица. — Никаких китайских или турецких подделок.

— В чем же отличие? — недоумевала я. — Ведь они похожи, как две капли воды.

— Те, кто думает о здоровье ребенка, — не сдавалась она, — придут к нам. Известные производители, которые дорожат честью торговой марки, используют специальные нетоксичные материалы и красители. А турки, между прочим, берут краску с кадмием, а это канцероген!

Окинув взглядом ряды игрушек, я только вздохнула. Если рассказ про краску с кадмием правда, то ребенок среднестатистического москвича обречен играть с куколкой, сделанной доброй мамой из тряпок, потому что экологически чистая Барби, созданная сотрудниками «Мател», вгонит семью не на один день в долговую яму.

— А вы для кого подбираете? — перешла в наступление продавщица. — Возраст подскажите.

Я вытащила чек.

— Я понимаю, что спрашиваю глупость, но все же... Не так давно сынишке подарили револьвер, купленный у вас. К несчастью, в гости к нам пришел его друг и сломал пистолет, теперь дома стоит рев.

— Да уж, представляю, — вздохнула девушка.

— Нельзя ли узнать, кто продал игрушку? Может, он вспомнит, что это за пистолет был? Тут, правда, стоит цена, но у вас, смотрю, штук шесть за эти деньги купить можно, а мой мальчик требует точь-в-точь такой, как сломанный!

Выпалив тираду, я тут же пожалела. Сейчас девушка поинтересуется: «Почему вы не прихватили сломанный пистолет?» И будет права. Но продавщица повертела бумажку и вежливо ответила:

— Знаете, это просто. Оплата прошла на четвертый отдел.

— Ну и что?

— В нашем магазине есть услуга, — пояснила она, — заказ товаров по каталогу получается чуть дороже, зато вы имеете полный ассортимент перед глазами. Мы ведь закупаем только то, что пользуется спросом. Ступайте на второй этаж.

Обрадованная, я добежала до нужного места и рассказала другой девушке ту же историю.

— Секундочку, — сказала она. Посмотрела на чек, потом порылась в огромной амбарной книге и радостно сообщила: — Вот, пистолет «зауэр», товарный номер игрушки 728а, посмотрите в каталоге.

Я принялась послушно рассматривать яркие картинки и вздохнула.

— Надо же, как у вас отлично налажено дело! Наверное, и фамилия покупателя есть!

— Конечно, — улыбнулась служащая. — И телефон, иначе, как сообщить, что заказ прибыл. Вот, вашему сыночку пистолет заказывала Елена Михайловна Разумова. Знаете такую?

Я чуть не выронила толстый том.

— Вы ничего не путаете?

— Нет, — последовал ответ. — Елена Михайловна наша постоянная покупательница. У нее мальчик — большой любитель оружия, вот она и заказывает частенько новинки. «Зауэр» она давно хотела, говорила, сынишка увидел у кого-то настоящий и очень просил.

Домой я возвратилась в крайне мрачном настроении. Лена самолично заказала пистолет, значит, готовилась к убийству. Интересно, почему она не уничтожила упаковку, не побоялась оставить улики. Хотя она, наверно, думала, что коробочка отправилась в помойное ведро, куда, естественно, уходит любая, даже самая красивая обертка. Скорей всего, так бы и произошло. Я хорошо помню, как няня Анна Ивановна притащила на кухню ворох пустых коробок. И если бы не моя любовь складывать на всякий случай картонки... Чем больше я влезаю в это дело, тем яснее понимаю, что Лена — убийца. Интересно, где она взяла настоящий «зауэр» и следует ли мне сообщить обо всем в милицию?

Старинные часы глухо тикали, отсчитывая безвозвратно улетающие минуты. Может, конечно, и надо поделиться со следователем информацией, но только не с мерзким Митрофановым, отправившим меня под конвоем на выход. Этому субъекту ни за что не стану помогать. А Слава Самоненко все еще лежит в больнице, правда, его уже перевели в обычную палату, но он подцепил какую-то больничную заразу и попал под карантин. Никого к нему не пускают, и я смогла лишь передать вареную курицу и коротенькую записочку с пожеланием скорейшего выздоровления.

Тяжело вздохнув, я пошла на кухню — выпью чаю, авось в мозгах просветлеет. Там сидела компания детей. Черноволосая худенькая девочка вежливо представилась:

— Я — Маша Гаврюшина.

— И я Маша, — сказала другая, плотная блондиночка.

— Я тоже, — подхватила третья.

— Как только вы не путаетесь, — засмеялась я и, увидав на столе пакет муки, пачку масла и грязную кастрюлю, поинтересовалась:

— Что вы делаете?

— Булочки печем, — гордо сообщила Лиза. — Вот все смешали по инструкции, положили в хлебопечку, теперь ждем.

— Отлично, — одобрила я. — Потом угостите.

И тут затрезвонил телефон.

— Елена Михайловна? Добрый день, голубушка. Галин беспокоит.

— Простите, но это не Елена Михайловна.

— Лизонька, — обрадовался незнакомый Галин, — как дела?

— Вам Лизу? — спросила я.

— Вообще-то я хотел Елену Михайловну, — слегка растягивая гласные, протянул мужчина.

Решив не пугать человека, который, скорее всего, не в курсе того, что произошло, я осторожно сообщила:

— Лена уехала.

— Вот незадача, — расстроился Галин. — Далеко?

— Да.

— Надолго?

— Ну, думаю, на несколько месяцев.

— Вот так так, — чуть не закричал собеседник. — Ну и что теперь делать, просто беда!

— Что случилось? — полюбопытствовала я.

— Простите, — вопросом на вопрос ответил звонивший. — Кем вы приходитесь Елене Михайловне?

Я настолько привыкла прикидываться Лениной родственницей, что, не колеблясь, заявила:

— Двоюродной сестрой, на хозяйстве оставлена, за Лизой приглядывать.

— Чудесно! — обрадовался он. — Вы-то нам и нужны. Давайте, я пришлю за вами машину.

— Не понимаю, зачем?

— Ох, простите, — спохватился мужчина. — Не представился. Ведущий редактор издательства «Фила-Пресс» Михаил Галин.

— Михаил, э...

— Можно без отчества.

Ну, если он представляется просто по имени, то и мне следует поступить так же.

— Очень приятно, меня зовут Евлампия.

— Какое редкое, удивительное имя, — заохал Михаил. — Потрясающе, никогда не слышал.

— Зачем мне ехать в издательство?

— Не хочется говорить по телефону, — бубнил он. — Давайте сделаем так. Через час наш шофер будет у вас, идет?

— Адрес знаете?

Галин расхохотался:

— Наизусть. Мы же печатаем романы Кондрата, обладаем эксклюзивными правами. Собирайтесь и приезжайте, идет?

— Ладно, — согласилась я и пошла одеваться.

Гардероб мой был не слишком богат, поэтому, недолго мучаясь, я влезла в черненькие брюки и серую водолазку. А сверху надену пиджак цвета соли с перцем. Есть такой у Лизаветы.

— Лизок! — крикнула я, выходя из комнаты. — Дай на часок пиджачок, ну тот, с кожаными заплатками на локтях.

Ответа не последовало. Я вошла в кухню и нашла девиц в глубокой задумчивости.

— Ничего не понимаю, — вздохнула Лиза.

— Что случилось?

— Мы сделали все по инструкции. Положили масло, сахар, молоко, дрожжи, поставили на цифру «одиннадцать». Видишь, в руководстве написано: «одиннадцать — сладкие булочки».

— Да, сладкие булочки, — эхом отозвались все Маши разом.

— Потом подождали, пока цикл закончится, открыли крышку и...

— Что?

— Ничего! — хором прокричали дети, показывая мне пустые никелированные внутренности. — Там пусто.

— Ну надо же, — еле сдерживая смех, удивилась я. — Совсем пусто?

— Да!

— Значит, все положили — муку, сахар.

— Да!!

— Яйца не забыли?

— Нет!

— А дрожжи?

— Нет!!!

— Ну, молодцы. И молочка налили?

— Да!

— Потом на одиннадцать рычажок повернули?

— Да!!!

— Ай, какие умницы, — захихикала я. — У вас обязательно бы получились великолепные сдобные пышки, жаль только, что вы сделали одну крохотную, но роковую ошибку.

— Какую? — завопили девочки, подпрыгивая от нетерпения. — Какую?

— Сущую ерунду. Заложили все не в хлебопечку, а в стиральную машину. «Пекарня» находится слева от плиты, а «прачка» справа.

— Ага! — завопила Маша Гаврюшина. — Говорила же вам, дурам, не так что-то! Ну зачем хлебопечке столько воды набирать, а вы: «Молчи в тряпочку, это она тесто замешивает!»

— Подумаешь, — приободрила я их. — Начните по новой, только больше ничего не перепутайте. Вон тот ящик с кнопками — телевизор, а если задумаете жарить яичницу, не выливайте яйца на эту гладкую штуку, потому что это утюг.

— Ладно тебе, — отмахнулась Лиза, — мы все-таки не полные идиотки.

С этими словами она схватилась за пакет с мукой. Я пошла к выходу. Если ничего не произойдет, к ужину я получу булочку.

Издательство прислало роскошную сверкающую иномарку с предупредительным, если не сказать настырным, шофером. За пять минут водитель поинтересовался, не холодно ли мне, не душно, включить ли музыку, какие песни предпочитаю, ехать быстрее или медленнее... Короче говоря, довел своей заботой почти до бессознательного состояния. Чтобы прервать поток вопросов, я поинтересовалась:

— Трудно управлять машиной?

— Этой нет, — охотно ответил парень. — Автоматическая коробка передач, всего две педали. Рычажком щелкнул и поехал, знай себе руль крути да тормози.

— А как тормозить?

— Просто, — засмеялся водитель и нажал безукоризненно вычищенным ботинком на педаль. — Всех делов.

— Надо же! — восхитилась я. — И поворачивать легко?

— Проще некуда, руль повернуть.

Так, болтая о способах управления автомобилем, мы добрались до небольшого особняка в центре города. Меня привели в роскошный кабинет с дорогой мебелью и снова окружили заботой и вниманием.

— Рад, просто счастлив с вами познакомиться, — потирал руки Михаил Галин, большой толстый мужик с упругим животом любителя пива.

Поток любезностей прервала тоненькая девушка с надменным лицом. В руках красавица держала подносик с крохотными чашечками.

— Прошу, — улыбался Миша, — кофе со сливками.

Потом, очевидно, посчитав программу знакомства исчерпанной, он сказал:

— Дорогая Евлампия, наше издательство оказалось просто в ужасающем положении, и вы единственный человек, который может помочь!

— Да? — изумилась я. — Только не говорите, что хотите заказать мне роман. Честно говоря, я не могу двух слов связать, даже письма с трудом кропаю, максимум, на что способна, — написать записку типа: «Обед на плите» — понимаете?

Михаил звонко расхохотался:

— Ну, насмешили. Хотя почему вы не хотите попробовать? Вдруг да получится?

— Нет-нет, ни за что. Почему вообще вы решили ко мне обратиться?

Он сразу стал серьезным:

— Понимаете, мы открыли для публики Кондрата Разумова и с тех пор печатали все его произведения. Кондрат был удивительный труженик, каждые два месяца появлялся с новой рукописью. Более того, даже став известным, популярным, маститым, он не загордился. Знаете, как бывает, выпустит автор одну книжонку, и все — гений, начинает права качать, запредельный гонорар требует, на любую маломальскую правку обижается, кричит: «Это мое авторское слово». А Кондрат всегда внимательно прислушивался к замечаниям, не предъявлял претензий к художественному оформлению, соглашался на смену названий. Его тут все любили. Кстати, он всегда с презентами появлялся. Девочкам букеты, коробочки конфет, даже в корректуру торт приносил, а уж о корректорах-то никто никогда не заботится. Получит свои бесплатные десять авторских экземпляров и всем подпишет. Очень приятный, интеллигентный человек, у нас прямо траур был, когда узнали о его кончине.

Я молча ждала, пока хитрый редактор доберется до сути.

— У нас существует такая практика, — откровенничал он. — Ведущим авторам мы выплачиваем часть гонорара вперед, за еще даже не написанные произведения, понимаете?

Чего же непонятного. Боятся, что пользующегося успехом писателя переманят другие издательства, вот и привязывают к себе всеми возможными способами.

— Кондрат писал одновременно несколько вещей, — как ни в чем не бывало продолжал дальше Михаил. —

У него порой сразу по три-четыре детектива были в работе.

— Вот это да! — удивилась я. — И он не путался?

Галин покачал головой:

— Я сам удивлялся, а Кондрат объяснял: «Ну пришел в голову еще один замысел!» На момент его смерти мы оплатили ему как раз пять рукописей. Вот, смотрите.

И он протянул мне бумагу. Я пробежала взглядом по строчкам: ЗАО «Издательство «Фила-Пресс» в лице ведущего редактора Галина Михаила Львовича, действующего на основании доверенности от 05.01.2000 г., именуемое в дальнейшем «Издательство», с одной стороны, и Разумов Константин Федорович (псевдоним Кондрат Разумов), именуемый в дальнейшем «Автор», с другой стороны, заключили настоящий договор о нижеследующем...»

— Я не знала, что его зовут Константин, — протянула я.

— Да он последние десять лет иначе, как Кондрат, и не представлялся, — отмахнулся Галин. — Ну прочитали?

— И что? Вы теперь хотите забрать у Лены аванс?

— Ни боже мой, — замахал руками Михаил. — Мы хотим иметь рукопись романа «Загон с гиенами», а потом и других... И вы уж помогите нам, за соответствующее вознаграждение.

— Ничего не понимаю, — честно призналась я. — Где я возьму книги?

— Да в компьютере у Кондрата, — терпеливо разъяснил редактор. — Они там точно есть. Поищите, распечатайте и нам звякните. А мы, как только их получим, сразу заплатим вам, как литературному агенту, идет?

— И сколько же? — полюбопытствовала я.

— Десять тысяч рублей, — быстро произнес он.

Я обалдело закрутила головой — такую огромную сумму только за то, что я влезу в компьютер?

Но Михаил, очевидно, принял мое молчание за недовольство, потому что быстро добавил:

— Хорошо, пятнадцать.

Я продолжала соображать, что делать.

— Ладно, — вздохнул редактор, — двадцать, но, ей-богу, больше не могу, последнее слово.

Ко мне наконец вернулся дар речи, и я тихо пробормотала:

— Но вдруг она недоделана...

— Ерунда, — оживился Галин, — допишем, почистим, исправим, только найдите.

— Почему бы вам не подождать возвращения Елены Михайловны? — спросила я.

Собеседник запнулся, но потом быстро пояснил:

— «Загон с гиенами» уже разрекламирован, прошли анонсы в газетах, журналах и на телевидении, рынок ждет. Если в ближайшее время мы не выбросим роман на прилавки, считайте, что потратились зря на рекламу. Давайте так, сейчас я вручу вам десять тысяч, а вторую часть в понедельник, когда принесете книгу. Наверное, вам хватит выходных, чтобы разобраться?

С этими словами он открыл ящик письменного стола и выложил передо мной пачку розовых сторублевых купюр, перехваченных зеленой резинкой.

Я нежадный человек, но очень люблю хорошо зарабатывать. К тому же собственных средств у меня на сегодняшний день кот наплакал. Впрочем, я могу залезть в сейф и распоряжаться той суммой, которая лежит в нем, мне дано такое право. Но! Но это чужие деньги, и я не стану тратить их, как свои. Я записываю все хозяйственные расходы, считаю каждую копейку, как бухгалтер-зануда. Ведь если Лена останется в тюрьме и начнет отбывать, скорей всего, немаленький срок, то сумма, лежащая за картиной, принадлежит Лизе, и, очевидно, это все деньги, которыми девочка будет располагать. Правда, я до сих пор еще не влезла в «хованку», мы расходуем пока триста долларов, выданных мне еще до Лениного ареста. Тратить их на себя я не могу, а ведь только вчера облизывалась у витрины с новыми детективами.

Я взяла пачку и сунула ее в сумочку. Галин расслабился.

— В понедельник звоните прямо с утра.

— Хорошо, — ответила я, поднимаясь. — Надеюсь, Лена не рассердится на меня за «взлом» компьютера. Честно говоря, она велела мне даже близко не подходить к письменному столу.

— Елены Михайловны нет, — успокоил меня редактор, — и, как я понял, не будет долго, очень и очень долго...

Я посмотрела в его честные, абсолютно бесхитростные, лучистые карие глаза и поняла, что стала главной участницей хорошо поставленного спектакля. Михаил, естественно, знает, где Лена, и, скорей всего, в курсе того, что я всего лишь наемная экономка. Видно, рукопись им и впрямь нужна позарез.

ГЛАВА 14

За компьютер я села только поздно вечером, сначала слегка поругалась с Андрюшей. Наш бандит, почувствовав себя хорошо, рвался на работу.

— Бизнес, Лампа Андреевна, дело тонкое, — снисходительно объяснял он мне. — Только руль из рук выпустил, считай, пропало. Компаньоны надуют, как липку обдерут.

Напугав «бизнесмена» жуткими осложнениями, я накормила его и Лизу, попробовала булочки, вытряхнула из вазочки с вареньем Пингву, отняла у Рамика очередную пару колготок, вытерла цепочку весело блестящих на линолеуме луж, вымыла девочке голову, подписала дневник, выслушала последние школьные новости, пришила пуговицу к дубленке... В общем, когда я наконец оказалась у монитора, поясницу ломило, как у молотобойца, и мне пришлось подпихнуть под спину велюровую диванную подушку.

Честно говоря, компьютер я знаю плохо и немного даже боюсь. Мне кажется, что машина не может быть умнее человека, ну, во всяком случае, не должна. Потом, наш домашний агрегат, чувствуя, что мышку захватила неопытная рука, устраивал свадьбу с пляской, высвечивая всевозможные окошки и предупреждения, и мне приходилось звать на помощь Сережу, Юлю или Кирюшку.

Но сейчас бригада «Скорой компьютерной помощи» разгуливает по Майами, и мне придется справляться самой.

Кабинет у Кондрата шикарный. Огромный письменный стол, покрытый зеленой кожей, большой монитор «Сони», принтер, ксерокс и еще куча каких-то аппаратов, назначение которых мне неизвестно.

Помня, что кнопка включения компьютера самая большая, я смело ткнула в синюю пупочку на системном блоке. Мигом по экрану забегали строчки, мелькнуло окошко «Виндоуз». Наверное, у машины есть пароль! Но внезапно высветилась табличка — имя пользователя. Недолго думая, я набрала «Кондрат». Монитор на секунду померк, потом вспыхнул приятным бежевато-коричневым цветом и высветил кучу значков. Вот так. Разумов никого не боялся и не прятал свои произведения, но где они? Скорей всего, вот тут, где написано: «Папка писателя». Щелкнув два раза мышкой, я попала в нужную директорию. Перед глазами возник список. От радости я чуть не свалилась с гигантского вертящегося стула, обтянутого натуральной кожей. Господи, как просто. Может, у этого компьютера такой хороший характер?

Порядок в «Папке» царил идеальный. Я медленно ползла глазами по строкам. Так, «Гиблое дело», опубликован — июнь 1998 года, твердый переплет; декабрь 1998 года — покет; апрель 1999-го, дополнительный тираж; июль 1999-го, «Чужие слезы», «Ищи скелет», «Тайные дела»... Потом стояло три названия: «Бег над пропастью», «Рука на пульсе» и «Прыжок с корабля». В скобочках рядом было указано: неопубликованное. Я влезла по очереди в каждый роман и обнаружила, что книги совсем готовы, хоть сейчас распечатывай, но «Загона с гиенами» нет. Целый час я искала по разным файлам, но нигде не нашлось ничего похожего. Потом в столе, в последнем ящике, я наткнулась на кучу дискет с романами, очевидно, Кондрат, опасаясь поломки компьютера, дублировал информацию. Но дискеты с интригующим названием про гиен не было.

Страшно расстроенная, я пошла на кухню.

— Тебе больше не нужен компьютер? — спросила Лиза.

— Нет.

— Тогда я пойду, доклад по биологии задали, надо набрать, — с тяжелым вздохом произнесла девочка.

— Поздно уже, скоро одиннадцать. Завтра в школу не идти...

— Там тридцать страниц, — пожаловалась Лизок. — В один день мне не сделать, вот я и решила писать страниц по десять в пятницу, субботу и воскресенье. Знаешь, как тяжело одним пальцем.

— Что же ты не научилась как следует?

— А не надо было, — бесхитростно пояснила она. — Раньше мне набирали, теперь, когда папы нет...

— Тебе папа помогал?

Лизавета рассмеялась:

— Знаешь, Лампа, это жуткий секрет, но тебе я, так и быть, открою. Папа только журналистам рассказывал, что лихо управляется с техникой, ну не хотел терять имидж. Понимаешь, пишет про крутого сыщика и сам крутой — машину водит, с компьютером одной левой... Все неправда. Джип он еле-еле водил, парковаться не умел, а компьютер ненавидел, называл его «дурацкий калькулятор» и, по-моему, просто боялся. Рукописи его машинистка набирала, очень старенькая, Леокадия Сергеевна.

Внезапно мне в голову пришла гениальная мысль.

— Фамилию ее помнишь?

Лиза хихикнула:

— Жутко смешная, Рюмочкина.

Быстрее молнии я сносилась в кабинет, схватила телефонную книжку. Вот оно, Леокадия Сергеевна, Подлеонтьевский переулок, десять, и телефон. Звонить, наверное, уже неприлично, Лиза говорит, машинистка дама пожилая, небось видит седьмой сон... Но палец уже тыкал в кнопки. Я просто не доживу до утра.

Трубку она сняла сразу.

— Алле, — пробормотал бесполый старческий голос.

— Позовите, пожалуйста, Леокадию Сергеевну.

— Хто говорит? — поинтересовалось существо с той стороны провода.

— Это от Лены Разумовой.

В мембране раздался грохот, очевидно, трубку положили на столик, потом воцарилась тишина, прерываемая шорохом и легким потрескиванием. Минуты тянулись и тянулись. Да что у них там, Останкинский дворец? Анфилада из сорока комнат и зал для бальных танцев?

— Алле, — донеслось внезапно до моего слуха, — слушаете?

— Да-да, — в нетерпении ответила я.

— Леокадия... Сергеевна... велела... — с ужасающими паузами между словами завел невидимый человек.

— Что? Что велела? — поинтересовалась я.

Боже, этого субъекта хочется пнуть, чтобы он говорил чуть побыстрей.

— Велела... сказать... приходите... завтра... в... восемь... утра.

— А... — начала я.

Но трубка противно запищала. Ну надо же! То еле-еле ворочал языком, а отсоединился в долю секунды.

Покажите мне человека, который со счастливой улыбкой вскакивает в субботу в семь утра. Если таковой найдется, он заслуживает памятника при жизни. Я же сползла с кровати, проклиная все на свете. Пингва и Рамик, спавшие в кресле, лениво подняли головы и сонно глянули на меня. Весь их вид говорил: ты что, хозяйка, с дома упала? Куда в такую рань?

Подлеонтьевский переулок находится в Замоскворечье. И стоят тут в основном древние двух-трехэтажные дома, характерные для Москвы девятнадцатого века. Когда-то они принадлежали купцам, традиционно селившимся в этой местности, но в 20-е годы нашего столетия особняки превратились в скопище коммунальных квартир, и дом номер десять не был счастливым исключением. Красивая лестница с витыми чугунными перилами привела меня к одиннадцатой квартире. Огромная обшарпанная темно-коричневая деревянная дверь щетинилась двумя звонками. Я нашла табличку «Рюмочкина», нажала три раза и стала ждать. Наконец где-то далеко загромыхало, дверь распахнулась, на пороге возник старичок, похожий на гриб-боровик, — маленький, кругленький, беленький, одетый в валенки, дубленую жилетку и вытянутый синий свитер.

— Мне Леокадию Сергеевну.

— Знаю, — бодро рявкнул «гриб» и приказал: — По коридору в сторону кухни шагом марш.

Я хмыкнула и двинулась на запах щей и кипятящегося белья. По извилистым коридорам мы добрались до последней двери, расположенной в углу.

— Прошу! — скомандовал старик.

Я толкнула дверь и очутилась в большой комнате, потолок которой терялся в небесах.

— Леночка! — радостно вскрикнула аккуратненькая благообразная старушка, сидевшая за письменным столом, где гордо возвышался компьютер. — Проходи, проходи. Как Ванечка? А Кондрат здоров?

Я в растерянности переминалась у входа. Похоже, милая бабуля не в курсе последних происшествий в семье Разумова. Она тем временем выудила очки, нацепила их на нос и разочарованно сказала:

— Вы не Леночка!

— Нет, но я ее двоюродная сестра.

— А, — вновь обрадовалась хозяйка, — вы работу принесли?

— Не совсем, — расстроила я ее. — Видите ли, какое дело, не припомните, не набирали ли вы роман Разумова «Загон с гиенами»?

Машинистка горделиво вздернула голову. В ее ушах были редкой красоты старинные серьги — розовые камеи в золотой причудливой оправе.

— Как тебя зовут, девочка?

— Евлампия.

— Ах, какое имя, старинное, чудесное...

Я терпеливо поджидала, пока улягутся восторги. Ей-богу, называться Таней, Олей или Наташей намного лучше, меня уже тошнит от восклицаний типа: «Ну надо же! И кто только дал вам такое имя?» Ответить честно: «Сама придумала» — так не верят. А объяснять всем подробно неохота.

— Милочка, — наконец утихомирилась бабуся, — я не просто перепечатываю рукописи Костика, вы ведь в курсе, что родители назвали его Константином?

Я кивнула.

— Я не одобряю смену имени, — трещала старушка, — ну да господь с этим. Небось Костя рассказывал, что я его открыла как писателя? Нет? Садитесь, садитесь.

В глазах пожилой женщины блеснул хищный огонек. Ну что остается делать пожилому человеку? Только вспоминать и хвастаться. «Старики так любят давать добрые советы, потому что не способны подавать дурные примеры», — ехидничал гениальный француз Ларошфуко. Но старушка должна проникнуться ко мне добрыми чувствами, потому я всплеснула руками и ахнула:

— Да ну? Вы открыли Кондрата?

Радостная, что наконец ей попался слушатель, Леокадия Сергеевна завела шарманку.

Двадцать лет тому назад в их необъятной квартире жила семья Разумовых — мать и сын. Татьяна Михайловна работала билетершей в кинотеатре, а Кондрат преподавал в школе русский язык и литературу.

— Мучился он ужасно, — со смехом говорила старушка. — Бывало, придет домой, постучится ко мне и жалуется: «Ох, тетя Лека, убью когда-нибудь своих оболтусов, сплошные идиоты, просто горе».

Леокадия Сергеевна в те времена работала машинисткой у главного редактора газеты «Боевое знамя». Один раз она посоветовала:

— Ты, Костенька, мальчик талантливый, словом владеешь, попробовал бы рассказик написать про милицию. А уж я расстараюсь, попрошу свое начальство, чтобы опубликовали. Не боги горшки обжигают, глядишь, и корреспондентом станешь, бросишь школу.

Костик обрадовался чрезвычайно и моментально состряпал требуемое, только у него получился не рассказ, а маленькая повестушка об оперуполномоченном, влюбившемся в преступницу.

Леокадия Сергеевна перепечатала рукопись и проследила, чтобы та попала на стол к главному, а не осела в секретариате. Редактор благосклонно прочитал повесть и велел кое-что поправить: убрать любовь милиционера к девке-шалаве, расписать покрасочней трудовые будни сыщиков. Шел 1980 год, и в чести были произведения, прославляющие людей в синих шинелях.

Костик начал было возмущаться, но тут вновь на помощь пришла тетя Лека.

— Ты, детка, фасон не держи, — посоветовала машинистка. — Быстренько сделай, как велят, пока-то твое дело подневольное. Вот приобретешь имя, тогда и капризничай. А пока — помалкивай да купи девкам из отдела конфет.

И вновь Костя послушался, покорно внес все поправки и учел замечания. В ноябре он держал в руках пахнущий свежей типографской краской номер «Боевого знамени»: К. Разумов. «След ветра», продолжение следует...

Повестушку заметили, следующую книгу опубликовал журнал «Пограничник», потом «Искатель», следом

«Советская милиция»... Костя постепенно набирал вес, но урок, преподанный тетей Лекой, запомнил крепко. С редактурой никогда не ругался, правку вносил беспрекословно и без цветов и торта к дамам в редакции не являлся.

В 1985 году трое предприимчивых молодых людей организовали частное издательство «Фила-Пресс». По счастливой случайности, одним из «отцов-основателей» его был сын главного редактора «Боевого знамени». И вновь Леокадия Сергеевна расстаралась, и Разумов принес в «Фила-Пресс» книжонку. Издательство тогда размещалось в трех комнатушках и не имело никакого веса, а у Кости была хоть маленькая, но известность. Так что неизвестно, кому больше угодила тетя Лека...

Первая же вещь Разумова, выпущенная «Фила-Пресс», разлетелась в момент. Придумали и псевдоним, Костик превратился в Кондрата, и дело завертелось. Еще как завертелось!

С тех пор произошло много перемен. Кондрат стал популярным, именитым, богатым... Похоронил мать, купил квартиру, женился, развелся, снова женился... Но одно правило соблюдал строго — все его рукописи печатала только тетя Лека. Он купил старушке новомодный компьютер и не соглашался ни на какие уговоры типа: «Эта старая перечница еле работает. Да мы тебе пришлем трех девочек, одна другой краше...»

Но Кондрат только усмехался: «Тетя Лека мой талисман, добрый гений. Нет, ей мои вещи печатать, и только ей!»

Старушка замолчала и гордо посмотрела на меня.

— Значит, только вы набираете его романы, — уточнила я.

— Да, более того, частенько делаю замечания, и Костя всегда прислушивается, — ответила Леокадия Сергеевна. — Потом книжки дарит с автографами. Ну давайте.

— Что?

— Так, наверное, Костик новую работу прислал!

— Тут видите, какое дело. Не сохранилась ли в вашем компьютере книга «Загон с гиенами»?

— Естественно, сохранилась, — спокойно ответила старушка. — И дискета есть. Как же иначе? У нас несколько раз казусы выходили. Небось и сейчас в корзинку отправил?

— Да, — засмеялась я.

— Ох, Костик, Костик, — заулыбалась Леокадия Сергеевна. — И ведь так и не научился на компьютере работать. Я, старуха, и то освоила, а он вечно пугается... Вот что, детонька, открой ящичек, вон тот...

Я послушно потянула за красивую витую ручку и увидела коробочку с разноцветными дискетами.

— Бери, бери, детонька, сейчас скопируем, тебе какой вариант?

— А что, их несколько?

— Да, он некоторые романы в двух редакциях писал.

— Давайте обе.

— Пожалуйста, милочка. Передайте привет Костику, Леночке, Лизоньке и Ванечке. Что-то они давно у меня не были.

Я положила дискетки в сумочку. Но я не могу сообщить милой Леокадии Сергеевне о смерти Кондрата... просто не сумею. Пусть это сделает Лена, когда выйдет из тюрьмы.

Разбрызгивая вконец измазанными сапогами жидкую грязь, я бежала к метро, прижимая к груди сумочку. Лена, выйдет ли она из СИЗО? Скорей всего, нет, если только я не найду настоящего убийцу. Не знаю почему, но, несмотря на все улики, я не верю в виновность Лены, это абсолютно не логично, но не верю. Правда, пока я даже и не предполагаю, кому была выгодна смерть Кондрата. Другим разведенным женам? Нет, они получили от Кондрата отличные отступные. Сотрудникам «Фила-Пресс»? Тоже нет, издательство потеряло популярнейшего автора, приносившего отличный доход. Так кому?

Дома я вставила дискетки по очереди в компьютер и с радостью увидела, как на экране возникли слова «Загон с гиенами». Отлично, теперь нужно решить, какой вариант отнести в издательство. В одной рукописи содержалось двести сорок две страницы, в другой триста двенадцать. Может, отдать обе?

Но тут верх взяло любопытство. Кондрат явно не рассчитывал на то, что опубликуют оба варианта, значит, какой-то из них рабочий. А я никогда не читала рукописи, только готовые книги, и мне было страшно интересно влезть в «писательскую кухню».

Поколебавшись секунду, я распечатала оба «Загона» и, прихватив коробочку шоколадных конфет, залезла в кровать, собираясь провести время с кайфом.

Читала одновременно оба варианта. Вернее, в качестве основного я взяла больший, состоящий из трехсот двенадцати страниц. Его близнеца положила рядом и сверяла текст. Страницы до сороковой — ничего интересного. Но на сорок первой одна из главных героинь романа, безумно ревнивая дама, приходит к любовнице своего мужа, некой Алине Мрит, на работу. Пшикает той в нос из баллончика, а потом выливает на потерявшую сознание, поверженную соперницу чернила, клей, тушь, режет ножницами кофту, отдирает каблуки.

Прочитав эти строки, я разинула рот. Ну ничего себе! Ведь именно о таком происшествии рассказала мне Оля Кондратьева, корреспондентка из «Мира литературы», и приключилась досадная история не с кем-нибудь, а с Ангелиной Брит. Брит — Мрит, Ангелина — Алина, параллель слишком ясна. Людям, далеким от писательских кругов, сцена покажется ловко придуманной, но тот, кто знает, в чем дело, похихикает от души. Ай да Кондрат, все пускал в дело. Интересно, кто рассказал ему о «выступлении» супруги? Оскорбленная Лина? Оля Кондратьева? Или, может, сама Лена? Во всяком случае, теперь понятно, почему первый вариант романа предваряет коротенькое предисловие: «Все фамилии и имена действующих лиц вымышлены, события никогда не происходили в действительности. Любое сходство с реально существующими людьми и обстоятельствами — всего лишь мистическое совпадение». «Ничего себе — мистическое совпадение», — подумала я и с удвоенной быстротой принялась глотать текст.

Ночь прошла без сна. Книга была написана ярко, «выпукло», как говорят критики, перед глазами являлись образы, а уж детективная завязка! До самой последней страницы я так и не догадалась, кто же истинный убийца. Но после того как перевернула листок со словом «Конец», осталась сидеть неподвижно, изредка покачивая головой, будто китайский болванчик.

Кондрат в деталях, со смаком описал собственную смерть. Где-то на сотой странице главного героя «Загона с гиенами», милого, слегка апатичного профессора, убивает собственный пятилетний внук. Кто-то вложил в руки ребенка боевой пистолет, убийца воспользовался тем, что дед и внучек каждый вечер с упоением играют в войну, бегая по необъятным коридорам академической квартиры. Множество нагроможденных событий, и в конце концов — ответ на главный вопрос: кто убийца? Человеком, задумавшим преступление, оказалась четвертая жена ученого — молоденькая девица, годящаяся ему во внучки. Девчонка никогда не любила старого супруга, вышла замуж только для того, чтобы улучшить материальное положение, а когда доктор наук, между прочим, несмотря на возраст, большой ловелас, завел интрижку со своей аспиранткой, женушка и придумала дьявольский план.

ГЛАВА 15

Не слишком хорошо понимая, что происходит, я вытащила сигареты и принялась глотать горький дым. Ну ничего себе! Неужели Лена, несомненно, читавшая детектив, воспользовалась этим хитроумным замыслом? Сначала претворила в жизнь, а потом уничтожила рукопись в компьютере... Вот только она не подумала, что у Леокадии Сергеевны сохранился еще один вариант... Интересно, все ли действующие лица имеют реальных прототипов? Похоже, что так. Во всяком случае, девочка-подросток просто списана с Лизы... Я быстро перелистывала страницы. Кто послужил прообразом одного из главных негодяев, любовника молодой жены? В книге его звали Степан Разин, и мужик на самом деле напоминал разбойника: алчный, жадный, страшно неприятный тип с криминальным прошлым...

Внезапно меня осенило. Бог мой, так вот в чем дело! Некое лицо узнало, что Кондрат сделал его главным героем книги, расписал во всей красе. Это я не понимаю и не знаю, в чем дело, а литературная тусовка мигом разберется, что к чему, и поднимется буря. Значит, этот таинственный незнакомец, или незнакомка, убил писателя, потом добрался до рукописи и подставил Лену!

От напряжения я вспотела и вновь начала листать страницы. Так, сначала составим список действующих лиц. Получилось восемнадцать человек. Посомневавшись, я вычеркнула двенадцать проходных персонажей, появляющихся всего пару раз. Осталось шесть главных героев. Через несколько минут напряженных раздумий я сократила количество подозреваемых до трех — убрала жену профессора, его дочь от первого брака и мать-старушку. Круг сузился до трех: вышеназванный Степан Разин, Нинель Молотобойцева и Владимир Кошельков. Ах, как жаль, что нет возможности побеседовать с Леной, она небось хорошо знает, кто есть ху! И знакомых в литературной среде у меня нет... Хотя Юра Грызлов, вот кто сумеет помочь! Еле-еле дождавшись десяти утра, я схватилась за телефон и услышала:

— Алло.

— Юра, это Лампа, я очень хочу...

Но в трубке вновь прозвучало:

— Алло, не торопитесь, работает автоответчик, оставьте свое сообщение, как только я смогу, тут же перезвоню вам.

Стукнув ни в чем не повинный телефон, я чуть не разрыдалась от злости, ну куда он мог подеваться? Да куда угодно. Сегодня суббота... А может, Юра работает и не снимает трубку. Кондрат, когда садился к столу, никогда не отвлекался на пустопорожние разговоры...

В глубокой задумчивости я вышла на кухню и обнаружила Рамика на кухонном столе, самозабвенно поедающего варенье из апельсиновых корочек.

— Прочь, негодник! — завопила я и схватила газету.

Не так давно я вычитала в книжке, будто домашних животных нужно наказывать посредством свернутой в трубку бумаги. Получается небольно, но обидно.

Изрядно выросший и потолстевший Рамик с ужасающим грохотом спрыгнул на линолеум и попытался спастись бегством. Но не тут-то было. Размахивая газетой, я понеслась за ним по коридорам. Щенок в мгновение ока нырнул было под небольшой сервировочный столик на толстых железных ножках, однако потерпел неудачу. Он не учел, что раздался в боках, да и во всех остальных частях тела. Еще вчера он легко подныривал под столик, сегодня застрял. Вернее, голова и плечи пролезли, а весьма объемная филейная часть осталась снаружи.

Глядя на мелко-мелко трясущийся жирный хвост, я со вздохом произнесла:

— Когда почувствуешь, что слипся, не приходи со слезами, так тебе и надо, гнусный обжора!

Рамик не ответил, но, поняв по тону, что хозяйка перестала злиться, перестал дрожать. Я швырнула газету на столик, она развернулась, это оказался «Мир литературы». Пару секунд я бездумно смотрела на издание, потом сообразила — там работает Оля Кондратьева, вот кого нужно расспросить!

Набрав номер, я слушала гудки, удивляясь, почему никто не отвечает, и только на десятом сообразила: сегодня суббота и пора отсоединяться. Но в этот момент раздалось:

— Алло.

— «Мир литературы»?

— Да.

— Позовите Кондратьеву.

— Сегодня выходной, — резонно ответил мужчина.

— А вы кто? — нагло поинтересовалась я.

— Охранное агентство «Пантера», — вежливо объяснил собеседник. — Секьюрити, редакцию стерегу.

— Сделайте доброе дело, дайте мне домашний телефон Кондратьевой.

— Я не знаю, да и не положено.

Ну не может быть, чтобы у охранника не было книжки с номерами сотрудников. Вдруг что-то случится, должен же он сообщить редактору или корреспондентам. Нужно только сделать так, чтобы парень пошел мне навстречу.

— Видите ли, друг мой, — запела я, — возникла невероятная ситуация. Вообще-то я пишу детективные романы и вчера посещала редакцию, беседовала с Олечкой.

— А как ваша фамилия? — полюбопытствовал мужик.

— Маринина, — недолго мучаясь, выпалила я.

— Ох и не фига себе, — присвистнул охранник. — Слушаю внимательно.

— Я очень рассеянная, уходя, прихватила со стола косметичку, а сегодня заглянула в нее и поняла, что взяла чужую, Олину. А там не только помада и пудра, но и довольно большая сумма денег. Жутко неудобно вышло, бедная девочка небось рыдает, не зная, куда подевалась сумочка. Вот хочу позвонить ей, успокоить.

— Для вас, Марина Анатольевна, готов на все, — заверил парень. — Если только в книжке номерок есть.

Он зашуршал страничками. Да, хорошо быть известной писательницей, сразу помогать кинулся. Телефонов оказалось два.

— Спасибо, дорогуша, — прочирикала я.

— Сейчас что-нибудь пишете? — поинтересовался секьюрити. — А то я все ваши книги прочитал.

— Обязательно, голубчик, постоянно за компьютером.

— Как называться будет?

— «Кровавые клыки вампира», — охотно сообщила я и быстренько отсоединилась.

Отлично, сейчас продолжим звонки. Но тут из комнаты донесся вопль.

— Ай, ай, ай...

— Что случилось, Лизок.

— Пингва негодяйский! — закричала девочка. — Гляди.

Я вошла в комнату. Котенок в бешенстве раздирал лапами диванную подушку, клочья синтепона летели в разные стороны.

— Хотела его поймать, так он вон чего наделал, — пожаловалась Лиза и вытянула перед собой исцарапанные руки.

Ну надо же, какой безобразник. А еще вчера кинулся из-за угла на мои голые ноги и покусал до крови.

— Пингва, прекрати, — с этими словами Лиза запустила в котенка пижамными штанами.

Но наглец яростно набросился на пижамку.

— Может, он взбесился? — перепугалась Лиза.

Словно услыхав эти слова, Пингва бросился на кухню и стал судорожно лакать воду.

— Не похоже, — пробормотала я, — но характер определенно испортился. Давай позвоним в клинику.

Потратив полчаса на поиски визитной карточки, которую дал ветеринар, лечивший Рамика, я в конце концов обнаружила ее в хлебнице.

— Погодите, — буркнул нелюбезный мужской голос.

Потом послышалось звяканье. Так, небось опять пьет чай, только на этот раз нет рядом нервного Андрюши, чтобы ускорить процесс поедания торта.

Минут через пять доктор отозвался:

— Слушаю.

Несмотря на крайнюю невоспитанность, специалист он явно хороший, потому что обжоре Рамику, слопавшему куриные кости, помог в два счета.

Выслушав мою страстную речь, ветеринар отрезал:

— Насчет бешенства — ерунда. Сколько коту лет?

— Да ему и года нет. Думаю, месяцев пять, мы его купили на Птичке.

— Так приобретите контрасекс и давайте по две таблетки в день. Март на дворе, в вашем котике гормон гуляет. Хорошо еще, что в квартире метить не начал, а то вонь пойдет.

— Но постоянно принимать лекарство вредно?

— Тогда терпите, но имейте в виду, скоро орать начнет, может и в форточку сигануть...

— Что же делать? Неужели нет альтернативы химии?

— Кастрируйте его. Операция быстрая, отработанная, под общим наркозом. Проснется котик паинькой, весь пыл в еду уйдет.

Чтобы не тянуть время, мы сговорились назавтра, и я позвонила Оле Кондратьевой. Несмотря на то что стрелка часов подобралась к одиннадцати, она спала, трубку сняла лишь на десятый гудок и сонно пробормотала:

— Ну, алло!

— Оля, это Евлампия, родственница...

— Помню, — протянула девушка. — Одна вы с таким именем среди моих знакомых, только не надо опять прикидываться двоюродной сестрой Лены...

Я совсем забыла, что на поминках Ангелины Оля «догадалась», что я не сестра.

— Оленька, мне очень надо с вами поговорить.

— Сейчас?

— Желательно.

— Но тогда вам придется приехать ко мне, потому что выйти из квартиры в ближайшие два дня я просто не способна!

— Лизок! — закричала я. — Я убегаю. Накорми Пингву мясом, а то совсем озвереет.

— Ладно, — пискнула девочка. — А ко мне гости собрались, можно?

— Кто? — поинтересовалась я, с трудом застегивая сапоги — «молния» заедает.

— Машка Гаврюшина, — ответила Лизавета. — Будем кекс печь!

— Чудесно, оставьте кусочек, — попросила я и выскочила на улицу.

Оля Кондратьева предпочитала в выходные дни оттягиваться на полную катушку. Лицо она не красила, не причесывалась и куталась в уютный стеганый халатик.

— Вот, — пробормотала я, протягивая коробочку с пирожными, — тут картошка и корзиночки. Не знала, какие вы любите...

— Прелесть, — выдохнула она. — Жаль, что у меня три кило лишних.

— По-моему, вы можете спрятаться за вязальной спицей, — рассмеялась я.

Оля слегка покраснела:

— Это только кажется, а весы показывают пятьдесят семь, для меня много.

— Я знаю чудесную диету, французскую, — сообщила я.

Так, мило болтая о том, как спустить лишний жирок, мы открыли коробочку и слопали по три восхитительно свежие картошки, оставив корзиночки для следующей порции кофе. Наконец мне показалось, что Оля пришла в благодушное состояние, и я приступила к «допросу»:

— Оля, вы знакомы с книгами Кондрата Разумова?

— Конечно, — удивленно ответила журналистка. — Мне за это деньги платят!

— Читать детективы — работа? — изумилась я.

— Да, и притом тяжелая, — вздохнула корреспондентка. — Я веду рубрику «Новинки» и обязана представлять читателям романы. Иногда такое читать приходится, глаза закатываются. Ну как только подобное выпускают? Мрак! Правда, у Кондрата вещи были всегда профессионально сделаны, хоть я и не люблю романы на криминальную тематику.

Надо же, вот бедняга, что же она читает перед сном?

— Оленька, а вы в его произведениях не узнавали никого из знакомых?

Девушка захихикала:

— Случалось, он, когда особенные гадости про известных лиц сообщал, писал перед текстом небольшое предисловие: фамилии выдуманы, события тоже. В 1997 году, когда книгу «Горячий лед» опубликовали, такой скандал вышел!

— Какой?

— А он там весь сюжет построил вокруг семьи академика Зарина Ивана Михайловича. Уж какие гады его родственнички оказались, жена Марианна, дочка Аня и сын Дима. Мрак и жуть — убийцы, сутенеры, проститутки...

— Ну и что?

— А то, — продолжала веселиться Оленька, — то самое. Есть академик Парин Иван Николаевич, реально существующее лицо, супругу его зовут Марина, дочь — Анеля, а сынка — Вадим. Чуете?

— Чую.

— Парин в жутком гневе явился к нашему главному редактору и потребовал, чтобы «Мир литературы» напечатал статью-опровержение. Дескать, Зарин — это не Парин.

— Опубликовали?

— Нет, конечно.

— Почему?

— Во-первых, автор написал, будто все выдумал, а во-вторых, академику объяснили, что после такой заметки у людей отпадут последние сомнения.

— И где сейчас Парин?

— Умер, а жена вышла замуж за иностранца и укатила с детьми за границу.

— Оля, а предположим, в одной из книг главные герои Нинель Молотобойцева, Владимир Кошельков и Степан Разин. Не подскажете, кто это может быть на самом деле?

— Не припоминаю такой книги, — засомневалась Ольга, откусывая от корзиночки.

— Ну, предположим, что она есть, о ком вы подумаете?

— Сразу и не скажешь. Хотя Нинель Молотобойце-ва — скорей всего Нина Кузнецова, та еще пройда.

— Кто это?

— Да она в писательской организации работает, веда-ет материальной помощью и другими финансовыми во-просами. Вообще говоря, она бухгалтер, но любит пред-ставляться так: член творческого союза, смех один. А что там про нее в романе написано?

Я порылась в памяти.

— Ну, много раз выходила замуж и обдирала каждого супруга, как липку. Отнимала квартиры, дачи, сбер-книжки. Собственно говоря, это все, но с каким смаком описаны ее махинации!

— Точно, это Нина! — расхохоталась Оля. — Знаете, какую штуку она проделала один раз? Скончаться мож-но. Она была тогда замужем за Сережкой Волгиным из «Первой газеты». Брак, как, впрочем, и три других до этого, распался. Нина вновь затеяла размен квартиры бывшего супруга. У Сережки до женитьбы была непло-хая трехкомнатная хата на Ленинградском проспекте, и Нина прописалась к нему. У самой Кузнецовой тоже имелась жилплощадь, причем даже не одна. В ее двух-комнатной квартире прописана только ее четырнадцати-летняя дочь, в четырехкомнатной — мать, а сама Нина вроде как бомж. Другой бы мужик разобрался во всем да поинтересовался, почему жена, родственники которой имеют такое количество квадратных метров, хочет про-писаться к нему, но Волгину и в голову не пришло такое. А когда после развода Ниночка затеяла размен, было поздно. Судя по всему, аферу она готовила давно, пото-му что за год до событий подбила Сережку на обмен. С Ленинградского проспекта супруги перебрались на Кутузовский, сменяли шило на мыло, но уже при разво-де выяснилось, что квартира у Триумфальной арки юри-дически считается совместно нажитым имуществом, и никого не касается, что получилась она в результате об-мена личной Сережиной жилплощади.

Волгин обозлился и категорически отметал все вари-анты, которые предлагала алчная Нина. Полгода он дер-жался, словно крейсер «Варяг», но потом дрогнул, пото-му что бывшая супруга нашла просто лакомый кусочек. Брошенному мужу предлагалась отличная двухкомнатная квартира в новом кирпичном доме возле самого метро, две минуты пешком, — Терентьевская улица, четыре. Комнаты восемнадцать и двадцать метров, холл, кухня, коридор, ремонт не требовался, состояние у потолков и полов — первоклассное, а сантехника сияла белизной. Ошеломленный Волгин тут же подписал необходимые бумаги. Он даже не задумался, каким образом из одной, не слишком большой квартирки на Кутузовском вышло две — причем Нине предназначалась трехкомнатная, по метражу почти совпадающая с размениваемой.

Не вызвало у него подозрений и крайне любезное поведение бывшей супруги. Нина полностью избавила Андрея от хлопот и даже, взяв его паспорт, сама позаботилась обо всех формальностях для нелюбимого мужа. Велико же было его изумление, когда он явился по месту новой прописки.

В якобы его квартире хозяйничала незнакомая женщина, заявившая:

— Мы ни с кем и не думали меняться!

— Но как же? — оторопел Сергей. — Вот смотрите, мой паспорт с пропиской — Терентьевская, четыре.

— Вот и езжайте туда, — фыркнула тетка, — чего вы к нам явились!

— Но...

— У нас другой адрес, — втолковывала хозяйка, — Леоновская, девять. Да посмотрите на табличку.

— Незачем мне на нее смотреть, — вскипел Сергей, — я видел уже, когда квартиру осматривал.

— Каким местом смотрел? — поинтересовалась тетка и благодушно предложила: — Пошли вместе!

Они спустились во двор, и у Сережи отвисла челюсть. На углу дома висела табличка: «Леоновская, 9».

— Как же? — забормотал он. — Я сам читал на днях: «Терентьевская, четыре».

Хозяйка квартиры пожала плечами и удалилась, пришлось Волгину искать Терентьевскую. К его ужасу: она оказалась на краю света, в Куракине, а номер четыре принадлежал жуткому двухэтажному бараку без лифта, мусоропровода и горячей воды. Нина просто повесила на нужный дом фальшивую табличку и сняла ее после ухода супруга-лопуха. Стоит ли упоминать, что все суды он проиграл.

— Ну как, история? — поинтересовалась Оля.

— Да уж, — вздохнула я и не стала говорить ей, что вся афера подробнейшим образом описана в «Загоне с гиенами». — А Владимир Кошельков и Степан Разин, кто они?

— Без понятия, — протянула Оля. — Ничего в голову не приходит, а вам очень надо?

— Да, — подтвердила я.

— Тогда сходите к Элеоноре. Вот уж она про всех знает!

— А это кто?

— О, историческая личность, — ухмыльнулась Оля. — Вдова писателя Киселева, дама высшего света, жуткая сплетница.

— Как мне к ней попасть?

Оля взглянула на часы:

— Половина второго, надеюсь, она уже позавтракала. Вот что, подождите.

Журналистка взяла телефон и замурлыкала:

— Норочка? Доброе утро, это Лелечка из «Мира литературы», как здоровье? Как наша Софочка?

Разговор плавно потек вокруг разных тем. Примерно полчаса Оля пела соловьем и, только обговорив все, приступила к моей проблеме.

— Норочка, помогите. У меня есть знакомая, молодая, вашего возраста, развелась с мужем и теперь приходится работать, вот и пристроила ее из жалости в свою редакцию. Но моя протеже человек робкий, в писательском мире личность необстрелянная, ей надо кое-что узнать, а кто, как не вы, поможет? Звать ее Евлампия. Дада, чудесное имя! Так как, ей можно приехать?

Положив трубку, она велела:

— Пишите адрес. Нора ждет. Имейте в виду, в разговоре с ней следует употреблять фразы: «Нора, вам ведь еще нет и сорока» или «Как завидую таким молодым женщинам, как вы», либо «Деточка, позови маму».

Я рассмеялась:

— Пожалуй, последнее чересчур.

— В самый раз, — отмахнулась Оля. — Кашу маслом не испортишь.

Не знаю, не знаю, если вбухать килограмм «Анкора» в блюдечко гречки, может и стошнить.

— Нора — кладезь информации, — продолжала она, — и, если вы ей понравитесь, расскажет все. А подлизаться к ней можно, лишь без устали нахваливая ее внешность. Только упаси вас бог сказать: «Ах, дорогая, для своего возраста вы великолепно выглядите, больше сорока и не дать». Помните — Норе тридцать пять, а уж сколько по паспорту — это никому не ведомо. Ее муж, талантливый поэт, скончался десять лет тому назад. Так вот году этак в 1980-м он произнес гениальную фразу: «Норочка, детка, перестань бегать в милицию и менять паспорт, а то скоро твой возраст совпадет с партийным стажем». Между прочим, он был недалек от истины. Год рождения в документах Элеонора изменяла с легкостью. Начальник паспортного стола только ухмылялся, получая раритетные по тем временам подарки — виски, американские сигареты и растворимый кофе, а вот партийные бумаги коммунисты стерегли, как Аргусы, и нечего было даже думать о том, чтобы исправить пару цифр в анкете. Наверное, поэтому Нора и вышла из рядов КПСС в числе первых.

— Спасибо, Оленька, вы очень помогли мне, — произнесла я, возясь с сапогами.

— Я помогаю не вам, а Лене, — ответила девушка. — Насколько я поняла, вы ищете убийцу Кондрата. А я должок Елене Михайловне возвращаю.

— Какой? — изумилась я.

— Меня на работу в «Мир литературы» сначала взяли стажером, — пояснила девушка, — с испытательным сроком. А когда он закончился, главный редактор сообщил: «Уговоришь Кондрата Разумова дать нам повесть, чтобы из номера в номер печатать, возьму в штат, а если нет, то и расстанемся друзьями». Представляете?

Кондрат, естественно, послал Олю куда подальше. Но девушка все звонила в надежде на то, что он сменит гнев на милость. Потом, набравшись наглости, заявилась к литератору домой и нарвалась на Лену. То ли от усталости, то ли от обиды начинающая журналистка разревелась и выложила все супруге.

— Езжай домой, — велела та. — Успокойся.

Она покорно вернулась к себе. А наутро Кондрат лично приехал в «Мир литературы» и, сунув Ольге тощую папку, буркнул:

— На, плакса, получи повестушку, да скажи Елене Михайловне спасибо. Терпеть не могу газетных публикаций с продолжением.

— Так что теперь мой черед добрые дела совершать, — закончила Оля. — Ясно?

Конечно, как аукнется, так и откликнется.

ГЛАВА 16

Не успела дверь в квартиру распахнуться, как я, памятуя урок, моментально заявила:

— Здравствуйте, девушка. Я корреспондент «Мира литературы», позовите, пожалуйста, маму.

Сухощавая шатенка лет шестидесяти жеманно хихикнула:

— Нора — это я.

— Не может быть! Ой, простите, — залепетал мой язык. — Я думала, госпоже Киселевой за сорок, а вам и двадцати не дашь!

— Душенька, — запела вдовица, — здесь просто темно, вот сейчас войдем в гостиную, и сразу все станет на место.

Меня втолкнули в огромную комнату, забитую антикварной мебелью красного дерева. Изо всех углов выглядывали этажерочки, накрытые кружевными салфеточками, на стенах висели зеркала в пудовых бронзовых рамах, но было чисто, пахло полиролью и французскими духами.

Усадив гостью на широкий, обитый темно-синим шелком диван, хозяйка пристроилась на огромном елизаветинском стуле и поинтересовалась:

— Ну, о чем поболтаем? Зачем я вам понадобилась?

Следовало признать, что шестидесятилетняя дама выглядела безупречно. Волосы подстрижены на самый модный манер и выкрашены в светло-каштановый цвет, кожа гладкая, только у висков пролегли тоненькие «паучьи лапки», рот пухлый и ярко-красный. Лишь глаза выдают истинные годы, молодой, задорный взгляд не купить ни за какие деньги, да и косметические операции тут не помогут. Интересно, сколько раз Нора обращалась к хирургам? По моей оценке, не меньше трех. Круговая пластика лица, коррекция нижних и верхних век, силиконовая инъекция в губы... Очевидно, еще и бюст подтягивала, грудь под свитерком топорщится, словно у девушки. Правда, фигуру она сохранила сама. Никакая липосакция не поможет, если лопать на ночь шоколадное мороженое и сдобные булки с медом. А тело у Норы было безупречное, изящные ноги, которые она не скрывала, нося более чем короткие юбки, не имели признаков варикоза. Значит, она делала еще и склеропластику, чтобы избавиться от тромбофлебита. Талия тонюсенькая, бедра узкие, руки точеные... Только это была не хрупкая стройность восемнадцатилетней девушки, а сухощавость пожилой дамы.

— Ну, милочка, — заулыбалась Нора, — теперь, конечно, вы видите, что мне тридцать пять!

— Невозможно поверить! — с пафосом воскликнула я, отводя взор от ее глаз, как у состарившейся обезьянки. — Невероятно, тридцать пять! Поделитесь секретом вашей молодости, а то я старше вас всего на три года, а выгляжу драной мочалкой.

— Никакой особой тайны нет, — горделиво ответила кокетка, бросая взгляд в одно из многочисленных зеркал. — Просто следует помнить простое правило — никогда и ни о ком не думать плохо, наполнить сердце любовью к людям, помогать друзьям в беде...

«И раз в год ложиться на операционный стол», — про себя докончила я.

Но Нора, довольная произведенным впечатлением, совершенно не подозревала о ехидных мыслях гостьи.

— Ну, слушаю, дорогуша, помогу, если в силах...

Я принялась озвучивать придуманную по дороге историю. Меня взяли в «Мир литературы» стажером, и я должна доказать, что уверенно ориентируюсь не только в водовороте книжных новинок, но и в среде самих писателей. Главному редактору на стол попала новая рукопись Кондрата Разумова. И вот теперь мое начальство хочет, чтобы я открыла читателям тайну зашифрованных имен. Вот, например, Нинель Молотобойцева...

— Нинка Кузнецова, — взвизгнула Нора. — Ну такая дрянь, пробы поставить негде! Работает в Союзе писателей. Сейчас вообще черт-те что происходит! Раньше творческое объединение литераторов было одно — Союз писателей СССР, ясно и понятно, а сейчас их расплодилась целая куча. По-моему, семь или восемь. Ей-богу, нет столько литераторов, сколько союзов. Представляете, даже я про всех не знаю! Но Нинка еще из старых аппаратчиц. Знаете, в прежние годы, ну, к примеру, в 1975-м, придешь в московское отделение, а там сплошь женщины около тридцати работают. Зарплата крошечная, чего сидят? А ответ прост. Хотят за писателя замуж выйти. На какие только ухищрения не пускались, прямо на рабочем месте... Бывало, везло кое-кому, вот один известный поэт всю жизнь прожил с буфетчицей из ЦДЛ в гражданском браке... Кое-кто женился на нахалках по-настоящему, но Нинке приходилось охотиться в другом лесу. Наши прозаики и поэты не желали с ней связываться.

— Почему?

— Дорогуша, дурная слава далеко впереди бежит, — сплетничала Нора. — Знаете, какие она штуки с мужьями проделывала?

Мне пришлось еще раз выслушать историю про обмен квартир.

— А Владимир Кошельков — это кто? — быстро вставила я, когда Нора перевела дух.

— Кошельков, Кошельков, — забормотала дама, поправляя прическу. — Кошельков! Ну конечно, Владлен Кошель, ударение на «о», Ко́шель, а не Коше́ль. Такой мерзавец! Совершенно аморальный тип.

— Да ну? — изобразила я удивление. — Неужели?

— Слушайте, — азартно выкрикнула Нора. — Все расскажу!

Владлен Кошель снискал в писательской среде сомнительную славу «объедалы». Целыми днями мужик просиживал в холле Центрального дома литераторов, поджидая знакомых, собирающихся трапезничать. Ловил подходящий момент и с распростертыми объятиями кидался к «коллеге»: «Дорогой, давно не виделись...» — Потом без долгих колебаний садился за столик и спрашивал: «Не прогоните, посижу с вами...»

Самое интересное, что хитрый мужик точно знал, к кому набиваться. Всегда выбирал мужчин, пришедших с молоденькими девушками. Кто же захочет выглядеть в глазах дамы жмотом! Если подходящей кандидатуры в ресторане не находилось, Владлен не унывал и шел в кафетерий. Словом, так и жил, не тратясь на еду и сигареты. Пару раз особо нервные знакомые вламывали наглецу в туалете по зубам, но Кошель не обижался и продолжал в таком же духе.

Правда, следует отметить, что за чужой счет питался он только тогда, когда был, так сказать, в простое. Потому что, как правило, Владлена обеспечивали дамы. Он находил себе любовниц вне писательской среды, в основном его жертвами становились дочери военных, хорошо обеспеченные мадемуазели около сорока лет. Им Кошель мог беззастенчиво врать про создание гениальной поэмы «Руки любимой» и про подлых интриганов, из-за происков которых нетленные стихи его не хотят печатать.

Неискушенные тетки первое время верили, покупали ему костюмы, белье, кормили, поили и селили любовника на своих роскошных, оставшихся от папенек-генералов, дачах. Потом трезвели и выгоняли альфонса.

Но в 1988 году Кошель женился на Свете Рогачевой, не обратив внимания на то, что невеста старше его на целых пятнадцать лет. Прожил он с «молодой» женой пять годков, и тут из города Парижа приехала ее родная дочь, Анюта. Несмотря на юный возраст, она уже была вдовой, причем чьей! Ее покойный супруг, месье Дюпон, считался одним из богатейших людей Франции. Но рак не щадит никого, и Анюта стала единоличной владелицей огромного состояния.

Владлен моментально смекнул, что к чему, и начал танковую атаку. Поскольку в любовных баталиях он был опытным воином, то вражеская крепость сдалась почти без боя. Света чуть не умерла от разрыва сердца, узнав истину, и попыталась рассказать дочери правду об ее избраннике. Но та не хотела ничего слушать. Между матерью и дочерью разгорелся скандал. Владлен мигом развелся, тут же женился на юной вдове и отбыл на берега Сены, где и проживает до сегодняшнего дня в полном благополучии, издает за свой счет стихи, тратит состояние, нажитое Дюпоном, и чувствует себя великолепно. Бывшую жену он вычеркнул из своей жизни, Анюта тоже не поддерживала никаких отношений с матерью. Света умерла год тому назад от инсульта в полной нищете. Говорят, ходила собирать у метро пустые бутылки.

— Хороша история? — поинтересовалась Нора.

— Да уж, — вздохнула я.

Впрочем, это не было для меня откровением. Все события были описаны в «Загоне», только там Владимир Кошельков убивает Сержа Дюпона, чтобы начать охоту за вдовой. Но, в конце концов, писатель имеет право на полет фантазии.

— А Степан Разин?

Нора замолчала. Спустя пару минут она спросила:

— Вы уверены, что есть реальный прототип?

— Да. Разумов вроде в своих книгах изображал существующих людей...

— Ну не всегда, — поморщилась Киселева. — Хотя следует признать, что в основном да. Но, наверное, так поступают многие, пишут о знакомых... Правда, Кондрат в последних книгах совсем распоясался. Про историю с Париным слышали?

Я кивнула.

— Знаете, в чем заключалась подлость?

— Нет.

— Кондрат взял всего лишь пару широко известных фактов из жизни академика: то, что он женился на девчонке, годившейся ему во внучки, что Иван жуткий бабник и что его аспирантки, прежде чем получить заветные корочки с золотыми буквами «кандидат наук», должны были сначала ублажать научного руководителя в койке... Все, больше там правды нет.

Но, как говорил министр пропаганды фашистской Германии Геббельс: «Возьмите микроскопическую крошку истины и перемешайте ее с килограммом лжи, люди поверят всему безоговорочно». Разумов превратил семью Парина в сборище монстров. Дочь убивала новорожденного младенца, жена путалась в любовниках и в конце концов отравила одного из них, как таракана, сам глава семьи придушил в кровати, правда, по чистой случайности, провинциальную соискательницу...

Но читатели съели все, а хорошо знавшие Парина люди засомневались в нем. Вера человека в печатное слово велика, и кое-кто предпочел разорвать с Париными отношения. Словом, получилось как в анекдоте, «то ли у него украли кошелек, то ли он украл кошелек, но была там какая-то неприятная история».

— А знаете, почему Кондрат ополчился на Ивана? — поинтересовалась Нора, переведя дух.

— Нет.

— Разумов хотел стать членом-корреспондентом Российской академии образования, ну честолюбие взыграло. Кстати, туда и впрямь иногда принимают людей искусства, того же кинорежиссера и актера Быкова, например. В общем, он подал документы, а Парин зарубил его кандидатуру, вот наш киллер и отомстил.

— Кто? — не поняла я.

Нора внимательно посмотрела в зеркало, потом мизинцем поправила левую бровь и объяснила:

— Иван просто взбесился, кинулся бегать по редакциям, требуя опровержения. Ему отказывали, объясняли — хуже будет, если кто и не догадался, что главный герой и Парин одно лицо, то после подобной публикации в курсе будут все.

Но Ивана заело, и в конце концов он уговорил редактора газеты «Желтуха». А тот, готовый ради тиража на все, дал материал под названием «Литературный киллер». Правда, эффект от статьи был противоположен тому, на который рассчитывал Иван. Злые языки замололи с удвоенным усердием, а те, кто не успел прочитать скандальный роман, бросились в магазины. Издательство спешно допечатало тираж, и в результате Кондрат отлично заработал!

— Значит, вы не припоминаете никого, кто носил бы фамилию, похожую на Разин?

Нора только покачала головой:

— Подумаю обязательно, но если Кошель и Кузнецова моментально пришли на ум, то Разин?.. Нет, не понимаю пока.

Едва я открыла дверь квартиры Разумовых, как в нос ударил не слишком приятный запах.

— Девушки! — крикнула я. — Ваш кекс сгорел!

— Нет, — отозвалась Лиза, — мы его еще не сделали.

— Ну да? — удивилась я, входя на кухню. — За такое время?

— Рецепт дурацкий, — пробормотала Маша Гаврюшина, чиркая спичками.

Я окинула взглядом стол. Так, миска, в которой вздрагивает жидкое тесто, изюм, цукаты...

— В чем дело? Духовку зажечь? И вообще, что это ты делаешь?

Маша швырнула спичку.

— Вот зараза, гореть не хочет!

— Кто?

— Сода! — в один голос ответили девочки. — Который час бьемся, а она не вспыхивает, просто измучились.

На клеенке и впрямь высилась куча обгорелых спичек и стояло блюдечко с белым порошком.

— Ничего не понимаю. Зачем соде гореть?

— Говорю же, — вздохнула Гаврюшина. — Рецепт кретин придумал, вот смотрите.

Я быстро прочитала — молоко, яйца, соль, масло...

— А при чем тут горелая сода?

— Да вот, — ткнула Лиза пальцем в строчку. — Погасить соду! А как ее погасить? Сначала зажечь надо!

Прикусив нижнюю губу и еле сдерживая вырывающийся из груди хохот, я вытащила бутылку с уксусом и капнула в блюдечко. Раздалось шипение, и полезла обильная пена.

— Вот, кондитеры вы мои, это и значит — погасить соду!

— Ну и дура ты, Гавря! — с чувством произнесла Лиза. — Из-за тебя мучились!

— Уж прямо, — буркнула Маша, — а кто в соду зажигалкой тыкал?

Оставив их выяснять отношения, я вернулась к себе и вновь попыталась соединиться с Грызловым, но на этот раз автоответчик бормотал по-английски. Пришлось позвать девочек.

Маша Гаврюшина подержала трубку и сообщила:

— Жалуется на память, небось сломался.

— Дай, — велела Лиза и засмеялась: — Ну, Гавря, ты даешь, при чем тут память. Он говорит — извините, переполнен.

— Может, память закончилась? — предположила я.

— Точно! — закричала Маша. — Извините, моя память заполнена.

В воскресенье утром я попросила соседа:

— Андрюша, свези нас к ветеринару.

— Мастина опять обожрался? — испугался бандит.

— Нет. Надо Пингву кастрировать.

— Какой ужас! — с неподдельной дрожью в голосе произнес он. — Зачем кота так мучить.

Минут пятнадцать я разъясняла ему необходимость этой операции. И мы в конце концов влезли в джип.

— Тогда уж и мастину возьмем, — велел Андрей Петрович. — Пусть доктор на него глянет, может, какие витамины прикупить надо.

Я с сомнением покосилась на Рамика. Он и без всяких добавок растет словно тесто и с такой же скоростью толстеет. Нет уж, витамины ему нельзя.

Но щенка все равно прихватили с собой. И он, очевидно, вспомнив про неприятные процедуры, забился на всякий случай в приемной под стул.

Доктор забрал Пингву и ушел. Мы тихонько сидели на желтых сиденьях, ожидая конца операции. Вдруг дверь кабинета распахнулась, вышел ветеринар. На руках он нес кота. Тот не двигался и почему-то смотрел на мир широко открытыми, остекленевшими глазами.

«Умер, — пронеслось у меня в голове. — Крохотное сердечко не вынесло. И зачем только я согласилась на это, подумаешь, царапался!»

Очевидно, те же мысли мелькнули и у остальных, потому что Лиза зашмыгала носом, а Андрей протянул:

— Ну, блин, дела, в натуре, Пингва доской накрылся.

— Отчего он скончался? — тихо спросила я.

— Кто сказал эту глупость? — возмутился доктор. — Живехонек-здоровехонек, с чего вы решили?

— Но, — растерянно пробормотала Лиза, — он же лежит без движения и так странно смотрит...

— Он в наркозе, — пояснил врач. — У кошек во время искусственного сна глаза открыты.

— Уже сделали операцию? — обрадовалась я. — Так быстро!

— Я не могу кастрировать это создание, — спокойно произнес ветеринар. — Ничего не получится.

— Слышь, лепила, кончай пургу гонять, — обозлился Андрей. — Колись, убогий, без базара, что с Пингвой? Может, хрустов мало отсмолили? Так без проблем, однозначно, ща еще капусты нарубим. Шепчи конкретно, сколько?

И он широким жестом вытащил из кармана роскошное портмоне.

— Нисколько, — спокойно ответил ветеринар. — Потому что это кошка!

— Кошка! — ахнула Лиза. — Но как же...

— Во блин, — заржал Андрей. — Был Пингвин, а стала Пингвинка!

— Но нам его отдали как кота! — не успокаивалась я.

— Ну и что? — усмехнулся ветеринар. — Случается иногда такое. Что же не проверили?

— А мы не знали, чем кот отличается от кошки, — ляпнула Лиза.

Доктор вздернул брови и покосился в мою сторону.

— Во дает! — заржал Андрей. — Да под хвост глянь!

Чтобы переменить щекотливую тему, я быстренько вмешалась:

— Доктор, Рамику нужно принимать витамины?

— Да, — влез сосед. — Не корчись, любые мастине куплю!

— Вы полагаете, что это мастино-неаполитано? — спросил врач.

— Нам так кажется, — осторожно ответила я.

— Должен вас разочаровать, — вздохнул эскулап. — На мой взгляд, это помесь, но интересная. Видите, какие лапы?

— Здоровские грабки, — подтвердил Андрей.

— А морда? Потом, спина широкая, опять же, положение ушей. Думается, тут смешаны крупный ротвейлер и весьма редкая порода — фила-бразильеро.

— Это чегой-то такое? — почесал в затылке наш бандит.

— У аптечного киоска висит плакат, гляньте.

Мы дружно подошли к ларьку и нашли нужную информацию. При взгляде на фото холодный пот потек у меня по спине. Впрочем, то, что ротвейлеры большие и злобные собаки, я знала и до этого. И снимок меня не удивил, неприятно поразило лишь сообщение о весе, которого достигают собачки, — девяносто килограммов. Но фила-бразильеро!.. Я не способна описать это чудовище. Наверное, в озере Лох-Несс плавает какая-нибудь одичавшая фила. Подпись под фотографией действовала ободряюще: «Самая большая собака в мире».

— Ну, круто! — присвистнул бандит. — В Бутырке вся охрана с ротвейлерами, чистые отморозки!

— Надзиратели или собаки?

— И те и другие.

— Ты сидел?

— Не, братаны болтали.

Подхватив ничего не знающего о своем генеалогическом древе Рамика, мы поехали домой.

ГЛАВА 17

Дома я первым делом позвонила Грызлову. Но вежливый автоответчик вновь сообщил о переполненной памяти. Мужик явно уехал на выходные, может, у него есть дача. Хотя погода не располагала к общению с природой — свинцовые тучи нависли прямо над головой, и из них хлопьями валил противный липкий снег. Лиза не захотела обедать и забилась на диван с пиццей, собираясь читать комиксы. Я решила не делать замечания: «Лучше суп, чем дурацкая лепешка с сыром» — и последовала ее примеру. Как всегда по воскресеньям, по телевизору не показывали днем ничего интересного, и я принялась вяло листать «Загон с гиенами».

Неожиданное озарение пришло, когда мои глаза наткнулись на следующий текст: «Жила семья Разиных в коммунальной квартире дома номер восемнадцать по четвертому Эльдорадовскому переулку. В здании теснились рабочие завода «Чугуноприбор», ранее оно было общежитием, а потом превратилось в муниципальное жилье, убогое и грязное. Отец — Колька Разин, пока не спился, работал в трамвайном депо слесарем, а мать — Танька, мела полы в заводоуправлении. Степан был пятым ребенком, ненужным и нелюбимым».

Значит, так, насколько я помню, Эльдародо — это счастье. И если в книге дана зашифрованная информация, то надо... Я побежала в кабинет Кондрата, там на книжных полках стоял атлас Москвы. Минут пятнадцать у меня ушло на внимательное изучение названий, но ничего связанного со счастьем я так и не нашла. Вот Несчастный тупик имелся, кстати, и Скорбный проезд тоже. Уже ни на что не надеясь, я подобралась к букве Э и тут же подскочила от радости. Эльдорадовский переулок существовал на самом деле, причем именно четвертый, куда подевались три первых, одному богу известно. Находился он между Планетной и Красноармейской улицами. С меня разом слетел сон. Вдруг Кондрат дал настоящий адрес? Тогда в доме восемнадцать могут еще жить люди, которые расскажут, кого имел в виду писатель, изображая Разина.

Полная энтузиазма, я быстро собралась, затаптывая ногами слабые ростки разума, кричавшие: «Ерунда, это случайное совпадение. Кондрат все придумал».

В метро я села в самый угол. Степан Разин представал со страниц рукописи настоящим мерзавцем, лучшей кандидатуры на роль убийцы просто не было.

Добираться пришлось долго. Нечего было и думать о том, чтобы дойти от метро «Динамо» пешком, пришлось минут двадцать ждать автобуса, а потом трястись в переполненном железном ящике на колесах. Если в выходной в нем столько пассажиров, то в будний день, наверное, вообще не влезть.

Переулок, застроенный невысокими пятиэтажными кирпичными домами, выглядел провинциально. Если бы мне показали фотографию, я без колебаний сказала: «Да это Тамбов!» Трудно представить, что в самом центре столицы могло сохраниться такое тихое место. Дома стояли буквой П, подъезды выходили во двор. Наверное, летом тут красота. Но сейчас на деревянных столиках и скамейках лежал снег, и не было гуляющих старух и матерей с колясками. Плохая погода разогнала всех по щелям.

Я вошла в подъезд и побрела вверх по довольно широкой лестнице. Да, в доме явно произошли изменения. Некоторые двери были железными, и не похоже, что они закрывали вход в коммунальное жилье. Впрочем, и женщина, открывшая на мой звонок, не походила на бедную — яркая блондинка в красивом спортивном костюме.

— Вам кого? — улыбнулась она.

— Простите. Здесь когда-то проживала семья Разиных? — спросила я, ожидая, что она сейчас воскликнет: «Нет, вы ошиблись». И тогда я быстро спрошу: «Или Казиных, я могла перепутать...»

Но улыбчивая хозяйка, как ни в чем не бывало, ответила:

— Да, только очень давно.

От невероятной удачи я разинула рот:

— Вы их хорошо знали?

Блондинка засмеялась:

— Достаточно. В одной квартире жили.

— Где они теперь?

— А вам это зачем?

Я выпалила первое, что пришло в голову:

— Они мои родственники. Вот приехала в Москву из Владивостока диссертацию писать, дай, думаю, найду их, а адрес у меня только этот.

— Входите, — разрешила блондинка.

Мы прошли на роскошно оборудованную кухню, и хозяйка стала рыться в книжке.

— Где-то были координаты, тетя Таня оставляла.

— А почему они уехали? — решила я завести разговор.

Хозяйка пояснила:

— Николай умер, Татьяна нуждалась, а у моего мужа как раз бизнес в гору пошел, вот мы и выкупили их две комнатки. Нет, телефона не вижу, а адрес, пожалуйста, Волынская улица, семнадцать.

— Где же такая?

— В принципе не так и далеко, — охотно пояснила бывшая соседка. — Вернитесь к метро, садитесь на автобус и доезжайте до остановки «Вторая Хуторская», а там спросите.

— Вроде у них и дети были, кажется, пятеро...

Дама посуровела:

— Больше ничем не могу помочь.

— А Степана вы помните?

Внезапно хозяйка вспыхнула огнем и рявкнула:

— Ну чего привязались! Адрес дала, и все, недосуг мне болтать, я на работу собираюсь.

— Так сегодня воскресенье.

Она обозлилась окончательно:

— Или уходите, или я вызову милицию. Виданное ли дело, человеку отдохнуть не дают!

Надо же, какая странная, то на работу торопится, то отдыхать хочет... И чего так разозлилась, когда я упомянула про Степана? Впрочем, если она так реагирует, значит, он существует на самом деле.

Чавкая сапогами по грязи, я добралась до «Динамо», пересела в другой автобус, и он закружил по однообразным серым улочкам. Нет, если живешь в Москве далеко от метро, то выход только один — покупать автомобиль, иначе большую часть дня проведешь в вонючем транспорте.

Волынская улица, длинная и прямая, упиралась в магазин «Золотой крендель». Дом семнадцать оказался последним. Это была десятиэтажная белая блочная башня с черными швами. В подъезде разбито стекло, почтовые ящики покрыты копотью, на полу окурки, обрывки газет и какие-то тряпки.

— На каком этаже семьдесят вторая квартира? — спросила я у группы подростков, куривших на лестнице.

— Езжайте до седьмого, — весьма вежливо ответила размалеванная девица лет тринадцати, — там Славка живет, друган наш.

Из-за двери семьдесят второй квартиры доносились звуки скандала.

— А-а-а! — вопил разъяренный женский голос. — Опять гулять удумал! А уроки! Вырастила лоботряса!..

Судя по всему, другану Славке приходилось плохо. Не успела я поднять руку, как дверь с треском распахнулась, и прямо на меня вылетел долговязый подросток с порочным лицом малолетнего воришки. За ним с тряпкой в руке неслась женщина лет сорока пяти. Увидав незнакомку, она притормозила и довольно грубо поинтересовалась:

— Чего надо?

Подросток подбежал к лифту, вскочил в него и был таков.

— Не волнуйтесь, — попробовала я ее успокоить, — далеко не уйдет, там внизу его компания ждет.

— То-то и оно, что компания, — устало произнесла женщина. — Уж извините, что налетела на вас. Сил просто не осталось. Тяну одна двоих оболтусов, еле жива уже. А вам кого?

— Двадцать шестого марта президентские выборы, — официально сообщила я, — проверяем списки избирателей. Вы голосовать собираетесь?

— Проходите, — вздохнула баба.

При первом взгляде на убранство квартиры стало ясно, что живут тут бедные, если не сказать нищие, люди. Небольшая комната, выполнявшая роль гостиной, была обставлена непрезентабельной мебелью, сделанной в середине шестидесятых. В углу на полированной тумбочке стоял черно-белый телевизор «Таурас», благополучно отметивший двадцатипятилетний юбилей. На окнах — самые простые желтые занавески, такие висели в консерватории в актовом зале, на полу синтетический светло-коричневый палас, а из мебели — ободранный диван, прикрытый ковром, два кресла и обеденный стол под вытертой до белесого цвета клеенкой. Обои кое-где обвисли, и лохмотья были старательно подклеены. Очевидно, у хозяйки совсем нет средств. Но чисто, нигде ни пылинки, а на подоконнике буйным цветом радует глаза герань.

— Кто прописан у вас? — поинтересовалась я, вытаскивая купленный у метро блокнот.

— Лидия Разина и Вячеслав Разин, — ответила хозяйка.

— А второй сын?

Лида замялась:

— Тут такое дело, прямо не знаю...

— Говорите, я ко всему привыкла, — приободрила я ее.

— Женька, старший мой, сидит, — пояснила Разина. — Машину угнал с пацанами, подельников всех родители выкупили, а у меня денег нет, вот и вломили на полную катушку — четыре года. Думала, помощник вырос, хоть работать пойдет. Ан нет. Тащи теперь на горбу уголовничка, на одни передачи в месяц триста рублей уходит! Надо бы бросить его, он-то со мной не советовался, когда безобразничал, да жаль, вот и мучаюсь. Да еще Славка от рук отбился. Уж стращаю, стращаю его, а толку! Разинская кровь гнилая, у них все с изъяном. Эх, не знала я, в какую семью попала, бежать бы тогда надо было...

— А Татьяне Разиной вы кем приходитесь? — поинтересовалась я.

— Снохой, — пояснила Лида. — Замуж в недобрый час за ее старшенького, Володьку, вышла, дура безмозглая.

— Можно поговорить с ней?

— Так она умерла!

— А Николай?

— Э, вспомнили. Он еще когда перекинулся, выпил дрянь какую-то, и все. Тетя Таня нарадоваться не могла.

— Нарадоваться? — изумилась я.

— Пил он по-черному, — вздохнула Лида, — дрался, за ножи хватался, жуть. Я, слава богу, пряталась, а тете Тане по первое число доставалось.

— Что же она не развелась? — глупо спросила я.

— А дети? Четверо их по лавкам сидело, отец был нужен.

Я только вздохнула. По-моему, лучше совсем без отца, чем с таким.

— Сын у них был, Степан, не знаете, что с ним?

Лида пожала плечами:

— То, что был, помню, только дома он не жил.

— А где?

— Вроде тетка его к себе взяла, жена брата свекра. Она богатая, а своих детей господь не дал. Степка последним был, сначала Володька, следом Сашка, потом Ритка, четвертая Галька, и только затем Степан.

— А ваш муж не знает, где можно найти Степана?

Лида печально улыбнулась:

— Володьку убили в драке, шесть лет тому назад.

— Простите.

— Ничего. Слава богу, что избавилась. Я так на суде и сказала: «Сашку не надо сильно наказывать, он мне доброе дело сделал, от ирода избавил».

— Так его...

— Брат убил, — спокойно объяснила Лида. — Выпимши оба были.

— За что?

— Говорю же, выпимши были, на бутылку им не хватало, стали драться, ну и вышло случайно, не хотел никто, а получилось!

— Значит, с Сашей тоже не переговорить, — безнадежно вздохнула я. — Как найти Степана?

— С Сашкой точно не побеседовать, — ухмыльнулась Лида, — тоже покойник. Помер на зоне. Только девки и остались — Галка и Ритка, вот они небось знают точно про тетку и брата.

— Где же их найти?

Лида призадумалась:

— Если только у тети Тани в старой книжке посмотреть...

Она повернулась к допотопному трехстворчатому гардеробу, раскрыла скрипучую дверку и тут только поинтересовалась:

— Вам они зачем?

— Да в избирательных листах путаница, — отмахнулась я. — Люди давно съехали, а у нас до сих пор указаны. Представляете, какое поле для махинаций? Вот хожу, ищу мертвые души. Все ноги стоптала!

— Во всей стране бардак, — философски заметила Лида, листая старенький, распадающийся на части блокнотик с изображением монумента «Рабочий и колхозница» на обложке. — Чего уж тут удивляться...

Минут пять мы помолчали, потом она устало сказала:

— Вот. Ритка на Ленинградском проспекте живет в доме шестьдесят четыре, а Галки нет. Ну, да она с матерью отношений не поддерживала. Тетя Таня говорила, вроде она за генерала замуж вышла и все связи с семьей порвала, а уж правда или нет, не знаю!

Оказавшись у лифта, я посмотрела еще раз на листок. Устала я ужасно, хорошо бы поехать домой, принять ванну, потом лечь в кровать с шоколадкой и новым детективом... Но придется ехать к Рите Разиной. Ленинградский проспект тут рядом, и вечер воскресенья самое лучшее время для того, чтобы застать всех дома.

Опять пришлось добираться до «Динамо», потом садиться в троллейбус и трястись по проспекту. Я давно хотела в туалет и с удовольствием бы перекусила.

Шестьдесят четвертый дом походил на гигантский корабль — серый, монументальный и какой-то подавляющий. Внутри тоже все впечатляло — широкая лестница, большие двери, небось потолки четыре метра, если не выше. Дверь квартиры Риты была приоткрыта. Слегка удивившись, я вошла и крикнула:

— Маргарита Николаевна, вы дома?

В ответ — тишина. Прихожая жутко загажена, на полу обрывки некогда светло-коричневой ковровой дорожки, обои свисают клоками, верхняя одежда красуется просто на огромных гвоздях, вбитых в стену, а под грязными, вонючими пальто и курткой валяются вперемешку ботинки, сапоги и засаленные тапки...

— Маргарита Николаевна! — позвала я и пошла по небольшому коридорчику. Комната была одна, просторная и почти пустая. В углу стояла полуразвалившаяся тахта, вместо двух ножек — стопки растрепанных книг. Белье на ней отсутствовало, растрепанная подушка и драное ватное одеяло валялись на полу, посередине высился обеденный стол без скатерти и клеенки, и на нем было полно самых разнообразных предметов: вспоротая банка рыбных консервов, несколько пустых водочных бутылок, расческа с клоками длинных черных волос, нечто сморщенное, оказавшееся при ближайшем рассмотрении сырой картофелиной, и куча хлебных корок.

Больше в комнате было ничего, даже занавесок, а с потолка свисала голая электрическая лампочка.

Кухня выглядела не лучше. Газовая плита в жутких потеках, скорей всего, ее не мыли со дня покупки. Холодильник тоже в каких-то пятнах, линолеум по цвету сравнялся с асфальтом, но хозяйку это не смущало. Она сидела на диване «Малютка», покрытом чем-то, что я не решилась бы использовать в качестве половой тряпки.

— Ты ко мне? — с легким удивлением произнесла Маргарита, а это была она, и громко икнула.

Густой запах алкоголя повис в кухне.

— К вам.

— И чего хочешь? — благодушно поинтересовалась Рита. — Соли дать? Нету у меня. Сахару тоже, уж извини. Помогла бы по-соседски, но откуда деньги взять инвалиду, ой, тошно...

И внезапно она громко зарыдала.

Я слегка растерялась. В своей жизни мне никогда не приходилось иметь дело с алкоголиками. Отец, правда, выпивал по праздникам рюмку-другую хорошего коньяка. Мама иногда наливала в чай пару ложек «Рижского бальзама» или ликера, но, как вы понимаете, пьяными я их никогда не видела. Нет, вру, был один раз случай.

Память услужливо подсунула картину. Вот открывается входная дверь, и отец тяжело садится на стул у входа.

— Папочка пришел! — с радостным криком кидаюсь я ему на шею и сразу понимаю, что с ним произошла беда.

Пальто отчего-то грязное, шляпа висит на одном ухе, глаза бессмысленно бегают из стороны в сторону, на пороге с виноватым видом молчит его шофер Иосиф Петрович.

— Папа заболел, — сообщает он мне. — Позови маму.

Но она уже бежит по коридору. Меня моментально уводят в детскую и велят не выходить. Я очень послушная девочка, поэтому покорно сижу за закрытой дверью и внимательно слушаю, что происходит в квартире. А там царит суматоха: льется вода в ванной, доносятся непонятные и от этого жуткие звуки, затем приезжает «Скорая».

Где-то около одиннадцати мама наконец вспоминает про меня и входит в детскую. Ее лицо заплакано, а всегда причесанные волосы стоят дыбом.

— Папу увезли в больницу, у него инфаркт, — поясняет она и добавляет: — Ложись спать, детка. Завтра поедем к нему.

Но назавтра смущенно улыбающийся папа появляется дома. Радостная мама затевает праздничные пироги. Вечером мы получаем подарки. Я нахожу на кровати громадного, слегка косорылого розового зайца, а мать маленькую коробочку с золотым кольцом. И только спустя много лет, уже после папиной смерти, она рассказала мне, что произошло в тот день.

Отец был на похоронах своего товарища, тоже крупного ученого, работавшего на военно-промышленный комплекс. Замерз, устал и проголодался. На поминках его посадили возле миски с незнакомым салатом — белый овощ, наструганный на терке, был заправлен подсолнечным маслом. Папа попробовал и пришел в полный восторг — острое, необыкновенно вкусное блюдо.

— Что это? — поинтересовался он у хозяйки.

— Черная редька, — ответила та и удивилась: — Разве ваша супруга такую не делает? Лучшая закуска под водку.

Но мама никогда не готовила ничего подобного. Отец увлёкся и съел всю миску. Впрочем, хозяйка оказалась права — выпитой водки он не ощущал и смело опрокидывал стопку за стопкой, надеясь побыстрей согреться.

Плохо ему стало в машине. Голова закружилась, к горлу подступила тошнота, сердце билось так, что, казалось, оно сейчас выскочит из груди... Приехавшая «Скорая» моментально заподозрила инфаркт. Но в больнице опытный кардиолог велел промыть больному желудок и, мрачно посмотрев в таз, поинтересовался:

— Сколько же вы редьки слопали? Килограмм? Два? Никогда больше так не поступайте. Этот овощ изменяет сердечную деятельность, он крайне опасен в больших количествах.

Утром сконфуженного отца отправили домой. И это был единственный случай в моей жизни, когда я видела его подшофе.

Мой бывший супруг тоже не злоупотреблял горячительными напитками. Он в основном увлекался бабами. А Катин старший сын Серёжка любой выпивке предпочитает мороженое. Поэтому как вести себя с женщиной, сильно страдающей от похмелья, я просто не знала.

— Ой, ой, ой, — раскачивалась из стороны в сторону хозяйка, держась за голову. — Ой, ой, как болит, спасу нет!

— Вы Рита? — попробовала я вступить с ней в контакт.

— Ох, не знаю, — пробормотала она.

— Как? Вы не знаете своё имя?

— Ничего не знаю, — нудила тётка, держась за виски. — Ничего.

Честно говоря, я её пожалела. Сама только один раз в жизни напилась и помню, как мне было плохо, пока заботливый Андрюша не поднёс стаканчик «Балтики». Пиво! Вот что должно помочь. Я выскочила на улицу и в ближайшем ларьке схватила две бутылки. Пиво и впрямь оказалось живой водой. Хозяйка прекратила стонать, натренированной рукой вскрыла бутылку и выхлебала содержимое прямо из горлышка. Я уставилась на неё во все глаза, ожидая действия «лекарства». Минут через пять алкоголичка удовлетворённо рыгнула и пробормотала:

— Хорошо пошла, давай вторую!

— Э, нет, сначала скажи, ты Рита?

— Я Марго, — ответила пьянчужка.

Ну уж на королеву она явно не тянула. Но если ей так хочется, пусть будет Марго.

— Знаешь, где Степан?

— Кто это такой? — удивилась она.

— Брат твой родной, Степан Разин.

— Ах, Степка, — протянула собеседница. — А хрен его знает.

— Ну попробуй сообразить.

Рита попыталась встать, но ноги не слушались, подламывались в коленях и явно не собирались никуда идти.

— Там, — мотнула она головой в сторону коридора, — на стене телефон.

Я вышла из кухни, сняла с полочки телефон и принесла Маргарите.

— Нет, — икнула та. — На обоях телефоны записаны, глянь, может, и есть нужный...

Щелкнув выключателем, я принялась изучать клочья, висевшие вокруг полочки. Среди них и впрямь нашлось несколько бумажек с цифрами. Женя, Леша, Галка и почему-то парикмахерская. Вот уж никогда бы не подумала, что подобный экземпляр ходит делать прически. Вернувшись на кухню, я увидела, что Марго добралась до второй бутылки, выхлебала ее до дна и теперь спит, уронив грязную голову между вонючей тряпкой и газетой, на которой громоздятся остатки копченого леща.

Переписав на всякий случай телефончики, я несолоно хлебавши отправилась домой.

ГЛАВА 18

В понедельник ровно в десять утра я позвонила в издательство и сообщила Михаилу, что дискета с рукописью готова.

— Душенька! — воскликнул главный редактор. — Сейчас пришлю машину.

Не успела я привести себя в порядок, как запищал домофон.

— Дорогая моя, — защебетал Галин, увидав, как я с гордо поднятой головой вхожу в кабинет, — вы умница, давайте.

— Сначала деньги!

Редактор рассмеялся и бросил на стол пачку сторублевок, но я не успела спрятать ее в сумочку. Дверь распахнулась, и в кабинет, весело улыбаясь, вошел Юра Грызлов.

— Миша, — начал он и осекся.

Взгляд писателя скользнул по письменному столу, Галин быстрым движением бросил на стопку купюр газету, но Юра заметил его жест и хмыкнул. Потом он перевел на меня взор и удивленно протянул:

— Лампа?

— Юра, — обрадовалась я, — звоню, звоню, а тебя все нет.

— В Петербург ездил, — пояснил литератор.

— Вы знакомы? — удивился Галин.

— Что же тут странного? — парировал Юра и уселся в кресло.

Он явно понимал, что помешал деловому разговору, но не собирался уходить. Галин с честью вышел из создавшего положения. Пощелкав рычажком селекторной связи, он велел:

— Люсенька, зайди.

Тут же впорхнула прехорошенькая девчонка в синем брючном костюме.

— Господин Грызлов, — защебетала она, — пойдемте, там ваши авторские экземпляры лежат.

Пришлось Юре нехотя встать, на пороге он обернулся и сказал:

— Лампа, подожди меня.

Только за ним захлопнулась дверь, как Галин моментально потребовал:

— Давайте.

Я протянула дискеты.

— У него было два варианта, я не знала, какой больше подойдет, и на всякий случай прихватила оба.

— Правильно, — одобрил Галин и спросил: — Следующие сможете найти?

Я вспомнила «папку Кондрата», до отказа забитую рукописями, и отрезала:

— Вот Лена вернется, и будете вести с ней все переговоры.

Редактор усмехнулся и глянул на меня жуликоватыми глазами.

— Дорогая Евлампия Андреевна, мы с вами оба очень хорошо знаем, сколь далеко уехала Елена Михайловна. Может, она вернется лет через семь-восемь, а может... Все случается в этой жизни. А Лизе нужны будут средства, так что подумайте, посоветуйтесь. Я вас не тороплю, только имейте в виду...

— Что?

— Наше издательство без книг Кондрата Разумова выживет, а вот семья литератора может много денег потерять, и пока у нас есть интерес к творчеству Кондрата...

Он замолчал и забарабанил пальцами по столу. Стараясь сохранить лицо, я сказала:

— Обязательно подумаю над вашим предложением.

— Вот-вот, — вздохнул он. — Подумайте...

Я вышла в коридор и тут же столкнулась с Юрой.

— Что за дела у тебя с этим мошенником? — резко спросил он.

— Да так...

— И все же?

— Ну...

— Только не ври! — приказал он. — Пошли в буфет.

Мы устроились за пластиковым столиком. Я отхлебнула тепловатую жидкость, проданную под видом кофе, и сморщилась. Ну и гадость.

— Так что хотел Галин? — наседал Грызлов.

Не понимая, почему он так возбудился, я вздохнула:

— Он искал рукопись Кондрата «Загон с гиенами». Говорит, разрекламировали будущую книгу и в газетах, и по телевидению...

— Ну и? — ухмыльнулся Юра.

— Вот я и привезла.

— Как? — изумился собеседник. — Где же ты ее взяла?

— В компьютере!

— Лампа, — сурово сказал Юра, — не ври. Накануне ареста Лена позвонила мне и сказала, что Галин требует рукопись. Она искала по всем файлам и нигде ее не нашла. Говори, где взяла!

— Правда, в компьютере, только не у Кондрата.

— Слушай, — Грызлов стукнул ладонью по столешнице. — Ей-богу, прежде чем с тобой разговаривать, следует каши поесть.

— Все произведения Разумова набирала одна машинистка, Леокадия Сергеевна Рюмочкина, — пояснила я. — Она же хранит на всякий случай копии. Кондрат не слишком ловко управлялся с компьютером и пару раз случайно уничтожил рукописи. Вот она и припрятывала дискеты.

— Ловко, — протянул Юра. — Ниро Вульф, да и только.

Я засмеялась:

— За хорошие деньги любой Шерлоком Холмсом станет.

— Ох и дура же ты! — в сердцах воскликнул Грызлов. — Да Мишка небось обвел тебя вокруг пальца. Сколько он дал?

Я растерянно молчала, потом все же пробормотала:

— Двадцать тысяч.

— Значит, чуть больше семисот долларов, — быстро пересчитал Грызлов. — Нет, ты не дура!

Я горделиво приосанилась.

— Ты вопиющая идиотка, кретинка, каких мало, — закончил он.

— Почему?

— Потому, — рявкнул литератор. Потом, сменив гнев на милость, добавил: — Тебе следовало выколотить из Галина в три раза больше. Сделай милость, больше не носи в издательство ничего без совета со мной, поняла?

Я закивала. Мы допили отвратительный капуччино, дожевали эклеры, похожие по вкусу на куски ваты, и двинулись к выходу. Во дворе Юра похлопал себе по карманам и выругался:

— Черт, ключи!

— Потерял?

— Да бросил небось на стол у этой козы, когда книжки забирал! Подожди секундочку.

Резко повернувшись, он вернулся в здание. Я осталась во дворе и от скуки стала разглядывать его машину — темно-бордовый «Вольво». Интересно, сколько Юра зарабатывает? Такой автомобиль стоит не одну тысячу. Правда, мне тачка внешне не слишком нравится, какой-то агрессивный дизайн, но все-таки... Несмотря на солнце, в спину дул пронизывающий ветер, и я совершенно замерзла, прыгая возле запертой машины. Наконец появился Юра, и мы поехали домой.

— Ты не будешь против, если я сварю кофе? — поинтересовался Грызлов, когда мы приехали.

— Нет, думаю, у тебя все равно не получится хуже, чем тот, который мы пили в издательстве, — согласилась я.

Внезапно Юра опустился на стул.

— Что случилось?

— Сердце, — пробормотал он. — У меня стенокардия. В куртке нитроглицерин лежит, принеси скорей...

Я ринулась в прихожую и принялась рыться в карманах, но лекарства не нашлось.

— Наверное, потерял, — прошептал Юра. — Плохо мне.

— Давай «Скорую» вызовем.

— Ну их, коновалов. Лампа, будь добра, сходи в аптеку...

— Мигом слетаю, — пообещала я и бросилась на улицу.

Аптечный киоск был у метро, но нитроглицерина там не оказалось, пришлось бежать на проспект.

Когда я вернулась домой, Юра сидел в той же позе на стуле. Быстро сунув под язык маленькую таблеточку, он пробормотал:

— Вот скрутило.

— Давно это у тебя?

— Лет пять, — пояснил Грызлов.

— И что врачи говорят?

— Если не умру, буду жить, — хмыкнул он.

— А ты лечишься?

— Да ладно о болячках болтать, — махнул рукой Юра и приступил к варке кофе.

Мы славно потрепались о всякой ерунде, и только когда за гостем захлопнулся лифт, я сообразила, что забыла спросить его о Степане Разине.

Где-то около семи раздался телефонный звонок.

— Евлампия Андреевна, душенька, Галин беспокоит.

— Слушаю.

— Незадача вышла, дискеты пустые.

— Не может быть, — удивилась я. — Я проверяла, перед тем как поехать к вам.

— Ну не знаю, — протянул Михаил. — Иногда такое случается. Придется вам еще раз приехать. Отправляю шофера.

Тяжело вздохнув, я пошла в кабинет, влезла в компьютер, нашла «Загон с гиенами», два раза щелкнула мышкой и тупо уставилась на абсолютно белый лист бумаги. Роман исчез.

Так, понятно, когда я перебрасывала его с дискеты на жесткий диск, а потом опять на дискету, вероятно, сделала что-то не так. Во всяком случае, наш домашний компьютер регулярно проделывал со мной подобные штуки, но я тоже не промах. Вот в этой коробочке на всякий случай лежит запасная дискета.

Я засунула черненький прямоугольник в системный блок и... вновь узрела абсолютно чистую директорию. Скорей всего, я случайно нажала на «форматировать».

И что прикажете теперь делать? Я схватила трубку.

— Да, — сказал Галин.

— Миша, вы уже отправили ко мне шофера?

— Нет, но сейчас пошлю.

— А если завтра?

— Почему?

— Собака заболела, — принялась изворачиваться я, — надо срочно к ветеринару.

— Да? — недоверчиво спросил он. — Ну ладно, коли так, только в первой половине дня, подошлю водителя к полудню.

— Не надо никого присылать, я сама приеду до обеда.

— Хорошо, — буркнул Михаил. — Жду.

Я бросилась искать телефонную книжку. Но она словно испарилась. Перерыв весь кабинет, я в недоумении села на диван. Ну и чертовщина. Ладно, с компьютером я на «вы» и частенько неправильно произвожу необходимые действия, но роман? Он-то куда подевался!

Недоразумение разъяснилось около девяти часов, когда, покормив Лизу ужином, я пошла в свою комнату. Между шкафом и креслом лежала небольшая кучка бумажек. Приглядевшись, я ахнула.

— Рамик, кто это сделал?

— Опять написал? — поинтересовалась Лиза.

— Хуже, сожрал записную книжку! И как не стыдно!

Но заметно подросший щенок весело вилял хвостом, абсолютно не испытывая никакого раскаяния.

— Вот не дам ужина, тогда поймешь! — злилась я. — Негодник, ничего оставить нельзя!

— Вчера он слопал губную помаду, — наябедничала Лиза.

Ага, а еще закусил моими колготками, украл со стола половину кекса. Кстати, когда я вернулась домой, вазочка с вареньем тоже была пуста...

— Лизок, ты ела с утра цукаты из апельсиновых корочек?

— Ложечку в чай положила.

— Может, задумалась и слопала все?

— Да ты чего! — возмутилась девочка. — Что я, Винни-Пух? Там с полкило было!

Так, значит, и вкусные засахаренные апельсиновые корки исчезли в необъятной утробе Рамика.

— Уйди с глаз долой, — процедила я, разглядывая клочки записной книжки.

Надо же, даже бумагорезательная машина не настругает таких обрывков, просто конфетти. Нечего и думать о том, чтобы найти телефон Леокадии Сергеевны. Хорошо хоть у меня идеальная зрительная память, и завтра я поеду к милой старушке без звонка.

Рано утром, отправив Лизу в школу, я понеслась к машинистке. И опять на звонок долго не открывали, наконец раздалось шарканье, и на пороге возник старичок, похожий на гриб-боровик.

— Тебе кого, мальчик? — ласково поинтересовался он, окидывая меня взглядом.

— Я девочка и пришла к Леокадии Сергеевне.

— А Леки нет дома, — близоруко щурясь, пояснил дедуля. — Уехала.

— Куда?

— К врачу.

— Надо же, — расстроилась я. — Можно я подожду? Она, наверное, пошла спозаранку анализы сдавать...

— Лека вчера уехала, — пояснил дедок.

— Как вчера? Она что, в больницу легла?

— Не знаю, — ответил он, — после ужина она постучала ко мне в дверь и говорит: «Кеша, голубчик, еду к

Кондрату в гости. Он меня хочет профессору показать». Она последнее время на глаза жаловалась. Все говорила, будто плохо видеть стала. А Кондрат — писатель известный, богатый, вот и решил устроить ей консультацию. Я, грешным делом, позавидовал: сам ничего не вижу, только у меня таких состоятельных друзей нет. Вот, значит, и говорит: «Еду в гости, а ты покорми моего попугайчика».

— И что, Кондрат сам за ней приехал? — тихо спросила я.

Дедуля пожал плечами:

— Я вижу плохо, но думаю, что сам. Я слышал мужской голос из прихожей, да и Лека к нему по имени обратилась.

— Как?

— Ну, говорит: «Это ты, голубчик? Страшно рада, давно не виделись».

Он замолчал.

— Дальше, — поторопила я, — дальше что произошло?

— А ничего, — пожал плечами «грибок». — Ушли, и все.

— Ушли? Может, на машине уехали? Вы, случайно, во двор не посмотрели, номер не запомнили?

Старичок беспомощно вздохнул:

— Детонька, зачем мне выглядывать во двор? Я не вижу ничего дальше собственного носа, даже газету читаю с лупой. Какой номер! Я и автомобиль не замечу. Да вы не волнуйтесь, Лека через три-четыре дня вернется.

— Не знаете, кому она еще печатала рукописи?

Дедушка зачмокал губами:

— Она постоянно работает. Лека настоящая труженица. Ходят к ней всякие с бумагами. Но, простите, я фамилий не записывал, имен тоже. Хотя дверь всем открываю. Господь дал мне хорошие ноги и отнял глаза, а с Лекой поступил наоборот. Вот мы с ней и образовали союз — я бегаю, а она вслух читает чего интересное. Нас только двое, надо держаться.

— А остальные соседи где?

— Так разъехались, — охотно пояснил он. — Нет тут никого, дом расселяют, а до нас пока не добрались, слава богу.

— Можно зайти в комнату Леокадии Сергеевны?

— Пожалуйста, — улыбнулся дедок. — Только зачем?

— Она печатала мою работу, очень срочную. Хочу сбросить ее на дискету.

— А вы умеете пользоваться компьютером?

— В общем, да.

— Тогда идите.

В комнате царил идеальный порядок. Очевидно, хозяйка собиралась совершенно спокойно, без суеты и спешки. Я включила компьютер, но экран остался черным и системный блок не заморгал зеленым огоньком. Потыкав безрезультатно в кнопку, я наклонилась и увидела, что машина отсоединена от электросети? Кто вытащил вилку из розетки?

Я окинула взглядом комнату и увидела, что торшер, телевизор и настольная лампа тоже отключены от сети. Леокадия Сергеевна, как все пожилые люди, боялась пожара, вот и решила подстраховаться, отправляясь в гости. Ну можно ли быть такой дурой! Можно. Иногда люди проделывают со своими компьютерами и не такое!

Сережка отлично управлялся с электронной машиной, и его знакомые частенько звонили нам с воплем: «Помоги, не работает». Как-то раз прибежал сосед, обеспеченный мужик, разбогатевший на торговле куриными окорочками.

— Слышь, Серега, — забубнил он, — будь другом, погляди на мою банку.

— Ну и что случилось? — тяжело вздохнул парень. — Завис? Или опять мышь с экрана пропала?

— Не, подставка для кофе сломалась.

— Что?! — удивился Сережа. — Где ты такое нашел?

— Ну в этой штуковине, куда дискеты втыкать, — пояснил соседушка.

— В системном блоке? — изумилась «скорая компьютерная помощь». — Подставка для кофе???

— А у тебя разве нет такой? — пришел, в свою очередь, в недоумение сосед. — Ткнешь пальцем в кнопочку, и выезжает такая квадратная штучка с дыркой посередине, как раз чашечка кофе влезает, страшно удобно!

Секунду Серега хлопал глазами, потом открыл дисковод и поинтересовался:

— Ты это имеешь в виду?

— Точно, — обрадовался горе-пользователь. — А говорил, что не знаешь! Ну пойдем, а то она у меня больше не выезжает.

Пришлось Сережке не только чинить дисковод, но еще и читать соседу краткий курс о компьютерных дисках. Думаете, это самый идиотский случай? Куда там!

У Кирюши в классе учился мальчик Женя Шульгин. Его родители, кстати, наши добрые приятели, купили компьютер и установили его на даче. Не прошло и недели, как они позвонили чуть ли не в слезах. Монитор перестал подавать признаки жизни. Первым делом Сережка поинтересовался, воткнут ли штепсель в розетку. Его заверили, что все в полном порядке. Минут пять парень пытался поставить диагноз по телефону, потом еще раз сказал:

— Посмотрите как следует. Сдается мне, вилка выпала.

— Сейчас возьму фонарик и проверю, — заявил глава семейства. — Но, кажется...

— Погодите, — перебил его парень. — А при чем тут фонарь?

— У нас уже три дня, как отключили электричество, — последовал ответ.

Сережка просто онемел.

— Нет, вы видали таких идиотов! — бушевал он, повесив трубку. — Пытаются заставить работать обесточенный компьютер!

Так что Леокадия Сергеевна, решившая исключить любую возможность пожара, меня не удивила. С тяжелым вздохом я открыла ящик письменного стола и увидела, что он пуст. Второй и третий были забиты всякой ерундой: счетами, старыми квитанциями, использованными ручками, скрепками... Но я отлично помнила, как она вынимала черные дискеты из красной коробочки, находящейся в самом верхнем ящике. Впрочем, коробочка была на месте, но пустая. Дискеты с романами Кондрата испарились, растаяли, словно кусок рафинада в горячем чае.

Расстроенная и недоумевающая, я вернулась домой. Ну и что теперь делать? Я позвонила в издательство.

Галин сразу схватил трубку.

— Евлампия Андреевна, душенька, я жду вашего звонка с утра.

— Видите ли какое дело, Миша, — забленла я. — Вы абсолютно уверены, что дискеты пустые?

— Считаете меня идиотом? — вскипел редактор.

— Что вы, нет, конечно! Просто рукопись исчезла из компьютера!

Воцарилось молчание, прерываемое треском и пощелкиванием, наконец Галин отреагировал.

— Ангел мой, если издательство «Сигма» предложило вам большую сумму за этот роман, имейте в виду, что они обманщики. И вообще, вы дома?

— Да.

— Еду, — бросил Галин и отсоединился.

Я побрела на кухню и обнаружила Пингву, быстро-быстро грызущую тушку сырой курицы, опрометчиво оставленную мною на мойке. Наподдав ей кухонным полотенцем, я попробовала немного прибрать, но потом бросила это неблагодарное занятие. В конце концов, я не звала Михаила в гости.

Но Галину было наплевать на порядок в нашей квартире. Он влетел, словно торнадо, в прихожую и бросил на полочку у зеркала пачку сторублевок.

— Здесь еще десять тысяч. Давайте рукопись.

— Но ее правда нет.

— Не верю, — отрезал Михаил.

— Честное благородное.

Галин сел на стул, вытащил сигареты и поинтересовался:

— Ну и куда же она подевалась?

— Понятия не имею. Наверное, я случайно отправила ее в корзину!

— Черт-те что, — пробурчал редактор.

— Но дискеты, которые я принесла вам, были с информацией.

— Да вот они, — зло сказал он и швырнул на полку два черненьких квадрата. — Любуйтесь. Абсолютно, девственно пусты!

— Хотите кофе? — вспомнила я о гостеприимстве.

— Лучше чашечку цианистого калия, — вздохнул Миша.

И мы прошли на кухню.

Пингва вновь сидела в мойке. Зажмурив глаза и урча от восторга, она грызла все ту же несчастную курицу.

— Ах ты негодница! — рассвирепела я. — Ну, сейчас мало не покажется.

Я схватила несколько листов бумаги, лежащих на холодильнике. Пингва, услыхав шорох, мигом нырнула под стол. Размахивая бумажной «дубинкой», я ринулась за ней. Но хитрая кошка в секунду выскочила в коридор и взлетела на самый верх вешалки.

— Ну погоди, — пригрозила я. — Есть захочешь, слезешь.

Вернувшись на кухню, я швырнула «дубинку» на стол и пожаловалась:

— Такая негодяйка, ничего оставить нельзя, сразу сожрет!

— Что это? — тихо спросил Михаил, указывая на бумаги.

— Где?

— Да вот.

— А, это «Загон с гиенами». Я распечатала, чтобы прочесть, и оставила на кухне. Лиза не умеет зажигать газ, так она сначала берет бумажку, скручивает...

— Нет, — простонал Галин. — Боже, я сейчас сойду с ума! Ты же говорила, что нет рукописи!

— Ну да, в компьютере нет.

— Но вот же она, на холодильнике.

— А как я ее засуну на дискету?

Галин поставил чашечку с кофе на стол и пробормотал:

— Отдай распечатку.

— Пожалуйста. Только я не уверена, что она тут вся. Лиза вчера кекс пекла.

Трясущимися руками Михаил начал перебирать страницы.

— Шесть страниц не хватает, — сообщил он.

— Говорю же, Лиза вчера кекс пекла!

Он треснул кулаком по столу так, что крохотные чашечки жалобно звякнули.

— Хватит издеваться! Сразу бы сказала, что мало денег дал!

— Ничего я не издеваюсь. Я думала, вам дискета нужна!

— Рукопись! — завизжал Галин. — Рукопись, одно-фигственно какая, хоть на камне высеченная!!!

— Не ори на меня, — обозлилась я.

— А ты не строй из себя дуру!

— Сам дурак, — не утерпела я.

Повисло молчание. Потом он потер затылок.

— Кажется, Евлампия Андреевна, мы вступили в другую стадию взаимоотношений, перешли на «ты».

Я кивнула и сказала:

— Кстати, у меня есть еще один экземпляр «Загона», я два напечатала.

Галин всхлипнул и стал хохотать. Я с недоумением смотрела на него. Наконец мужик перестал веселиться и сказал:

— Убиться можно. Ты, дорогуша, редкий экземпляр!

— Забирай рукопись и уходи.

Миша взял стопку страниц и, продолжая смеяться, вышел в прихожую. На пороге он притормозил:

— Имей в виду на будущее, мне все равно, в каком виде будет рукопись!

Я закрыла дверь и подобрала с пола упавшие дискеты.

Потом пошла в кабинет и открыла их, сначала одну, потом другую. Пустота! Я вытащила их из дисковода и повертела в руках. Внезапно в голову пришла странная мысль. Все дискеты похожи друг на друга, правда, иногда они бывают разноцветными. Но Кондрат пользовался темно-коричневыми, на которых стоял фирменный знак «Сони». Они все у него были такие. Наверное, он доверял этой фирме. И я вытащила две пустые новые дискеты из почти полной коробочки... Но вот странность, те, что принес Михаил, украшали три буквы IDK. Я внимательно осмотрела дискеты. Нет, определенно, я не их отдавала Галину. И вот теперь возникает вопрос: а куда подевались «Сони», на которых был записан «Загон с гиенами»? Михаил перепутал дискеты? Нет, он не похож на идиота. Да, у него на столе валялась куча разной всячины — какие-то листочки, книги, гранки, помнится, лежало и несколько дискет... Но он, скорей всего, проверил их все. Так куда исчезли «Сони»?

ГЛАВА 19

Где-то в районе одиннадцати я плюхнулась в кровать и включила телевизор. Программа обещала детектив с Дэвидом Суше в роли Эркюля Пуаро. Экран замерцал, и комната огласилась ревом сирены. Шла передача «Петровка, 38». Руки мои потянулись к пульту. Да, я обожаю криминальные истории, но только выдуманные. Вид настоящих трупов меня не радует, и уж совсем тяжело смотреть на изуродованные жертвы автомобильных аварий. Как раз сейчас залитое кровью лицо заняло весть экран.

— На двадцать седьмом километре Кольцевой автодороги найден труп женщины, — произнес бесстрастный голос.

Я уже собралась переключиться на другой канал, как вдруг заметила в ушах несчастной серьги — две круглые камеи розового цвета в диковинной, немного вычурной золотой оправе. Желудок моментально сжался. Камера равнодушно демонстрировала то, что осталось от Леокадии Сергеевны. Корреспондент спокойно рассказывал:

— В пять часов утра водитель грузовика, доставлявшего в Москву апельсины, заметил на обочине странный предмет, похожий на выпавший из кузова мешок. Водитель припарковался и приблизился к находке. Это оказалась пожилая женщина, очевидно, сбитая машиной. На место происшествия прибыла специальная бригада. На вид потерпевшей семьдесят лет, нормального телосложения, волосы седые, глаза карие. Была одета в синий трикотажный костюм, розовую блузку и черное пальто. На ногах — коричневые сапоги. В карманах погибшей документов не обнаружено. Лиц, опознавших тело, просят позвонить по телефону...

Я схватилась за карандаш. Что произошло? Почему Леокадия Сергеевна оказалась на Кольцевой дороге. Да еще глубокой ночью, вернее, ранним утром? Кто был мужчина, увезший ее из дома?

— Дежурный капитан Росов слушает, — услышала я хриплый басок.

— Сейчас по телевизору показывали тело пожилой женщины, — начала путано объяснять я. — Просили позвонить, если кто ее узнает... Так вот — это Леокадия Сергеевна Рюмочкина... Вы меня слышите?

— Слышу, — спокойно ответил дежурный. — Записываю ваше сообщение... Леокадия Сергеевна Рюмочкина. Адрес знаете?

— Нет, помню только визуально. Передайте, кому надо, ее фамилию.

— Обязательно, — заверил капитан. — А теперь сообщите свои данные.

— Не знаете, почему она оказалась на дороге? — поинтересовалась я.

Дежурный посуровел:

— Дело ведет лейтенант Анохин. Завтра часиков в девять утра позвоните.

Я положила трубку и задумалась. Бедная старушка! Жаль ее безумно. Но нельзя забывать и о Лене Разумовой. Нужно найти этого Степана Разина и посмотреть, какова его роль в убийстве Кондрата. Хотя, может, я вытаскиваю пустую удочку? Может, Лена и впрямь убила мужа? Ведь она купила игрушечный «зауэр» и подарила его Ване... Помучившись какое-то время, я приняла решение: нет, Лена ни в чем не виновата! Кто-то умело впутывает ее в эту историю... И, к сожалению, я пока не представляю, кто бы это мог быть, поэтому займемся поисками Степана.

У Юры Грызлова опять работал автоответчик. Я не слишком люблю общаться с магнитофонами, но еще больше мне не по душе, когда абонент, услыхав призыв хозяина говорить после гудка, бросает трубку. Поэтому я дождалась звукового сигнала и четко произнесла:

— Юра, позвони, когда вернешься. Дело срочное. Лампа.

Часы показывали половину двенадцатого, крайне неприлично в это время трезвонить незнакомым людям. Впрочем, и знакомых не следует беспокоить после одиннадцати. Но, с другой стороны, именно в этот поздний час можно застать всех на месте. Я вытащила бумажку с телефонами, списанными в квартире пьяницы Маргариты, и принялась за дело.

— Слушаю, — пропел высокий, немного капризный голос.

— Можно Галю?

— Мама, тебя, — послышалось в трубке.

Потом такой же капризный голос произнес:

— Алло.

— Галя?

— Да.

— Простите, у вас нет телефона Степана?

— Кого? — изумилась невидимая собеседница.

— Вашего брата, господина Разина.

— У меня нет брата, — отрубила дама. — Кто вы и откуда взяли мой телефон?

— Маргарита дала, ваша сестра.

— У меня нет сестер! — рявкнула женщина и швырнула трубку.

Я обозлилась и набрала номер еще раз.

— Алло, — сказала Галя.

— Послушайте, так нельзя. Мне ведь ничего не надо, кроме телефона Степана.

— Отвяжитесь, бога ради, — вскипела она. — Нет у меня родственников. А если будете названивать, я сообщу в милицию, и вас посадят, как телефонную хулиганку!

— Значит, квартира достанется государству, — фальшиво вздохнула я.

— Какая квартира? — насторожилась Галя. — Говорите ясней.

— Да зачем? — кривлялась я. — Если Маргарита и Степан Разины не приходятся вам родственниками, то и квартира не имеет к вам отношения.

— Вы кто? — спросила Галина.

— Ваша родственница со стороны матери, Евлампия Андреевна...

— А квартира чья?

— Одного человека, который завещал ее детям Татьяны. Но Владимир и Александр умерли, остались лишь трое — Маргарита, Степан и вы. Между вами и следует разделить наследство.

— Ритке нельзя давать денег, — перешла на шепот Галя, — до смерти допьется. Вот что, мне сейчас говорить не с руки, подъезжайте завтра к полудню в научно-техническую библиотеку на Варламовской улице, спросите Галину Николаевну Мамонову.

Я повесила трубку и засмеялась. Жадность — вот основной человеческий инстинкт. Девяносто девять процентов представителей человеческого рода побегут, роняя тапки, если показать им приятно шуршавшие бумажки! Предприимчивые финикийцы, придумавшие всемирный эквивалент, и не предполагали, что на пороге третьего тысячелетия деньги станут править миром.

Галина Николаевна Мамонова совершенно не походила на нищенку, ломавшую голову над тем, как прокормить плачущих от голода детей. Да и питалась она, похоже, отлично. Во всяком случае, изможденностью дама не отличалась. Скорей всего, она носила вещи пятьдесят четвертого размера. Темные, вероятно, крашеные волосы были взбиты в высокую башню. Такая прическа давно не в моде, но Галине она шла. Впрочем, это было единственное в ее облике, что казалось привлекательным. Все остальное выглядело ужасно — маленькие, густо накрашенные глазки, слишком ярко намазанные тонкие губы, острый, как у крысы, нос и неожиданно тяжелый подбородок. Одежда была кричаще дорогой и вульгарной — кофта в блестках, юбку я не увидела, Галя сидела за столом. Но что сразу бросалось в глаза, так это драгоценности. Мамонова сверкала, словно елка. В ушах — тяжелые золотые серьги с «висюльками», на шее сразу три цепочки разной толщины. На самой тоненькой покачивался медальон размером с крышку консервной банки. Толстые, короткие пальцы были усеяны перстнями и кольцами, а на запястьях болталось штук шесть браслетов. Украшений было слишком много, но они не радовали глаз. Скорей всего, их купили в одной из арабских стран на рынке, а тонкой работой и вкусом ремесленники Аравийского полуострова не отличаются.

— Вы ко мне? — без тени улыбки спросила Галина.

— Да. Я звонила вчера...

— Садитесь, — резко сказала она и, постучав ручкой по столу, спросила: — Ну, а что за квартира?

— Вы знаете, где Степан?

— При чем он тут?

— При том, что квартира завещана всем. Велено разделить на пять частей, но Володя и Саша умерли, значит, осталось трое. Риту я нашла.

Галя фыркнула:

— Риту! Боже, разве ее можно считать!

— А почему нет? Она гражданка России и имеет право на получение наследства.

— Она горькая пьяница, алкоголичка, которую я подкармливаю из милости. А если перестану давать деньги, то Ритка просто сдохнет с голоду. Разве можно такой показать больше ста рублей? Кстати, у нее отличная квартира...

— Интересно, откуда?

— Мужа в свое время подцепила, сынка обеспеченных родителей. Сейчас трудно поверить, но в молодые годы Ритка была хороша, как картинка. Вот Леня и влюбился. Кстати, пить запоем научил именно он. Сам быстренько на тот свет отправился, а Рита до сих пор...

Внезапно она спохватилась и поинтересовалась:

— Вы-то кто? И что за квартира, в конце концов, какой метраж, где находится, каково ее состояние...

Я устала врать и поэтому ляпнула:

— Да нет никакой квартиры. Просто мне нужен адрес Степана...

Дама побагровела и стала похожа на большую свеклу, усеянную золотом.

— Ничего не понимаю, кто вы? И вообще убирайтесь быстро, пока я охрану не вызвала. Да вы сумасшедшая!

После этих слов я обозлилась по-настоящему и, вытащив из сумочки удостоверение с золотыми буквами ФСБ, сунула его тетке прямо в раскрашенное лицо.

— Агент Романова.

Галина моргнула пару раз, потом побледнела.

— Ничего не понимаю... Зачем тогда вы про квартиру выдумали, почему вчера не сказали...

— Не хотела вас волновать. К сожалению, наше ведомство не всегда вызывает у людей добрые эмоции.

— Вы по поводу дачи? — забормотала женщина. — У меня целы все счета, накладные...

— Нет-нет, — попробовала я успокоить собеседницу. — Я на самом деле ищу Степана Разина.

— Зачем? — тихо спросила Галина. — Ну зачем он вам?

— К сожалению, я не могу разглашать тайну следствия.

— Следствие, — протянула дама. — Значит, есть и дело...

— Есть, — согласилась я. — К сожалению, об убийстве!

Она встала из-за стола и подошла к окну. На ней была не юбка, а строгие черные брюки, делавшие полные бедра зрительно стройнее. Взяв с подоконника пепельницу, она тяжело вздохнула.

— Не поверите, но я всю жизнь стараюсь держаться от милых родственников подальше. Слыхали небось, что за кадры — алкоголики, уголовники, асоциальные личности...

Она замолчала и затушила сигарету о край железного блюдечка. Внезапно пепельница перевернулась, и «бычки» высыпались на пол. Секунду Галя смотрела на окурки, потом неожиданно заплакала. Я растерялась.

— Успокойтесь, я сейчас все соберу.

— Нет, — качнула она головой, — пусть лежат. Уборщицу позову. Господи, как я устала от них...

— От сигарет?

— От родственников. Даже замуж специально в восемнадцать лет выскочила, думала, избавлюсь. И ведь никому не расскажешь, ни мужу, ни дочери, стыдно, прямо камень на душе...

— А вы мне исповедайтесь, — предложила я. — Никто не узнает, а вам легче станет. Так всегда случается, когда горе выплеснешь. Вот я сама иногда расскажу подруге про неприятности, и сразу легче становится.

Галя закурила еще одну сигарету и пробормотала:

— Ну тогда уж с самого начала.

В семье Разумовых было пятеро детей, Галя — четвертая. И детство свое она вспоминает с тоской. Вечно пьяный отец, постоянно закладывающий за воротник старший брат, такой же средний; сестричка, приходящая домой около часу ночи с весело блестящими глазами, и мама, вечно пытающаяся свести концы с концами. Между детьми отчего-то была большая разница. Володю и Галю разделяло десять лет, поэтому, естественно, ни о какой дружбе речи не шло. Конечно, такая разница в возрасте не является уникальной. Во многих семьях складывается подобная ситуация. Старшие братья в таких случаях балуют младших сестричек, но это не имело отношения к Володе Разину. Гале от него доставались только щелбаны и затрещины. В раннем детстве он отнимал у малышки редкие шоколадки, ломал ее малочисленные игрушки. Потом несколько раз грабил копилку, куда восьмилетняя Галочка складывала копейки, сэкономленные на обедах... Словом, ничего хорошего о Владимире она вспомнить не может. Потом он привел молодую жену, начались скандалы с битьем посуды и матом. Через год в квартире появился постоянно орущий младенец. Не радовал и средний брат — Саша. Денег, правда, он не отбирал, но обзывал обжорой и толстухой. Галочка, любившая, как все подростки, хорошо поесть, обижалась и плакала. Она толстела оттого, что Разины питались макаронами, хлебом и картошкой. На фрукты, мясо и рыбу у Татьяны не хватало средств. И хотя бедная баба трудилась не покладая рук, мыла после смены на заводе подъезды и лестницы, у нее в кошельке по-прежнему звенели медные копейки.

Степан родился через десять лет после Гали, и девочка сразу возненавидела братца. Мальчишка орал ночью и днем, захлебываясь нервным криком, и именно ей вменялось в обязанность качать кроватку. Полгода бедная девочка не спала спокойно, вскакивая за ночь по восемь-десять раз. Но потом умер Николай, ее отец. Выпил с мужиками на работе спирта и отравился. Татьяна перекрестилась и вздохнула свободно. Через две недели после похорон в доме появилась тетя Рая, жена Виктора, брата Николая.

В отличие от брата Виктор и близко не подходил к бутылке. Работал дальнобойщиком, водил фуры в разные концы необъятной Страны Советов — Прибалтику, Молдавию, Узбекистан... Другие шоферы после рейса расслаблялись, потягивая пиво или иные более горячие напитки. Витя же бежал по магазинам, рачительно прихватывая домой все: в Средней Азии — рис, сухофрукты и хлопковое масло; в Прибалтике — красивую посуду, кухонную утварь и электроприборы; в Белоруссии — отличного качества белье... По прежним временам, когда в тотальном дефиците было все — от продуктов до трусов, Витя и Рая Разины жили припеваючи. Начальство заметило положительного, непьющего мужика и двинуло его на повышение. Скоро Виктор начал гонять по странам социализма — Венгрии, ГДР, Болгарии, и благосостояние семьи взметнулось на недосягаемую высоту. Все было у Вити и Раи: отличная квартира, забитая чешским хрусталем и немецкими коврами, дача в Апрелевке, новенький «Москвич», вот только детей у них не случилось. Раиса в молодые годы бегала от врача к врачу, пытаясь узнать причину своего бесплодия, но тщетно. Специалисты лишь разводили руками — вроде здорова, а реберочек не получается. Татьяна, регулярно рожавшая отпрысков, страшно завидовала невестке и, окидывая дочь взглядом, порой говорила:

— Везет же некоторым. И средств полно, и забот никаких, живи в свое удовольствие.

После этих слов Галя, сама не зная почему, начинала рыдать, а мать моментально отвешивала ей затрещину. Так что тетю Раю Галочка не любила. Правда, та приходила к ним редко, в раздражающе красивой одежде. Даже большая коробка конфет и красивая игрушка не смягчали, а скорей усугубляли детскую неприязнь. Но в тот памятный день мать и Раиса заперлись на кухне, а потом тетка убралась вместе... со Степаном.

— Своих господь не дал, — коротко пояснила мать. — Хотели из детдома брать, да там больного подсунут, вот и попросили Степку на воспитание, все-таки родная кровь, племянник.

— Повезло парню, — позавидовала Рита. — Все богатство получит. А девочку она не хотела? Я бы с удовольствием к ней переехала...

Мать молча грохнула чайник на плиту и вышла.

— Девочка, — заржал пьяный Сашка. — Ну, насмешила. Это ты, что ли, девочка?

— Дрянь, — завопила Рита.

Сашка вскочил, началась привычная потасовка. Про Степку забыли, словно и не было младенца. Только Галя, впервые за полгода проспавшая спокойно ночь, тихо радовалась и мысленно благодарила неприятную тетю Раю.

Побежали годы. В Галиной семье пили, ругались, дрались и убивали друг друга. К бутылке теперь регулярно прикладывались Татьяна и Маргарита. Бедная Галя мечтала только об одном: вот бы, пока она в школе, на дом, где живут ее родственники, упал самолет. Ну, поплакала бы немного, отвыла — и все, можно жить дальше, счастливой сиротой, не боясь пьяных скандалов. Но время шло, самолеты не падали. Избавление пришло с другой стороны. Как-то раз, когда Галочка уже заканчивала школу, на выпускной вечер Женя Котов из соседнего класса привел друга, двадцатидвухлетнего Костю Мамонова. Хорошенькая, полненькая Галя понравилась Косте чрезвычайно. Да и девушке пришелся по душе молодой лейтенант, выпускник военного училища. Всю ночь после бала они пробродили вдвоем по улицам, а к утру решили пожениться. У Кости не было родителей, а Галя, которой первого июня исполнилось восемнадцать, на все вопросы будущего мужа о родственниках коротко ответила:

— Мои погибли в автокатастрофе — отец, мать, братья и сестра. Живу в чужих людях, знакомиться с ними не надо.

Костя ужаснулся и больше не расспрашивал ее, считая, что ей больно вспоминать о родителях. Десятого июня Мамонов получил распределение, да не куда-нибудь, а в жуткий город Кушку, по тем временам самую южную точку СССР. Пятнадцатого числа Галочка с небольшой сумкой села в поезд. Поженились они с Костей утром, без всякого шума и веселой свадьбы. Начальник училища помог молодому лейтенанту — позвонил в загс и попросил заведующую сделать исключение ради специалиста, отправляющегося служить Отечеству. Расписали их в день подачи документов.

Так началась ее семейная жизнь. Брак, заключенный сгоряча, оказался удачным. Костя был изумительным мужем — заботливым, ласковым, рачительным хозяином. Но главное, он не пил вообще, ни капли. Правда, в первые годы иногда баловался пивом, но у Галочки, завидя бутылки, начинала судорожно рыдать. И парень, горячо любящий жену, перешел на лимонад. Прежде чем стать молодым, успешным генералом и осесть в Москве, Мамонов помотался по гарнизонам. Вместе с ним всегда была Галя, сначала одна, потом с дочерью и сыном. Непьющего, исполнительного специалиста любило начальство, повышало в званиях, и в конце концов Мамоновы оказались в Москве. Шел 1984 год, предтеча кардинальных перемен. В те времена военные еще были элитой, и без особых проблем Костя, вернее Константин Петрович, получил в столице отличную четырехкомнатную квартиру в доме сталинской постройки.

Но судьба — большая шутница. Не успела Галя разложить вещи, как раздался звонок в дверь. На пороге замаячила худая, оборванная баба с пропитым лицом.

— Слышь, соседка, — занудила она хриплым басом, — с новосельем тебя. Будь другом, одолжи двадцатку. Кошелек у меня скоммуниздили.

Галя, органически не переносящая пьяниц, хотела ответить резким отказом, но что-то в лице незваной гостьи показалось ей странно знакомым. Впрочем и алкоголичка уставилась на генеральшу, а потом всплеснула руками и взвизгнула.

— Итить твою, чистая Санта-Барбара! Не узнаешь? Рита я.

По ужасному совпадению, квартиру генералу дали в том подъезде, где жила вконец опустившаяся Маргарита, похоронившая мужа. Сначала Галя перепугалась и, радуясь, что ни мужа, ни детей нет дома, втащила вновь обретенную сестру в квартиру. Рита окинула взглядом новенькую плиту, сверкающий холодильник и завела слезливый рассказ о болячках, невозможности работать и полном безденежье. Но жизнь офицерской жены тоже не сахар, и у Галочки сформировался резкий характер.

— Хватит выть, — велела она. — Меньше нужно к бутылке прикладываться. Я не пью и здорова. Ко мне не ходи, денег не дам. Языком про наше родство не трепи. Муж мой человек при чинах, начнешь его фамилию полоскать, запросто в легавку угодишь.

— Поняла, поняла, — жалобно закивала Рита, — Молчу, как рыба об лед.

Потом сморщилась и попросила:

— Ну дай хоть десятку. Не могу, сейчас умру.

Галя протянула купюру. Сестра подхватилась и улетела.

Впрочем, слово свое она сдержала. Язык не распускала и скреблась в дверь к Мамоновым, только убедившись, что муж и дети ушли. В 1998 году Галя заставила Риту оформить дарственную на квартиру. Жилплощадь после смерти сестры должна была отойти дочери Мамоновых. За бумагу она стала платить сестре ежемесячное содержание. Может, была благодарна, а может, думала, что Ритка, получая деньги, быстрее сопьется и уйдет на тот свет.

— Ну а Степан-то где, — прервала я поток ненужных сведений. — Про Риту я сама знаю.

Галя пожала плечами:

— А я его и не видела. Ритка рассказывала, будто он у тетки так и жил. Вроде его посадили, а может, это неправда.

— Телефон тетки можете сообщить?

— Откуда! Мы не общались. — Галя развела руками. — У Риты надо спросить, она точно знает.

Я пригорюнилась.

— Да она в таком состоянии...

— Ладно, — протянула Галина, — позвоните мне завтра, я расспрошу сестру.

ГЛАВА 20

Во дворе нашего дома весело фыркал огромный зеленый «Линкольн Навигатор».

— Эй, Лампочка! — крикнула Лиза, высовываясь в окно. — Поедешь с нами?

— Куда собрались? — строго поинтересовалась я.

— На «Дог-шоу».

— Куда??? — удивилась я.

— Залезайте, Лампа Андреевна, — предложил Андрюша, — по дороге объясним.

Внутри просторного салона на заднем сиденье устроилась Маша Гаврюшина, страшно возбужденная и довольная. Перебивая друг друга, девочки принялись излагать события.

Три дня тому назад они позвонили по телефону, который каждый раз появляется на экране телевизора после обожаемой ими передачи «Дог-шоу».

— Вообще это Андрюша придумал, — щебетала Лиза.

— Не, герлы, — протянул наш бандит, — идейка ваша, а я только в телефон нашептывал. А то у вас гудки детские, могли обманом понять, подумали бы, понты корявые...

— И совсем не корявые, нормальные понты, — возразила Лиза. — Сам пургу не гони, дай побалакать по-свойски.

— Да, — пискнула Маша Гаврюшина, — фильтруй базар, братан!

Я просто онемела от негодования. Вот они, последствия общения с милым Андреем.

— Девочки, немедленно прекратите, извольте выражаться по-русски!

— А они чего, по-американски хрустят? — заржал Андрюша, делая крутой вираж так, что я свалилась на хихикающую Гаврюшину.

— Да, не по-русски.

— А по-каковски?

— По-идиотски. Ну-ка попробуй, Андрей Петрович, сказать нормально.

— Как?

— А вот так. Идея принадлежит девочкам, а я всего лишь поговорил по телефону, потому что у них детские голоса, и на телевидении могли подумать, что они балуются.

Обалдевший Андрей озвучил текст.

— Отлично, — удовлетворенно вздохнула я. — Учись говорить красиво. Теперь ты, Лиза, ответь Андрюше.

— Никто бы не подумал, что мы балуемся, ты не прав.

— Великолепно. Ну, Маша!

— Да, — покорно откликнулась Гаврюшина, — не говори глупости, будь любезен, пожалуйста.

— Чудесно, — пришла я в восторг. — Так и будем теперь общаться, на великом и могучем русском языке.

Внезапно Андрей заржал.

— В чем дело? — строго спросила я.

— Да братаны песню кинули!

— Андрей!!!

— Ага, приятели анекдот рассказали. В школе ремонт идет. Хозяйка, то есть директриса, вызывает двух мужиков, ну этих, работяг, и предъявляет им претензии: «Вы ругаетесь, а дети слышат и потом сами гонят, говорят, то бишь». А мужики в ответ: «Нет, хозяйка, брехня на воротах. Вот вчера Петька мне ведро с краской на голову уронил, так я ведро снял и вежливо говорю: «Уважаемый Петр Иванович, сделайте милость, не надо больше на меня краску опрокидывать!» Улет! Представляете, что он на самом деле забацал, натянул этого Петьку по самые помидоры!

Я вздохнула. Да, переучиваться тяжело, но я больше не разрешу Андрею Петровичу болтать на отвратительном пингвиньем языке. Вкратце события выглядели так.

Андрей по просьбе девочек позвонил по телефону в «Дог-шоу» и стал проситься в передачу. Очень милый вежливый женский голос пригласил их поучаствовать в съемках в качестве зрителей, обязательно с Рамиком. Андрюша пришел в полный восторг, и вот теперь они катят в цирковое училище, где проходит съемка, начало в шесть вечера.

— Так сейчас только четыре? — изумилась я.

— А нам еще сюда надо, — пояснил бандит, резко тормозя у магазина «Все для животных».

— Зачем?

— На этой передаче, — затарахтела Лиза, выпрыгивая из «Линкольна», — все собаки разряженные, в цепочках, а у Рамика ни попонки, ни бантика.

— Надо купить прикид, — пояснил Андрюша, щелкая брелком сигнализации.

Джип коротко взвизгнул и, моргнув фарами, затих.

Я посмотрела на голенастого нескладного Рамика и усмехнулась: для таких небось ничего нет.

Но в небольшом магазинчике оказался гигантский выбор разнообразных прибамбасов. Раскрасневшиеся Лиза и Маша разглядывали комбинезончики, шапочки, ботинки... Увидав, что кепочка размером с блюдце для кофейной чашки стоит около трехсот рублей, я попробовала их остановить:

— По-моему, Рамик и так хорош, в натуральном виде, дорого одежонка стоит.

— Да, — грустно ответила Лиза, — недешево.

— Жуть, — отозвалась Маша, — ботиночки какие хорошие, а по цене с моими сравнялись. Это нечестно, собачье должно быть дешевле, чем человечье! А шампунь! Вон, глядите, за четыреста рублей. Даже «Пантин» всего семьдесят стоит!

— Так он простой, а этот от блох, — пояснила я.

— У людей блох не бывает, — добавила Лиза.

— Ну, загнула, — засмеялся Андрей, — все бывает, и вши, и гниды, и блохи...

Сосед повернулся к молоденькой, хорошенькой продавщице и велел:

— Значитца, так, давай говнодавы на этого стручка, скафандр, голду на тумбу, кандалы на грабки...

Девушка продолжала смотреть на него, не двигаясь.

Я возликовала. Сейчас она скажет: «Ничего не понимаю, скажите по-человечески».

Может, тогда до Андрея дойдет, что следует изменить фразеологию.

Но девчонка быстро повернулась и выложила на прилавок ботиночки на липучках, комбинезончик из красной ткани, цепочку и два браслетика на лапы. Потом мило улыбнулась и поинтересовалась:

— Пудру перламутровую не желаете?

— На хрена она нам сдалась? — удивился Андрей, вытаскивая кошелек.

— Очень красиво, — настаивала продавщица, — смотрите.

Ловким движением она открыла коробочку и потрясла над головой Рамика. Тысячи мелких искорок сели на лоб песика, и он заискрился, словно снег под ярким солнцем.

— Клево! — взвыла Маша.

— Супер! — пришла в восторг Лиза.

— Давай и муку с блестками, — согласился парень, — и еще чего прикольное есть.

В результате Рамик обогатился ошейником, светящимся в темноте, суперповодком из кожи аллигатора, десятком пищащих игрушек. Не купили только роскошный намордник, весь в шипах и заклепках. Рамику было просто не на что нацепить эту красоту. Мои слабые попытки прекратить выбрасывание денег на ветер были затоптаны на корню.

— Для мастины не жалко, — отрезал Андрюша и добавил: — Эх, неладно получается! А Пингва? Он ему братан или нет? Надо и коту прикупить красоты.

— Пингва кошка, — напомнила я.

— Тьфу, все время забываю, — заржал Андрей Петрович и приобрел ошейник с инкрустацией, корзинку с матрасиком и десяток искусственных мышей.

— А они точно с запахом? — поинтересовалась Лиза, нюхая комок белого меха. — Я ничего не чувствую.

— Так ты не кошка, — резюмировала Гаврюшина.

Мы уже собирались уходить, но тут с треском распахнулась дверь, и в отдел ввалился шкафообразный парень, плотно вбитый в черную кожаную куртку. За ним, покачиваясь на пятнадцатисантиметровых каблуках, брела хорошенькая блондиночка в норковой шубке.

— Слышь, ты, в натуре, — обратился вошедший к продавщице, — глянь сюда.

Девушка повернулась.

— Катька, давай, — велел парень.

Блондиночка вытащила из-за пазухи сморщенного, абсолютно лысого котенка.

— Вот, — пояснил ее муж, — вчера купили, самая дорогая порода, «гамак» называется. А ну, показывай для него подстилки, и все, конкретно...

Продавщица принялась выкладывать на прилавок матрасики, корзиночки и одеяла.

— Говно, — подвел итог посетитель. — Лучше нет?

— Есть дом, — сказала девушка и ткнула пальцем в диковинное сооружение.

Несколько ящиков, обитых искусственным мехом, между ними лежанка, рядом когтедралка. На «замке» покачивалась табличка 4200.

— Лучше нет? — поинтересовался парень.

— Самый дорогой, — заверила продавщица.

— Давай, — велел он и повернулся к жене.

— У нашего кота должно быть все самое лучшее, а не говно в корзинке. Правильно говорю?

Жена кивнула и поинтересовалась:

— У вас цены в долларах или марках?

— В рублях, — ответила девушка.

— Не вопрос, — засмеялся парень и полез за пазуху. Андрей с треском поставил корзинку на прилавок.

— И мне такой тяни!

— Зачем? — изумилась я.

— У Пингвы тоже должно быть все самое лучшее!

Сказано это было таким тоном, что я побоялась спорить. Продавщица ушла в подсобку. Парни, одетые в кожаные куртки и страшно похожие друг на друга, стояли у прилавка, выложив из карманов одинаковые по толщине пачки денег. Атмосфера сгустилась, в воздухе начали проскакивать искры. Боясь, что сейчас они начнут выяснять, кто круче, при помощи огнестрельного оружия, я уже хотела увести девочек, но блондиночка ткнула пальцем в Рамика и поинтересовалась:

— Чего это у него голова блестит? Болезнь какая?

— Нет, — охотно разъяснила Лиза, — присыпка, смотрите!

И она, открыв коробочку, щедро обсыпала Рамика от шеи до хвоста.

— Ой, прикол! — завопила блондинка. — Хочу такую. Сеня, купи.

— Без базара, — успокоил муж, — ща вся твоя будет.

Через пять минут мы запихивали кошачий дворец в багажник «Линкольна». Рядом пыхтел шкафоподобный парень возле своего джипа. Блондинка в полном восторге держала переливающегося котенка. Парочка управилась раньше нас, влезла в машину, по размеру смахивающую на рейсовый автобус, и, взвизгнув тормозами, умчалась. Несколько капель грязи попало на джинсы Андрея. Он посинел:

— Ну, ща догоню и грабки повыдергаю, вставлю руки туда, где ноги растут.

— А «Дог-шоу»? — закричали Лиза и Маша.

Андрей от злости плюнул и пнул колесо.

— Лады, уговорили, пусть живет!

Стоит ли упоминать о том, что обвешанный цепочками, искрящийся Рамик произвел на устроителей собачьей передачи неизгладимое впечатление. Нас усадили в первый ряд, и девчонки вместе с Андреем были в полном восторге.

Домой мы вернулись около одиннадцати совершенно счастливые. Сначала отвезли домой Машу, потом отправились к себе и долго мучились, куда установить «палаццо» для Пингвы. Наконец водрузили «красоту» в Лизиной комнате и выпустили животных. К нашей радости, Пингва в новом ошейнике моментально влезла в верхний ящик, а прибежавший Рамик тут же устроился в нижнем.

— Ну клевота! — восхитился Андрей. — Ловко разместились, чисто зефир в шоколаде!

— Супер! — вторила Лиза. — Оборзеть можно, как здорово.

Я только вздохнула. Уже поздно, не буду их сейчас воспитывать.

Утром Лиза убежала в школу, а я лениво водила пылесосом по полу, думая, что делать дальше. Тут зазвонил телефон, и веселый голос Юры Грызлова произнес:

— Ну, что поделываешь?

— Квартиру убираю.

— Жуть, — пожалел меня писатель, — несчастная Лампа, брось.

— Не могу, пыль по всем углам.

— А ты туда не смотри, — веселился он, — знаешь, как я делаю? Занавески задергиваю, в темноте грязи не видно!

— Обязательно воспользуюсь твоим советом в следующий раз, — пообещала я, — жаль, раньше не позвонил, я уже закончила.

— У Кондрата площадь огромная, — пожалел меня Юра, — небось с шести утра мучаешься?

— Мы с Лизой большинство комнат заперли, живем только в трех, — пояснила я.

— Тебе, наверное, придется продать квартиру, — вздохнул Грызлов.

— Мне? Чужую квартиру? — изумилась я. — Зачем? Да и как ты себе представляешь эту процедуру?

— Ленке небось вломят лет десять при хорошем раскладе, — сказал Юра, — не станешь же ты за бесплатно с чужим ребенком возиться! Лизу увезут в интернат, а уж что с хоромами делать, ума не приложу!

— Ни в какой приют я девочку не отдам, — разозлилась я. — Как-нибудь прокормимся, а там и мои из Америки вернутся, станет с нами жить.

— Ага, — буркнул Юра, — представляю, как твои обрадуются.

— И впрямь обрадуются, Катя всегда хотела дочку, — парировала я и перешла в наступление: — А с чего ты взял, что Лену засадят? Ее отпустят, она невиновна.

— Ха, — выпалил он, — давай не будем, убийца должна сидеть в зоне.

— Она не убийца! Ее подставили!

— Ой, боже мой, — сказал Грызлов, — и ты, и я великолепно понимаем, в чем дело.

— Ничего ты не понимаешь! — взвилась я. — Если хочешь знать, по моему мнению, Кондрата убил Степан Разин, жуткий негодяй!

Юра захохотал:

— А почему не Емельян Пугачев? Тоже еще тот типчик был!

— Ты знаешь, кто такой Степа Разин?

— Конечно, — веселился собеседник, — в коммунистические времена мужика называли, если не ошибаюсь, предводителем крестьянского восстания, борцом за лучшую долю угнетенного народа. Сейчас говорят, что он бандит, конфликтовал с самодержавной властью. А по мне, так Степан Разин — жуткий тип, утопил персидскую княжну, чтобы братве угодить. Отвратительный поступок, совершенно не интеллигентный! Ладно бы она ему изменила, хоть понять можно, но просто так швырнуть в реку беспомощную даму?

— Ты меня не так понял, — прервала я поток издевательств, — Степан Разин — это знакомый Кондрата.

— Я не знаю такого! — изумился Юра. — А почему ты решила, что он виноват в убийстве?

Бестолково путаясь и без конца повторяясь, я выложила Грызлову все: про «Загон с гиенами», милую семейку Разиных и многое другое. Он слушал, не прерывая, наконец я перевела дух и спросила:

— Ну, что ты молчишь?

В ответ послышалось бульканье.

— Что случилось? — испугалась я.

— Рыдаю, — всхлипнул прозаик, — весь в слезах.

— Чем я тебя так расстроила?

Бульканье повторилось, потом Юра простонал:

— Рыдаю от смеха. Ты на самом деле решила, что в романе все правда?

— Конечно!

— Ой, Лампа! — взвизгнул Грызлов. — Да ты еще глупее, чем кажешься! Скажи, ты читала какие-нибудь мои вещи?

— Некоторые, — осторожно ответила я.

— И что, думаешь, я сексуальный маньяк и киллер в одном лице? Считаешь, будто нахожу через день груды трупов, дружу с криминальными воротилами и провожу через границу в желудке капсулы с героином?

— Нет, но все это так убедительно описано.

— Милая, я все выдумал! От первой до последней буквы. Все! Поверь, я никогда не встречал настоящего убийцу. Ей-богу, Кондрат поступал так же.

— Но, — попробовала я сопротивляться, — история с Брит описана правдиво, и потом, все сведения про эту Кузнецову...

— Конечно, — согласился Юра, — многие прозаики так делают, припоминают разные казусы, случившиеся со знакомым, и пускают в дело. Но Разин — вымышленная фигура.

— Однако по адресу 4-й Эльдорадовский он проживал, — выложила я последний козырь.

Юра хохотнул:

— Ох, Лампец, знаешь, писатели жуткие сволочи, может, у него и впрямь когда был знакомый с таким дурацким именем и фамилией, небось насолил Кондрату, вот тот и покуражился.

— Не понимаю...

— А и понимать нечего. Вот у меня случай был, ухаживал за дамой, три месяца дорожку протаптывал, коньяк, конфеты. Она уже совсем готова была мне в руки упасть, но тут появляется Володька Тяжлов, нашептывает идиотке, что я дикий донжуан, и укладывает дуру в свою постель. Разозлился я жутко и...

— И?

— В новом романе дал главному убийце имя — Владимир Тяжлов и описал в подробностях Вовкину внешность, да еще указал его настоящий телефон, в качестве номера сыщика Попова, этакого борца за справедливость. Народ у нас простой, читатели верят печатному слову, ну и начали Володьке без устали названивать, на жизнь жаловаться. Пришлось тому номерок менять. Понятно?

— Все равно сегодня вечером я встречусь с его сестрой Галиной, — не успокаивалась я.

— Далеко поедешь? — спросил Грызлов.

— На Ахутинскую улицу, в ресторан «Лимонадный Джо».

— Чего же не домой?

— Да так.

— Хочешь, вместе съездим?

— Очень! — обрадовалась я. — Только ты сядешь за соседний столик, а то, боюсь, при тебе она не станет рассказывать. Просто будешь подслушивать.

— Обожаю это занятие, — засмеялся Юра.

В семь пятнадцать мы подкатили к «Лимонадному Джо» и вошли внутрь ресторанчика, стилизованного под салун Дикого Запада. Я окинула взглядом крохотный зальчик и констатировала, что Гали нет. В углу пила кофе незнакомая шатенка.

— Мы опоздали! — горестно вздохнула я. — Небось она ушла.

Юра бросил взгляд на часы:

— Ерунда, наверное, сама задерживается.

Мы уселись за соседние столики и заказали кофе с пирожными. Через полчаса я не выдержала:

— Ждать бесполезно, наверное, она передумала.

Грызлов встал и спросил у бармена:

— Тут не появлялась женщина?

— Здесь постоянно толкутся бабы, — резонно ответил парень.

— Такая полная, ярко накрашенная, вся в золоте... — добавила я.

— Волосы в «башню» уложены? — переспросил юноша, прекращая протирать и без того чистые стаканы.

— Да.

— Во жуть, — дернулся бармен, — страх да и только!

— Что случилось? — тихо спросил Юра.

— Примерно полчаса тому назад тут на углу тетку сшибли, — пояснил бармен, — я как раз крыльцо подметал. Улица у нас тихая, узкая, машин никаких. Орудую я веничком и краем глаза вижу, как дамочка прямо ко мне рулит. Ну, думаю, клиентка, заулыбался, как идиот. Вдруг откуда ни возьмись машина, бац! Тетка в сторону, башкой о стенку, кровища хлещет! Жуть! Я милицию вызывать, «Скорую»... Да что толку! Наповал уложил. Вон дама сидит, тоже свидетельница, по другой стороне шла. Так ей сразу поплохело, теперь кофе отпаиваю.

Шатенка судорожно кивнула и прошептала:

— Ужас! Он с таким звуком на нее наехал! Она подлетела вверх и шлепнулась, кошмар. До сих пор ноги трясутся!

— Что за машина? — спросил Юра.

— На джип похожа, синий, — ответил бармен.

— По-моему, черный, — возразила дама.

— Джипы разные, — строго заметил Грызлов, — «Нива» тоже внедорожник, номер запомнили?

— Куда там, — вздохнул парень, — он в момент смылся, секунды не прошло.

— Большой такой, блестящий, — встряла шатенка, — четыре колеса...

Да, великолепные приметы, в особенности про колеса. Крайне редко можно встретить автомобиль с четырьмя колесами сразу.

— Давно это произошло?

— За секунду до вашего приезда милиция уехала, — пояснил парень и вновь взялся за стаканы.

— Ничего себе, однако, — пробормотал Юра, — бедная баба!

ГЛАВА 21

Грызлов довез меня до подъезда и не захотел подниматься наверх.

— Голова разболелась, — пояснил он, — давай до завтра. Выпей валокординчику и выбрось дурь из башки. Жаль тетку, но она сама виновата.

Я тупо кивнула, подождала, пока он выедет со двора, и пошла к подъезду. Прямо у двери скучал Андрюшин «Линкольн Навигатор». Значит, сосед дома, ну и хорошо, сейчас позову его на чай. Пусть они с Лизой опять прихорашивают Рамика, может, я отвлекусь от мрачных мыслей. Какая все-таки страшная вещь автомобиль, хоть и удобная. Но в неопытных руках машина — орудие убийства. Небось водитель и не собирался давить Галю, не справился с управлением, и вот результат.

Я в задумчивости смотрела на «Линкольн», что-то в нем было не так. Через секунду я поняла, в чем дело. Одна фара отсутствует, на крыле царапины, а большой бампер слегка погнут. Полная нехороших подозрений, я села на корточки и стала рассматривать повреждения. Блестящий металл покрывали мелкие, темно-бурые капли. Я потрогала одну и ахнула. Палец окрасился в красный цвет. На бампере была кровь, причем достаточно свежая. Дверь подъезда хлопнула, появился Андрей, мрачный, с ведром воды.

— Здрасте, Лампа Андреевна, — буркнул он, — чего глядите?

— Фару разбил?

— Ага, — нехотя ответил он и начал мыть бампер.

Я смотрела, как вода в ведре делается розовой, и не утерпела:

— Что случилось?

Сосед мрачно буркнул:

— Ерунда вышла. Ехал по Ферапонтовской улице, чин чинарем, никаких проблем. Вдруг девчонка появляется, вроде Лизы, мелкая, а на поводке у нее пес, здоровый такой, черный, лохматый. В общем, я еду, они по тротуару идут. И тут кошка! Собака со всей дури как рванет! Девка ее не удержала, псина аккурат мне под колеса вломилась. Ничего сделать не смог. Уж как мне погано, и передать не могу!

— Мне казалось, что ты раньше в банде состоял, — сказала я, наблюдая за его ловкими движениями, — должен был привыкнуть к трупам и крови.

— Я бойцом мало бегал, — разоткровенничался Андрей, — «быки»-то долго не живут. Думаете, почему они шикуют: девки, кабаки, брюки из золота? А потому, что в курсах — ну год ему, ну два, а потом все равно либо чужие приложат, либо свои успокоят.

— Свои-то за что?

— Чтоб не болтал по пьяни, язык не распускал, в группировке, знаете, кто выживает?

— Кто?

— Либо совсем идиот, ну такой, что мозгов совсем нет, живая лопата, копает себе и доволен. Его и опасаться никто не станет. Либо умный и хитрый, такой, что дуриком прикинулся и у хозяев интереса не вызвал. Знаете золотое правило, ну как себя вести надо?

— Нет.

— Не верь, не бойся, не проси! То есть никому, кроме себя, не доверяй, ничего не опасайся, умирать-то один раз, и ни у кого не одалживайся. Вот тогда, может, и уцелеешь, если повезет, конечно, — пояснил Андрей и вылил воду в сугроб.

— Тебе повезло?

— Ага, теперь легальный бизнесмен.

— И все связи оборвал?

Он крякнул:

— Ну, Лампа Андреевна, вы чисто прокурор. Другой кто за такой интерес по сусалам огреб бы. Одно только скажу, ежели, к примеру, кто из ваших друзей придет и попросит: «Помоги», чего делать, скажите?

— Ну...

— Вот и я ну... — хмыкнул браток и швырнул тряпку в ведро. — Пошли, чаю глотнем, а то я весь испережи-вался.

— Экая у тебя натура тонкая, — поддела я его, — при виде крови бледнеешь. Неужели всех людей так жаль?

— На людей мне насрать три кучи, — пояснил парень, распахивая дверь в подъезд, — да только на дороге соба-ка была, вот это жуть!

ГЛАВА 22

Я не стала пить чай, а, сославшись на головную боль, отправилась к себе и плюхнулась на неразобранную кро-вать. Из кухни доносились голоса. Наверное, Лиза доста-ла из холодильника колбасу и поит соседа чаем. Вот уж кому все происшедшие в семье неприятности пошли на пользу! Девочка здорово изменилась. Из глуповатой, ин-фантильной неумехи она превратилась в милого, веселого и очень активного подростка. Сама уходит в школу, сама приходит. Вечно вокруг нее роятся приятели, а Ма-ша Гаврюшина у нас просто поселилась. Начисто исчез-ла ее капризность. Лиза теперь ничего не требует и не су-чит ногами перед любой витриной. Вчера она уставилась на губную помаду фирмы «Буржуа» и вздохнула:

— Какая красота, цвет «золотой песок», мне бы пошла такая!

Потом ее взгляд упал на ценник, и она в ужасе закри-чала:

— Триста рублей! Они что, с дуба упали! Вон рижская за двадцать пять, ничуть не хуже, правда, Лампа?

Я кивнула, радуясь про себя. Как только я стала рассказывать девочке о нашем бюджете, у нее моментально пропали истерики. Рижскую помаду мы тут же купили, она и впрямь устраивала нас: и качество хорошее, и цена разумная. Еще меня очень радует, что Лизавета больше не сидит за столом, лениво поджидая, пока ей подадут чай. Честно говоря, теперь она меня угощает всякими кексами и булочками, которые они с Гаврюшиной самозабвенно выпекают в свободное время. Справедливости ради надо отметить, что не все у них выходит удачно. Вот, например, изысканный десерт «Наслаждение Маргариты», рецепт которого они взяли в журнале «Смак», на поверку оказался всего лишь холодной манной кашей, уложенной горкой с одной крохотной консервированной клубничкой сверху. Жуткая гадость, но мне пришлось съесть, изображая восторг. Зато творожный пирог с курагой вышел невероятно вкусным, и я слопала половину, не в силах остановиться. Еще теперь мне не приходится убирать за ней постель, и она не рыдает по ночам в подушку. Жаль только, что все эти изменения личности произошли в результате грустных событий. Наверное, все-таки психологи не правы, на днях я читала книгу, где черным по белому было написано — личность человека на протяжении жизни не меняется. Значит, если в детстве утянул у приятеля десять копеек, в молодости угонит автомобиль, а в зрелом возрасте станет вором. Что-то в этих психологических постулатах явно не так. Вот Лиза, например, да и Андрюша! Сначала был бандит, а теперь честно трудится.

Неожиданная мысль заставила меня подскочить. Андрей! Он явно наврал, рассказывая историю с собакой. Скорее всего, он сшиб пешехода, скорей всего... И тут у меня по спине побежал озноб. Что, если это он наехал на Галину? Ее сбил джип. Правда, свидетели не запомнили номера и не смогли прийти к соглашению по поводу цвета. Но на улице в семь часов уже было сумеречно, и темно-зеленый «Линкольн» мог показаться либо синим, либо черным. А что я вообще знаю про Андрея? Ну дела, впустила в дом парня и даже не потрудилась расспросить его. Впрочем, он милый, любит животных. Ага, а человека прихлопнет, как муху. Нет, муху он пожалеет. Завтра же зазову бывшего братка к нам и устрою допрос. Как жаль, что мой друг Слава Самоненко до сих пор в больнице. Звоню туда каждый день в надежде, что его перевели в обычную палату и разрешили посещения. Да на беду, у мужика загноился шов, и врачи отправили несчастного в инфекционное отделение. А туда посетителей не пускают. И уж совсем плохо, что Володя Костин нежится на теплом солнышке, приходится одной вести расследование. Впрочем, наверное, все зря. Скорей всего убийца Лена...

Но что-то мешало мне полностью согласиться с этим, мне все больше казалось, что она ни при чем. У меня не было никаких доказательств ее невиновности, скорей наоборот, улики свидетельствовали против Лены, но в моей душе зрело убеждение — она невиновна.

Я встала, подошла к окну и стала курить сигарету у открытой форточки. Какой холодный март в этом году, зима не собирается уходить из города, опять пошел крупный снег. Он тихо падал хлопьями на землю, моментально превращаясь в грязь. Может, Лена тоже не спит и любуется снегопадом... Я вышвырнула сигарету на улицу. Нет, моя бывшая хозяйка не видит ни снега, ни машин, ни прохожих. Окна в тюрьме забраны специальными решетками-щитами, сквозь которые невозможно выглянуть наружу. И если я не постараюсь, Лена еще долго просидит в камере, лет десять навесят, как пить дать! А я даже не знаю, куда бросаться. Может, Юра прав и Степан Разин вымышленная фигура? Однако других версий все равно нет. И где искать мужика, тоже неизвестно, ладно, поеду завтра к алкоголичке Рите, может, найду бабу слегка трезвой...

Но утром пришлось отложить это дело. Веселый Рамик заскучал, забился под стол и не вышел из укрытия, даже когда я стала резать колбасу. Удивившись такому странному поведению, я вытащила его на середину кухни и вздохнула. Щенок явно заболел. Нос горячий и сухой, аппетита никакого, весь животик был усыпан непонятными прыщами. Больше всего это было похоже на ветрянку, но, насколько я знаю, собаки не подвержены этой болезни.

Завернув песика в байковое одеяло, я поехала к ветеринару. Лиза была в школе, а Андрея, скорей всего, нет дома, потому что «Линкольн Навигатор» у подъезда отсутствовал.

На этот раз прием вел не угрюмый врач, а женщина в ярком темно-голубом халате, на лацкане которого болталась табличка «Доктор Светлана Павловна Разина». Что-то в облике тетки показалось мне знакомым. Ветеринар ловкими, уверенными пальцами ощупала апатично сидящего Рамика и констатировала:

— Аллергия.

— На что? — изумилась я. — Разве у собак она бывает?

— Почему нет? — ответила Светлана Павловна. — Сколько угодно. Кормят животных чем попало, а потом удивляются!

— Мы давали ему только качественные продукты!

— Зато обсыпали дурацкими блестками, — сердито возразила врач, — он их слизал, и вот результат!

— Но как же так? — возмутилась я. — Мы купили пудру в специализированном магазине...

— Надо внимательно читать инструкцию, а там написано, что эта присыпка может быть нанесена на шерсть только на короткое время, допустим, для выставки. Животному ни в коем случае нельзя давать вылизываться, а потом следует выкупать собаку.

Я горестно вздохнула, мы оставили блестящего Рамика в таком виде на ночь, и он теперь страдает исключительно из-за нашей глупости.

— Не покупайте всякую дрянь, — отрезала Разина, повернулась, подошла к шкафчику с лекарствами, потом глянула на меня, и в ту же секунду я вспомнила, где ее встречала.

— Вы живете в 4-м Эльдорадовском? — невольно вырвалось у меня.

— Да, — подтвердила она и спросила неуверенно: — Вроде мы встречались. Вы тоже там живете?

— Нет, — быстро ответила я. — Скажите только, вы знаете, где Степан?

Светлана Павловна изменилась в лице, но недрогнувшим голосом ответила:

— Знать не знаю никакого Степана!

— Но фамилия-то у вас Разина, — настаивала я.

— Подумаешь, — фыркнула она, — мало ли на свете Разиных, а уж Степанов небось сотни!

— С чего вы подумали, что у Степана фамилия Разин? — тихо спросила я.

Светлана Павловна прикусила нижнюю губу и перевела разговор на другую тему:

— Давайте собаке два раза в день по пять капель, вымойте пса, к вечеру, думаю, он будет здоров. А сейчас, извините, у меня очередь.

— В коридоре никого нет, — успокоила я ее.

Светлана Павловна покраснела:

— Незнакома я со Степаном, Разин был мой отец, отсюда и фамилия.

Я пошла к двери, но на пороге обернулась:

— Одна молодая женщина, кстати, имеющая четырехлетнего ребенка, сейчас сидит в тюрьме по ложному обвинению в убийстве. Мне кажется, что свет на запутанное дело может пролить Степан, вот я и ищу его, правда, пока безрезультатно. Может, если вам станет жаль невинно пострадавшую и вы припомните, где Степан, вот, возьмите, это номер моего телефона...

— Погодите, — тихо сказала Светлана Павловна. — И что грозит той женщине?

Я пожала плечами:

— Лет десять вкатят как минимум.

— А в чем ее обвиняют?

— В убийстве своего мужа.

— Пройдемте, — пробормотала она.

Мы вышли в коридоре, ветеринар повесила на двери табличку: «Перерыв. Работает 12-й кабинет».

В маленькой комнате, где с трудом уместились стол и четыре стула, она включила чайник, вытащила кофе, две кружки и пачку печенья. Я терпеливо ждала развития событий. Наконец докторша наполнила чашки и с чувством произнесла:

— Бабы дуры. А пока есть такие идиотки, как я и ваша подруга, то мужики, подобные Степке, будут процветать. Любитель чужими руками жар загребать! Я ведь из-за него три года в лагере провела, а он...

И она махнула рукой.

— Как же вы туда попали? — изумилась я. — Сделали-то что?

— В том-то и дело, что ничего! — выкрикнула Светлана Павловна. — Подставил меня Степка, как последнюю лохушку.

— Вы были его женой?

— Нет, — покачала головой она, — никогда. Просто по странному совпадению мы однофамильцы. Но какое-то время я считала себя его супругой.

— Где же вы познакомились?

— Дома, моя мама — соседка тети Тани. Двое Разиных в одной коммунальной квартире. Нас постоянно путали врачи и в РЭУ тоже. Тетя Таня не заплатит за квартиру, а на маму ругаются.

— Но Степан же не жил с родителями.

— Правильно, — подтвердила Светлана Павловна, — его воспитывала Раиса Андреевна, жена брата его покойного отца. Только он иногда все-таки приходил к матери, раз в год, не чаще. Всегда такой аккуратный, причесанный, одеколоном пахнет. Вы знаете, что там все алкоголики запойные были?

Я кивнула.

— Так Степка от них резко отличался, словно и неродной. В школе отлично учился, потом в институт поступил.

— В какой?

— Стали и сплавов, математику отлично знал, впрочем, и писал хорошо, все в КВНе выступал. Я приходила к ним на вечера и очень смеялась, просто до колик.

Степан начал ухаживать за Светой неожиданно. Один раз приехал к родителям, а тех нет, отправились в деревню к бабке. Внезапно парень предложил открывшей ему дверь Свете:

— Пошли в кино.

— В кино?

Девушка удивилась, но приглашение приняла. Кавалер выглядел очень эффектно — высокий, хорошо одетый, трезвый и, судя по всему, при деньгах. Во всяком случае, он купил билеты, угостил ее лимонадом и пирожными, а назад привез на такси. Завязался роман. Светлана стала ходить в гости к Раисе Андреевне, и та часто говорила, что всегда мечтала о такой невестке. Словом, дело катилось к свадьбе, хотя главные слова еще не были произнесены. Летом они поехали вместе в Сочи, наврав квартирной хозяйке, что состоят в браке. Та, мельком глянув в паспорта и увидев, что фамилия у постояльцев одна, не стала дальше листать документы.

В ноябре, восемнадцатого числа, дату Света запомнила на всю жизнь, Степан пришел к ней на работу.

Девушка работала кассиром в большом универмаге.

— Слышь, Светка, — попросил он, — я дело одно тут проворачиваю, дай денег.

Не заподозрившая ничего плохого невеста спросила:

— Сколько?

— Да сколько сможешь, — прозвучал ответ.

— Бери хоть всю кассу, — засмеялась Света, — только к семи верни, мне отчитываться надо.

— Будь спок, — заверил Степан, сгреб пачки и исчез.

Света спокойно продолжала работать, занервничала она около половины восьмого, когда уже нельзя было оттянуть визит в кабинет заведующей. Разразился жуткий скандал. Директриса, пожилая женщина лет шестидесяти пяти, заслуженный работник торговли, ветеран труда и член КПСС, тут же вызвала милицию. Светочка, рыдая, умоляла ее не делать этого.

— Завтра все верну до копейки, — обещала несчастная кассирша.

— Где же ты возьмешь такую сумму? — злилась начальница, из-за почтенного возраста крепко не любившая молоденьких и хорошеньких. — В другом месте украдешь?

— По знакомым соберу, — всхлипывала Света.

Но заведующая только фыркнула, и девчонку своло́кли в отделение. Два дня она молчала, не отвечая ни на какие вопросы, тайно надеясь, что Степан вернет деньги в магазин, но парень словно в воду канул. Поняв, что делать нечего, Света честно призналась следователю во всем. А тот устроил ей очную ставку с без пяти минут мужем.

Более унизительного и горького дня в жизни ее не было. Ее, растрепанную, в мятом платье, усадили на стул. Потом в кабинет вошел Степан — хорошо одетый, безукоризненно выбритый и благоухающий одеколоном «Консул».

Выслушав вопрос следователя, парень развел руками:

— И не пойму, с чего Свете эта идея в голову пришла. Я вообще в тот день был в Ленинграде, вот билет. Ездил к друзьям, спросите у матери. Денег в глаза не видел.

Бедная девушка просто онемела, а когда к ней вернулся дар речи, закричала:

— Степа! Ты что, забыл? Всю кассу забрал подчистую!

— Знаешь что, Света, — тихо произнес тот, — если наделала глупостей, то сама и расхлебывай. Я-то тут при чем? Понимаю, ты надеялась, что наши отношения заставят меня взять вину на себя. Но я честный человек и не хочу никого обманывать.

Дальнейшее кассирша помнила плохо. Слова следователя долетали словно сквозь вату, на голову будто надели ушанку... Потом «честный человек» ушел, а ее увели в камеру.

Спустя неделю следователь вызвал ее на допрос. Выслушав очередные «не брала ничего», он тяжело вздохнул:

— Я гожусь тебе в отцы, а может, даже в деды. Знаешь, сколько на этом стуле дурех побывало? И все как одна ни в чем не виноваты. Мой тебе совет: хватит в несознанку играть. Очень плохо такая позиция на судей действует, впаяют по полной катушке. Хочешь отделаться легким испугом, слушай меня.

— Хорошо, — пролепетала Светочка.

— Вот и умница, — обрадовался мент, — значит, так, пишем добровольное признание.

— Я ничего не брала...

— Меня слушай, — обозлился следователь, — а то червонец огребешь!

— Десять лет, — пришла в ужас Света.

— Спасти тебя хочу, — пыхтел страж закона. — Сделай так. Деньги взяла, чтобы... У тебя вроде мать больна?

— Рак у нее, — тихо сказала Света.

— Отлично, пиши — деньги взяла, так как хотела оплатить операцию матери, лекарства и хорошее питание. Поехала в обед домой, а в трамвае украли кошелек. Каюсь, признаюсь, больше никогда, очень мать было жалко.

— Но у нас все операции делают бесплатно, — попробовала посопротивляться несчастная.

— Эх, молодо-зелено, — крякнул мент, — с одной стороны, и так, а с другой — конвертик врачу надо сунуть, все об этом знают, а судьи тоже люди, даже самые суровые. Пожалеют тебя.

Так и вышло. Учитывая чистосердечное раскаяние, юный возраст и хорошие характеристики, Свете дали всего три года. Она отсидела их от звонка до звонка, не получая посылок. Мать скончалась еще во время следствия, а больше девушка в целом свете никому не была нужна. Степан исчез из ее жизни.

Соседи по бараку, узнав историю Разиной, подняли ее на смех.

— Ну и дура же ты, — качала головой Катька Рогова, мотающая третий срок, — сначала любовник тебя натянул, потом следователь.

— Он меня спас, — возразила Света, — я получила всего ничего, скоро выйду, а иначе бы червонец вкатили!

— Говорю же, дура! — рассвирепела Катька. — Знаешь, зачем он тебя сознаться уговорил?

— Чтобы меньший срок дали!

— Тьфу, идиотка! — окончательно вышла из себя Рогова. — Да следователь твой отлично понял, что ты ни при чем. У тебя на лбу написано — дура. Только пришлось бы ему долго копаться. Степку твоего прищучивать, проверять, правда ли он в Питер катался или билет на вокзале у кого попросил. А на каждое дело есть срок.

— Как это? — не поняла Света.

— Эх, горемыка, — вздохнула Катька, — каждому менту время дают с делом разобраться. Ну, допустим, месяц, а если не получается, ругать начинают. План у них там, в легавке, как у всех. Ладно бы, сложное расследование, да только твоя ситуация выеденного яйца не стоит. А ты, как назло, не признаешься, время идет. Знаешь, что им за несоблюдение сроков следствия бывает?

— Что?

— Много чего! Премии лишат, тринадцатую зарплату не дадут, из очереди на квартиру выкинут. Вот он и подставил тебя, как последнюю лохушку!

Света удрученно молчала. В словах многоопытной Катьки был резон, и Разина потом ночью рыдала на железной кровати, выкрашенной темно-синей краской.

Самое неприятное, что после освобождения ей пришлось вернуться на старую квартиру. Родственников Степана девушка ненавидела до такой степени, что ее начинало подташнивать, когда она сталкивалась с ними в местах общего пользования. Да еще на воле ее поджидала неприятность. Мать Светы скончалась, и девушке не оставили две комнаты. В одну из комнат вселили малоразговорчивого мужика — столяра. Девушка пошла работать на фабрику, в колонии она освоила профессию швеи-мотористки, и старалась меньше бывать дома.

Потом неожиданно судьба смилостивилась, и жизнь повернулась к бывшей заключенной светлой стороной. Столяр оказался отличным мужиком, молчащим не от угрюмости, а от стеснения. Светочка приняла его ухаживания, и они расписались, фамилию она сохранила девичью. В бывшей маминой комнате устроили спальню. Потом муж организовал с приятелем кооператив по производству кухонной мебели. Неожиданно дело пошло, да еще как. Фирму завалили заказами, и столяр, не успев моргнуть глазом, стал обладателем трех магазинов и работодателем для ста пятидесяти человек. Тогда-то они со Светой и предложили соседям новую квартиру, взамен занимаемых теми комнат. К их радости, Разины мгновенно согласились — наверное, пересчитали доплату на бутылки. Света с мужем сделали ремонт и постарались навсегда забыть про Татьяну и ее детей. Надо сказать, им это удалось. Соседи более не напоминали о себе, оставшись в прошлом. Света по совету мужа закончила Ветеринарную академию. Она всегда любила животных и теперь с огромным удовольствием возилась с четвероногими пациентами. История о глупенькой кассирше, обманутой любовником, была похоронена под грузом времени. Иногда Светлане Павловне казалось, что ничего подобного в ее жизни не было, словно она прочитала плохую книгу. Но тут явилась я и разбередила душу.

— Где живет Степан, знаете? — не выдержала я.

— Последний раз я встречалась с ним во время очной ставки, — грустно ответила она. — Потом, сами понимаете, никакой охоты не было связываться с подлецом. Все время боялась, что он вдруг заявится к матери в гости, думала, не удержусь и вмажу ему прямо в наглую морду, но Степка как в воду канул, пропал, и черт с ним.

— Как жаль, — протянула я, — я так надеялась, что вы подскажете.

— Спросите у Раисы Андреевны, — посоветовала Света, — она небось в курсе.

— Дайте мне ее телефон!

Она покачала головой:

— Я, когда вернулась из лагеря, очень нервная была и страшно дергалась. Честно говоря, хотела поехать к Раисе и потрясти ее как следует. Ведь писем десять ей из лагеря отправила, все просила: Степка меня подставил, так хоть печенья пришли или чаю, никого же нет, мать умерла. А Раиса Андреевна богато жила, ей бы ничего не стоило бандероль собрать. Но нет, она не ответила ни разу. Ну я от греха и разорвала телефонную книжку, чтобы руки сами номер не набрали, и адрес точный не помню. Знаю, как идти...

— Как?

— До метро «Киевская» надо доехать и спуститься в сторону набережной, там прямо у моста стоит огромный дом из светлого кирпича. А вот подъезд запамятовала, то ли второй, то ли третий. Окна, помнится, на реку выходили...

Да, не слишком точные координаты.

— А вы к Маргарите сходите, — сказала она. — Из Разиных только она и осталась. Старшие братья померли, Галка уехала незнамо куда, а Ритка тут, в Москве живет, на Ленинградском проспекте, вот ее адрес я отлично знаю и телефон тоже.

— А говорили, никакой связи с Разиными не поддерживаете, — решила я поймать ее на лжи.

— Так-то оно так, — тяжело вздохнула Света, — да Ритка горькая пьяница, вечно ей на бутылки не хватает. Как-то раз сижу дома, звонок в дверь. Гляжу — Рита. Пришла у меня по старой памяти денег клянчить, а я слабину проявила — дала десятку. И все, пропала. Она начала постоянно бегать и ныть. Потом предложила у нее квартиру купить. А у меня двое детей подрастают, Ленка не сегодня завтра замуж соберется... Ну я и поехала на хоромы взглянуть. Отличная жилплощадь, только очень загаженная. Впрочем, Ритка за нее недорого хотела, выгодная сделка могла быть.

— Что же вы не стали оформлять?

— Муж отсоветовал, говорит, с пьяницей связываться опасно. Прав, наверное. Так что ступайте к Рите, — и она продиктовала хорошо известный мне адрес.

— Да я уже была у нее, — ответила я, — она вечно пьяная, и толку от нее никакого.

— Вы к ней в восемь утра приходите, — пояснила Света, — она где-то в семь тридцать встает и около восьми начинает соображать, где деньги на выпивон сгоношить. Она ко мне около половины девятого являлась в надежде на подачку. Утром трезвая, а поближе к одиннадцати — все, труба, мертвое тело.

ГЛАВА 23

Нырнув в подземный переход, я уставилась на витрины. Может, купить Лизе вон того керамического медвежонка за пятнадцать рублей? Девочка придет в полный восторг. Я вытащила кошелек и тут же услышала тихий, вкрадчивый голос.

— Доченька, дай на хлебушек.

Возле меня стояла толстенькая старушка в грязной куртке. В руках бабка держала пакет, оттуда высовывались горлышки пустых пивных бутылок. Я протянула ей рубль.

— Дай бог тебе здоровья, счастья и удачи, — поблагодарила нищенка.

Мне стало неудобно, уж не столь велика милостыня, чтобы так кланяться. Но когда я, купив статуэтку, притормозила у ларька с газетами, вновь послышалось тоненькое сопрано:

— Деточка, подай на хлебушек.

Я обернулась и увидела всю ту же бабку с пакетом. Получив следующий рубль, она растворилась в толпе, но не успела я попросить у продавца пару булочек, как раздалось до боли знакомое:

— Деточка, подай на хлебушек.

— Бабушка, — не удержалась я, — вы у меня третий раз просите.

— Ой, прости, милая, — испугалась она и подслеповато прищурилась. — Глаза-то плохие, а люди все одинаковые, в куртках. Уж извини, старую.

— Ничего, ничего, — приободрила я ее и протянула булочку. — Хотите, с маком.

— Дай тебе господь всего полной меркой, — обрадованно сказала бабулька и сунула подношение в пакет.

Потом с чувством произнесла:

— Я ведь раньше у входа в метро сидела, а теперь там ирод устроился, вот ведь нехристь, главное, все хохочут, а подают ему сколько! Не поверишь, сумками относит. Милиционерам, ясное дело, выгодно, они меня согнали, а его посадили, потому как ирод им хорошие деньги дает, с меня столько не содрать, доходы у старухи убогие.

— Почему ему много подают? — полюбопытствовала я.

— Поди к входу да полюбопытствуй, — сказала бабка, — глаза б мои на урода не глядели.

Заинтересовавшись, я притормозила у стеклянной двери. Там, на полу, на расстеленном грязном байковом одеяле сидел молодой мордатый парень, с виду совершенно здоровый. Во всяком случае, руки и ноги на месте, а розовый цвет лица без слов говорил о великолепном пищеварении и желчном пузыре без признаков камней. Не походил он и на пьяницу или бомжа. Одет попрошайка был просто, но чисто — в джинсы, ветровку и кроссовки. Перед ним стояла коробка из-под сапог «Ле Монти», почти доверху набитая бумажными купюрами. Присмотревшись, я ахнула.

На шее у побирушки висел большой, художественно выполненный плакат: «Собираю на киллера для тещи». Проходившие мимо женщины поджимали губы и презрительно отворачивались. Мужчины хохотали в голос и швыряли парню подаяние. На моих глазах один, в отличной куртке, кинул сто рублей и подмигнул:

— Сделай милость, найди такого, который не сразу укокошит, а станет медленно на кусочки резать!

Попрошайка засмеялся:

— Анекдот знаешь?

— Ну, — остановился мужик.

— Громадный дом, на пятнадцатом этаже висит женщина, вцепившись руками в подоконник, а какой-то мужик бьет ее молотком по пальцам. Ну народ в возмущении, за милицией бежать хотят. Вдруг мужчина высовывается и кричит:

— Граждане, это моя теща!

Внизу буря негодования:

— Ишь, уцепилась, дрянь такая.

На последней фразе и побирушка, и дядька в кожаной куртке радостно заржали, а я пошла в метро. Интересно, сейчас на каждом углу продают сборники анекдотов, в основном глупые, правда, иногда попадаются смешные. Но вот что характерно. На их страницах полно веселых историй про тещ, а вот про свекровей нет ни одной. Зато про последних имеются пословицы, одна другой страшней.

Ну, к примеру: «У свекрови дома не у мамоньки» или «Свекровь — всех кровь, доберется и выпьет». Просто дрожь по телу. Может, хорошо, что мой бывший муж был сирота?

Подходя к дому, я машинально отметила, что Андрей отсутствует. Возле подъезда не было «Линкольна». Из кухни доносились бодрые голоса. Я вошла и удивилась.

— Андрюша? Вот странно.

— Почему? — спросил он, стараясь завязать на шее Рамика большой бант.

— Так твоей машины нет, «Линкольна Навигатора».

— Я его продал, — пояснил парень, — «вольвешник» пока прибарахлил.

— Ну? — изумилась я. — Почему? Такая машина отличная была и, кажется, не старая.

— Новая, — нехотя согласился браток, — да только все про собаку вспоминаю, как за руль сяду, вот и продал, к черту, на рынке сдал, ну ее в задницу, всей радости лишился...

Я молча стала выкладывать на стол покупки, глядя, как Лиза и Андрей с хохотом натягивают на Рамика коротенькую блестящую курточку из искусственной кожи.

— Лампа, глянь, зыко! — вскрикнула Лиза.

— Скажи нормально, — машинально потребовала я, ставя чайник.

— Глянь, здорово, — послушно перевела девочка, вертя ошалелого Рамика, — Андрюша прибарахлил, клевый прикид, прикольный.

Я тяжело вздохнула. Курточка и впрямь была смешная, и щенок выглядел в ней очень забавно.

— Не тряси собаку, а то описается. И вообще, раздевайте его, гулять поведу.

— Не-а, — затрясла головой Лиза, — я сама хочу.

— Зачем раздевать-то? — встрял Андрей. — Сыро там, пущай в пальте идет.

— В пальто, — безнадежно сказала я, — это слово по падежам не изменяется.

— Ладно, — согласился он, — в пальто так в пальто, вам виднее. А на шею надо ошейник нацепить, светящийся. Зря, что ли, бабки тратили.

— Я сама хочу пойти, — ныла Лиза.

— Там темно, — отрезала я.

— А мы с Андрюшей!

Но мне не хотелось, чтобы девочка выходила так поздно во двор.

— Лучше сделай к ужину салат «Слезы Наполеона».

— Тебе понравилось! — обрадовалась Лиза и кинулась к холодильнику.

Я вытащила щенка в прихожую. Выглядел он словно цирковая обезьянка. Толстенькое тельце было упаковано в блестящую курточку, лапки засунуты в ботиночки, на голове — кепочка. Песику было страшно неудобно в обуви, он высоко поднимал лапы, а потом с опаской опускал их на пол. К тому же подметки скользили на паркете, и бедняга пару раз упал, больно стукнувшись мордочкой. Я пристегнула роскошный поводок из крокодиловой кожи и потянула упирающегося Рамика гулять.

Вообще четвероногие обожают прогулки. Многие владельцы специально кормят своих пуделей и болонок после того, как те вернутся домой. Голодная собака лучше слушается хозяина и охотнее возвращается с улицы в квартиру. Но Рамик по малолетству еще не слишком разбирался в ситуации. Он не сдерживал себя и писал в коридоре, когда захочет. Променад с ним превращался в докуку. Ходишь, ходишь по двору битый час, поджидая результата, потом плюнешь и вернешься наверх. Не успеешь оглянуться, как он уже прудит лужу в детской.

Но сегодня погода была такой отвратительной, что песик не захотел выходить из подъезда. Я вытолкала его под дождь и подумала: «Все-таки ботинки кстати пришлись».

Мы шагали туда-сюда по лужам.

— Пис-пис, Рамик, ну давай пис-пис, — упорно твердила я, но он не собирался задирать лапку.

В какой-то момент мне за шиворот попал дождь. Я стала натягивать капюшон, Рамик дернулся, поводок выпал. В ту же секунду щенок, радостно лая, шмыгнул между прутьями забора и понесся по улице.

— Рамик! — завопила я.

Но тот даже не обернулся. Я побежала к воротам, теряя драгоценные минуты. На улице никого, темнота — глаз выколи. Темно-серая собака моментально исчезла. Я похолодела. Этому дураку ни за что не найти дорогу домой. Вдруг далеко-далеко впереди замелькала тоненькая полоска света. Слава богу, ребята нацепили на щенка светящийся ошейник.

— Рамик, негодник, стой! — завопила я и пошлепала по лужам, разбрызгивая в разные стороны жидкую грязь.

Полоска металась из стороны в сторону. Я летела, не разбирая дороги, и наконец очутилась перед довольно глубоким оврагом. На той стороне его жалобно скулил мой щенок. Я посмотрела на канаву, полную жидкой грязи, и заблеяла:

— Рамусик, Кусенька, Пусик, иди к маме, сейчас вкусное мясо дам!

Но щенок продолжал хныкать.

— Миленький, давай назад!

Однако песик не слушался, а может, боялся лезть в глубокий овраг. Интересно, как он перебрался на ту сторону. Чертыхаясь и проклиная все на свете, я полезла в жидкую глину. Внезапно нога подвернулась, и я шлепнулась прямо в коричневую жижу. Через секунду сила инерции проволокла меня вниз на самое дно омерзительно воняющей канавы. Рамик перестал рыдать и с интересом наблюдал, как хозяйка принимает грязевую ванну. Наконец, перемазавшись с ног до головы, я утвердилась на ногах и попыталась вскарабкаться наверх. Не тут-то было. Руки и ноги скользили, туловище срывалось вниз. В какой-то момент я чуть не разрыдалась. Ну надо же влипнуть в такую нелепую ситуацию. Место глухое, домов тут нет, стоят только гаражи. Время позднее, и сейчас там, наверху, никого. Лиза с Андрюшей не скоро забеспокоятся, сидеть мне здесь до утра.

Обозлившись, я встала на четвереньки и с пятой попытки выбралась из оврага. Рамик в ужасе шарахнулся от меня, но был пойман и сурово наказан. Впрочем, выглядел песик ужасно. Шапочку и ботинки он потерял, курточку разорвал и весь был покрыт толстым слоем грязи. Мне стало холодно, и ни за какие блага мира я не полезла бы снова в овраг. Но наш дом находился на другой стороне. Впрочем, может, поискать иной путь?

Крепко прижав к себе дрожащего Рамика, я углубилась в гаражи и запетляла между железными боксами. Стало страшно. Луна не светила, небо было затянуто тучами, из которых сыпался непрекращающийся дождь. Кругом была кромешная тьма и ни одного человека. Надо вернуться назад и снова лезть в канаву. Вдруг до моих ушей донесся глухой стук, а под воротами одного из гаражей мелькнула полоска света. Недолго думая, я забарабанила в железную дверь:

— Пустите, пожалуйста.

Дверь приоткрылась, и я, щурясь от неожиданно яркого света, вошла внутрь.

Несколько парней в грязных комбинезонах возились вокруг большой машины, вернее, того, что от нее осталось. Зеленые крылья стояли у стены, ветровое стекло лежало на замызганном байковом одеяле. Вот ведь незадача, ребята явно разбирали краденый автомобиль, и лишние свидетели им ни к чему. Влипла я, из огня да в полымя! Старательно прикидываясь идиоткой, я забормотала:

— Здравствуйте, ребятки! Машину чините?

— Добрый вечер, — вежливо сказал один, самый старший, лет восемнадцати с виду, — ищете чего?

— Да вот собачка убежала, я ее догоняла и упала в овраг, как теперь домой попасть, неужели снова в канаву лезть? Подскажите, другой дороги нет?

Мальчишки бросили работу и проявили любезность и внимание.

— Сейчас направо сверните, там мостик, — пояснил белобрысенький очкарик, похожий на лабораторную мышку.

— Аккурат за нашим гаражом, — добавил другой, толстый и рыхлый, — сразу к супермаркету выйдете, «Капель» называется, знаете, где это?

Я кивнула:

— Конечно. Спасибо.

— Не за что, — хором ответили механики.

Потом старший протянул кусок грязной тряпки, бывшей когда-то чьим-то свитером.

— Щенка укутайте, а то заболеет, вон трясется, бедолага.

Рамика и впрямь била дрожь.

Белобрысенький вытащил термос, пластиковый стаканчик и, наполнив его горячим чаем, предложил мне:

— Хлебните, тетенька.

Я с благодарностью схватила подношение и стала глотать восхитительно обжигающую жидкость. Желудок начал оттаивать. Выходить из теплого, уютного гаража на промозглую, холодную улицу мне страшно не хотелось. Очевидно, мальчишки поняли это, потому что старший со вздохом сказал:

— Слышь, Колян, свези ее.

— Пошли, — велел толстый, — только клеенку прихвачу, сиденье прикрыть.

Он шагнул внутрь гаража, я проследила за ним взглядом и чуть не лишилась чувств. В салоне разбираемой машины, на роскошных кожаных сиденьях сиротливо валялся мой светло-бежевый шарф, забытый вчера в Андрюшином автомобиле. Перепутать его с другим было невозможно — это подарок Лизы, и она вышила криво-ватыми стежками вензель Е. Р. Вон он, в левом углу. Потом мой взор пробежался по темно-зеленым останкам, увидел разбитую фару и помятый бампер.

Парни разбирали «Линкольн» нашего соседа. Значит, Андрей соврал мне, когда сказал, что продал «Навигатор» на рынке. И зачем, спрашивается, уничтожать почти новую, безумно дорогую машину? Только для того, чтобы спрятать следы. Следовательно, он сбил не собаку, а человека. И по ужасному совпадению это была Галина! Уже у подъезда я внезапно подумала: «А вдруг он специально наехал на несчастную?» Вдруг он вообще организатор всего?

Увидев меня в обнимку с Рамиком, напоминавшим батончик «Марс» с толстым-толстым слоем грязи, Лиза вскрикнула:

— Лампа! Что случилось?!

— В овраг упали, — клацая зубами, сообщила я.

— А еще меня пускать не хотела, — возмутилась девочка, — сказала, лучше сама пойдешь! Здорово у тебя получилось!

Я только сопела, стаскивая с ног облепленные глиной сапоги. А что тут скажешь?

— Немедленно иди в ванную, — велела девочка, — я вымою Рамика в биде.

Приведя себя в порядок, я выползла на кухню. Андрюша тут же подвинул мне чашку с дымящейся жидкостью:

— Пейте.

— Что это?

— Сидор Иванович.

— Что?

— Да пейте! — вышел он из себя. — Не отрава.

Я глотнула и ощутила на языке вкус сухого красного вина, корицы и гвоздики. Грог! Только почему он так странно его назвал? Надо бы спросить. Я разинула рот, но внезапно сказала совсем другое:

— Слышь, Андрюш, а что выгодней? Продать автомобиль или разобрать?

— Смотря какой, — хмыкнул парень, — если паленый, без документов, или, к примеру, ДТП на нем висит, то лучше по частям.

— Что такое ДТП? — поинтересовалась Лиза.

— Дорожно-транспортное происшествие, — пояснил бандит, — легавка теперь прямо озверела. За любую вмятину на крыле тормозит и отчета требует. А еще компьютерами обзавелись, враз угонщика вычисляют.

— Наверное, кражи автомобилей в Москве сократились, — важно заявила Лиза.

Андрюшка засмеялся:

— Нет.

— Почему? — изумились мы с ней одновременно.

— Кражи, они тоже разные, — вздохнул браток.

— Угон он и есть угон, — припечатала я.

— Э, неправда ваша, Лампа Андреевна, — не согласился сосед и ввел нас в курс дела.

— К примеру, вышли пьяные с дискотеки. Покуражиться им захотелось, открыли первый попавшийся «жигуль» и покатили до дерева. Бац, врезались, убежали. Угон?

— Угон, — согласились мы.

— Ага, — подтвердил Андрюша, — вот таких придурков долбаных — тучи, они наутро и не помнят, чего наделали! Смехота! Пьянь она и есть пьянь, нечего их с деловыми равнять. А бывает так. Поступает заказ, ну, к примеру, «Мерседес» навороченный нужен, цвет — серебро.

— Что, и цвет заказывают? — удивилась я.

— И даже окраску сидений, — подтвердил сосед и добавил: — Вот мы один раз накололись. Требовался «БМВ», синий, салон — бордо. А ребята недоглядели и черный уволокли. Все!

— Что — все?

— Клиент не взял, пришлось тачку на запчасти разбирать.

Повисло молчание. Потом я спросила:

— А джип сколько стоит?

— Опять же какой?

— Ну, к примеру, твой «Линкольн»?

— За тридцать тысяч брал.

— Дешевле «Жигулей», — изумилась я.

— Баксов, Лампа Андреевна, — хихикнул Андрей.

— Вот это да! Лучше квартиру купить!

— Так она есть уже!

— Дачу!

— А на хрена она мне? Да я в Испанию смотаюсь, вот еще — на огороде жопой кверху стоять!

— Квартиру сдавать можно, все доход.

— Ага, и на метро кататься, с уродами и бомжами.

— Между прочим, я езжу исключительно на метро, — обиделась я, — к тому же можно купить «Жигули», вон вчера по телику реклама шла, «пятерка» всего две тысячи долларов стоит, а ты тридцать за те же четыре колеса заплатил!

— «Пятерка»! — взвился Андрей. — Еще присоветуйте на крышу багажник наклепать!

— А что? Удобно очень, всякие вещи можно возить!

— Ну умора, — захохотал сосед, — ну цирк, в натуре. Прикиньте на минуту, я являюсь на стрелку, сам в «пятерке», на крыше багажник. А братва вся на джипах, ну, в крайнем случае, на красных «девятках».

— И что такого? — удивилась я.

— Оборжут! У нас свои принципы. Голда на тумбе, пояса на грабках, прикид от Верса, говнодавы — крокодилы. Иначе подумают, все, с горы съехал, Андрейка, топчи, кому не лень. Джип мне как воздух нужен!

Самое интересное, что я стала понимать его без переводчика.

— Значит, без цепочки на шее, перстней на пальцах, костюма от Версаче и ботинок из крокодиловой кожи ты пустое место?

— Выходит, так, — подтвердил он и поинтересовался: — А чего вы джипом интересуетесь?

— Денег у нас с Лизой немного, в гараже стоит внедорожник Кондрата, нам такой автомобиль ни к чему, продать хотела.

— Чисто не сделать, — пояснил Андрей, — вы же тачке не хозяйка. Впрочем, можно попробовать доверенность сгоношить, нотариус есть.

— Сколько за него можно выручить?

— Посмотреть надо.

— Ты за сколько джип на рынке сдал? — задала я главный вопрос.

— За тридцать кусков, — не моргнув глазом соврал браток и нагло добавил: — Он у меня с документами, оформлен по всем правилам.

Я молча допила остывший грог. Может, рассказать ему про сцену в гараже? Нет, подожду немного.

— Если бабки нужны, возьмите у меня, — предложил он, — все равно тратить некуда.

— Спасибо, пока держимся.

— Не стесняйтесь, — настаивал браток, — от чистого сердца предлагаю.

— Спасибо, Андрей Петрович, как понадобятся, сразу приду.

— Жаль мне Кондрата, — неожиданно вздохнул парень. — Книжки клевые писал, зачитаться. У меня все есть, и с автографом.

— Ты же говорил, что недавно квартиру купил?

— Ну и что? Как узнал, кто в соседях, сразу с бутылкой пришел. Кондрат правильный мужик был. В кабинет провел, поговорил. Еще шутил: «Ты у меня консультантом будешь, хочешь, напишу в конце твою фамилию». Смерть-то у него какая страшная.

— Обычная, — сухо сказала я, — сейчас выстрелом никого не удивишь.

— Не то жутко, что выстрелили, а то, что пацанчик отца убил, — ответил Андрей и зевнул. — Пойду, пожалуй, спать вам пора.

Я молча смотрела, как парень, словно большая, хорошо тренированная хищная кошка, ловко двигается в сторону выхода. Он шел пружинистым шагом, под тонким свитерком перекатывались литые мышцы. Сильные руки открыли замок, дверь хлопнула, потом раздался еще один хлопок, это Андрей Петрович вошел в свою квартиру.

— Иди в кровать, — велела я Лизе.

— Ага, — пробормотала та, — глаза слипаются, сил нет.

Она ушла, я осталась в коридоре, тупо глядя на замок. Интересно, откуда милейший, обожающий собак Андрюша знает о том, что в Кондрата стрелял Ванька? Заботясь о мальчике, мы никому не рассказали правду, ее удалось скрыть даже от журналистов. Слава Самоненко, который начинал вести дело об убийстве, сообщил всем интересантам, будто Кондрат покончил с собой. Версия прижилась, газеты долго обсуждали причины страшного поступка писателя. Потом, словно змеи, поползли слухи о том, что литератора убила жена, и снова бульварные издания кинулись обсюсюкивать новость. Но ни разу никто не упомянул о Ванечке. Так кто мог рассказать нашему бандиту правду? Или он знал ее с самого начала? Мучаясь вопросами без ответов, я отправилась спать.

Будильник прозвенел в половине седьмого. Я села на кровати и затрясла головой. Может, не ездить к Маргарите? Спать хочется безумно. И потом, кажется, версия о виновности Степана Разина дает трещину. Просто подловатый мужик... Мне нужно срочно заниматься Андреем! Но руки уже схватили джинсы. Ладно, съезжу к Рите, узнаю телефон Раисы Андреевны, для очистки совести побеседую с ней и забуду про отработанную версию...

Но на площадке перед квартирой Маргариты меня поджидал сюрприз. Деревянную, ободранную дверь пересекала узкая бумажная полоска с печатями. Соседняя же дверь была нараспашку открыта, я видела, как в коридоре снуют женщины, одетые в черное. Так, понятно, хоронят несчастную Галину.

Я вытащила сигареты и прислонилась к перилам. Тут же высунулась востроносенькая тетка с простоватым лицом:

— Вы с работы? Входите, входите.

Я проследовала за ней и, снимая куртку, пояснила:

— Нет, просто знакомая.

На кухне мне вручили нож и велели резать овощи для «Оливье».

— Ужас какой, — причитала востроносенькая, назвавшаяся Надей, — вот беда так беда, дети сироты остались, муж прям черный весь. Они ведь с восемнадцати лет вместе, знаете?

— Галя рассказывала, — кивнула я.

— Ну зачем она за тортом пошла, — убивалась Надя.

— За тортом?

— Вы не знаете? Галочка хотела к чаю сладкого купить и отправилась в «Лимонадный Джо», ресторанчик на соседней улице, там отличная выпечка. А тут машина!

Мы помолчали, и я осторожно спросила:

— А с соседкой что приключилось?

Надя махнула рукой:

— Маргарита — алкоголичка, вконец опустившаяся баба. Галечка, добрая душа, подкармливала ее из жалости, одежонку давала. А потом я ей и посоветовала. Пусть Ритка дарственную на квартиру напишет, чего зазря деньги переводить. Ну и оформили все, как положено. Галя взяла пьянчужку на полное обеспечение за жилплощадь для дочери. Удобно как, на одной лестничной клетке, и вместе, и врозь, редкий случай для Москвы. Галечка все говорила: «Вот внуки пойдут, так не придется мне мотаться из конца в конец». Не дождалась внуков-то.

— С соседкой что? — повторила я вопрос.

— Водки нажралась, а та фальшивая, — пояснила Надя, — долго не мучилась, померла.

— Когда?

— Да вчера, — равнодушно сказала она, — квартиру и опечатали. Нам недосуг сказать было, что жилплощадь наша, у самих горе. Вот похороним Галочку и займемся.

В прихожей послышались голоса.

— Приехали, — всплеснула руками Надя, — неси салат на стол.

Я вошла в большую комнату, полную тихо разговаривающих людей, и водрузила миску в центр гигантского стола. Потом, воспользовавшись суматохой, выскользнула в прихожую, надела куртку и ушла.

Бедная Маргарита, но в ее смерти нет ничего таинственного. Сотни алкоголиков травятся дешевыми винно-водочными изделиями. Небось купила бутылочку в ларьке, а не в приличном магазине, и вот результат. А вот почему милая старушка Леокадия Сергеевна оказалась на Кольцевой дороге! Это загадка! Может, Андрей и ее сбил? Ага, а еще убил Листьева, Холодова и принцессу Диану!

Дурацкие мысли лезут мне иногда в голову. И что взбрело вчера? Небось он и правда задавил собаку, теперь переживает: парень обожает животных и использует любую возможность, чтобы поиграть с Рамиком. А разобранный джип? Ну не ерунда ли! Скорей всего, Андрюша приобрел краденую машину, вот и не сумел продать ее легально, сдал на запчасти. Насчет тридцати тысяч долларов он наврал. Никто не отдаст такую прорву денег за консервную банку, воняющую бензином. Хотя интересно, сколько стоил «Мерседес», на котором ездил мой бывший муж Михаил? Я-то в те времена совершенно не задумывалась о деньгах, предоставляя супругу самостоятельно решать все финансовые вопросы. Но откуда Андрей знает про Ваню?

«Вот что, Лампа, — строго сказала я сама себе, — трудности следует преодолевать по мере их поступления. Сначала езжай-ка, дорогуша, на «Киевскую».

Ветеринар Светлана обладала отличной зрительной памятью. Огромный дом из светлого кирпича стоял именно там, где она говорила. Возле моста, на набережной. Я присвистнула. Да тут небось сотни квартир. Жаль, я не спросила фамилию Раисы Андреевны, хотя если она жена брата мужа Татьяны, то тоже скорей всего Разина.

Домоуправление находилось в третьем подъезде. Молодая полная женщина щелкала счетами, рядом лежал калькулятор. Увидев меня, она улыбнулась:

— Врут электронные машинки, на счетах надежней. Книжку на перерасчет принесли?

— Нет, — улыбнулась я, — я вообще не москвичка, из Тамбова приехала, помогите, пожалуйста!

— Чем могу, — вновь улыбнулась она.

Надо же, какая милая.

— Приятели попросили в столицу посылочку свезти, Разиной Раисе Андреевне отдать. А я, как на грех, бумажку потеряла с адресом. Дом и улицу запомнила, а квартиру нет! Решила, приеду, соседей поспрашиваю и найду. А тут такое здание, просто город.

— Да, — гордо сказала женщина, протягивая руку к шкафу, — пятьсот шестьдесят четыре квартиры, небось в Тамбове такого нет.

— Что вы, — я старательно прикидывалась провинциалкой, — наш городок крохотный, дома деревянные.

— Разина Раиса Андреевна проживает в сто первой квартире, — сказала домоуправ.

Я рассыпалась в благодарностях и пошла в четвертый подъезд. Но радость оказалась преждевременной. Дверь не открывали, я присела на подоконник и закурила, но не успела сигарета задымиться, как лязгнула железная дверь старого лифта, и вышла пожилая дама с довольно тяжелой сумкой.

Поставив покупки у двери, она вытащила ключи.

— Раиса Андреевна! — обрадовалась я.

Пришедшая глянула на меня и спросила:

— Вы ко мне?

— Да.

— Зачем?

— Из собеса, — ляпнула я, не подумавши.

— Откуда? — удивилась дама, распахивая дверь.

— Отдел социальной помощи одиноким пенсионерам, — ответила я и вошла вслед за ней в стерильно чистую, пахнущую полиролью прихожую.

— Ничего не понимаю, — произнесла Раиса Андреевна, — я никуда не обращалась.

— Мы составляем списки одиноких пенсионеров, — пояснила я, — тех, кто нуждается в помощи. Вот, например, у вас в документах какая-то неразбериха. В одной бумаге стоит, будто у вас есть сын, Степан Разин, а в другой указано — проживает одна. Мне велено разобраться.

Раиса Андреевна участливо посмотрела на меня:

— Вот так целый день и мотаетесь, бегаете по чужим людям, небось устали. Ну зачем ехали? Позвонили бы, и дело с концом.

— У нас ваш телефон не указан, — горестно вздохнула я.

— Чаю хотите? — предложила Разина.

— С огромным удовольствием, — обрадовалась я.

На большой красивой кухне хозяйка принялась вынимать из сумки продукты. Я глядела во все глаза на покупки.

Отличная ветчина, сыр «Дор-блю» с голубой плесенью, примерно полкило, конфеты «Грильяж», пачка чая «Ахмад», кофе «Черная карта»... Не похоже, что хозяйка нуждается. Словно подслушав эти мысли, она сказала:

— Видите ли, дорогая...

— Евлампия.

— Ах, какое имя, редкое, истинно русское... так вот, милая Евлампия, я, конечно, пенсионерка, получаю каждый месяц положенную от государства дотацию и не собираюсь от нее отказываться. Я заслужила эти гроши честным трудом, всю жизнь преподавая детям в школе английский язык. Очень трудная профессия, нервная и ответственная. Но никакой материальной помощи мне от собеса, слава богу, не требуется. Так и пометьте у себя, лучше отдайте тем, кто нуждается.

— Значит, у вас есть сын, который содержит мать? — Я решила напролом идти к поставленной цели.

Раиса Андреевна шумно вздохнула, налила мне кофе и сказала загадочную фразу:

— Сапожник без сапог, а булочник без пирогов.

— Что? — не поняла я.

— Всю жизнь я проработала учительницей, а одного-единственного, собственного ребенка не сумела воспитать, — вздохнула она, — хотя, наверное, генетика берет верх над воспитанием.

— Не понимаю, — пробормотала я.

— Ах, душенька, не обращайте внимания, так, ворчу по-стариковски, — грустно ответила учительница, — меня никто не содержит, сама зарабатываю репетиторством — десять долларов час. Не хвалясь скажу, что я великолепный педагог, и ученики ко мне выстраиваются в очередь. Но возраст, увы, не юный, и в последние годы я сбавила нагрузку. Но потом умер муж, одной в квартире тоска, поговорить не с кем, вот я и набрала снова детей под завязку, даю по три-четыре урока в день. Устаю, конечно, зато голова занята, а то в пустые мозги всякая дрянь лезет, особенно по ночам. А так, утомишься и спишь без задних ног.

Я быстренько умножила сначала три на десять, а потом тридцать на семь. Двести десять долларов в неделю, совсем неплохо для пожилой дамы.

— Копить не для кого, — вздыхала собеседница, — вот и балую себя да кота. Ем что хочу, а ему телятину по девяносто рублей за килограмм покупаю. Я уже и на похороны собрала, и квартирку старшей дочери лучшей подруги отписала. Она меня в крематорий и отправит, смерть только не торопится.

— Ну, — улыбнулась я. — Это вы зря, на тот свет еще никто не опоздал, возраст у вас пока не тот, чтобы о могиле думать.

— Тоска иногда заедает, — призналась Раиса Андреевна. — Вот соседка моя, из трехкомнатной, вечно жалуется. Две дочки ей сбросили внуков, сами на работе. Все бедной бабке на голову свалили — готовку, стирку, покупку продуктов, да еще уроки проверить надо. И с деньгами у них не ахти, вечно у меня в долг перехватывают. Придет она, сядет вот здесь и давай плакаться:

— Хорошо, тебе, Рая, живешь одна, хлопот никаких, дом, полная чаша, в средствах не нуждаешься.

А я слушаю и думаю: «...И зачем мне деньги? Одной...»

— Что же, сын к вам совсем не приходит? — гнула я свое. Раиса помешала ложечкой кофе и сказала:

— Если бы вы, дорогая, не торопились, то я могла бы рассказать крайне поучительную историю.

— Я совершенно не спешу, — успокоила я ее, — абсолютно свободна и с громадным удовольствием послушаю.

— У вас дети есть?

Я поколебалась немного и ответила:

— Трое. Мальчики Сережа и Кирюша да девочка Лиза.

— А мне вот господь ребеночка не дал, — вздохнула Раиса Андреевна, — отсюда и все неприятности.

ГЛАВА 25

Разина была со мной предельно откровенна. Наверное, сработала штука, именуемая в психологии «эффект попутчика». Перед приятелями и знакомыми мы хотим выглядеть в наилучшем свете и не всегда рассказываем о себе правду. Иногда же так хочется отвести душу. Вот почему люди открываются перед случайными попутчиками в купе поезда. Можно выплеснуть на незнакомого человека все, потому что больше никогда его не встретишь!

Раисе Андреевне невероятно повезло с мужем. Честно говоря, она колебалась, стоит ли выходить замуж за Виктора. Все-таки она была студенткой педагогического института, да еще престижного факультета иностранных языков. Предполагаемый супруг был же всего лишь шофером с незаконченным средним образованием. В институте вокруг веселой Раечки тучами роились кавалеры. Одному из них, Гоше Серову, она отдала предпочтение. Завертелся роман, закончившийся беременностью. Как только Гоша узнал, что любовница ждет ребенка, он моментально испарился, испугавшись ответственности. Недолго думая, Рая сделала аборт, поплакала пару недель в подушку, а затем назло красивому, но коварному Серову вышла замуж за давно влюбленного в нее Виктора Разина. Выскочила без всякой любви, очертя голову, но случайно вытащила выигрышный билет.

Виктор оказался удивительным мужем — добрым, ласковым, нежным, полностью подчиненным властной, как все педагоги, супруге. Он служил дальнобойщиком, гонял фуры по необъятной Стране Советов, не пил, не курил и из всех рейсов привозил в дом разные разности. Потом стал ездить по странам социализма, и Раечка одевалась, как жена посла. Все было у них хорошо, вот только дети не получались. Гинекологи, к которым безуспешно обращалась Рая, разводили руками. Последствия первого аборта, спайки, непроходимость труб, каких только причин они не называли. Она долго лечилась, ездила в Мацесту к бабкам-травницам, к колдуну в Малаховку... результат — чистый ноль. Долгожданная беременность так и не наступила.

Муж, как мог, утешал жену:

— Зачем нам дети? Вдвоем лучше, свободны, как птицы.

Виктор даже купил для Раисы дорогую персидскую кошку. Женщина всей душой полюбила ее, но ребеночка кошка заменить не могла.

У Виктора был брат-погодок Николай. Каждый раз, приходя к нему в гости, Раиса дивилась. Надо же, какая странность. Братьев разделяло всего четырнадцать месяцев, а оказались они словно птенцы из разных гнезд.

Николай пил, дебоширил, поколачивал жену Татьяну и настругал четверых наследников. Когда на свет явился пятый — сын Степан, Колька чуть не прибил жену, накинулся с воплем:

— Дура, на кой хрен нам столько спиногрызов? Другие умные, пойдут и избавятся, а ты! Имей в виду, я лишний рот кормить не стану. Сама родила, сама и воспитывай.

Раиса и Виктор присутствовали при этой сцене, переглянулись, и муж сказал:

— Ну ты даешь, Колька. Что она его себе пальцем сделала?

— Это бабье дело думать, чтоб без последствий обошлось, — рявкнул Николай.

Рая, имевшая по этому вопросу прямо противоположное мнение, промолчала, а он продолжил:

— Хотите, забирайте парня с глаз долой.

— Не сердись, Коля, — забормотала Татьяна, — я уж его изводила, изводила. В ванной парилась, травку пила, со стола прыгала — все без толку.

— Ох, дура! — вновь зашелся муж. — Пошла бы да выковырнула!

Татьяна залилась слезами. Рая с тяжелой душой вернулась домой. Ночью, лежа без сна возле мирно посапывающего Виктора, она тихо заплакала в подушку. Ну почему мир так несправедлив? Тане ребенок не нужен, а ей, Рае, просто необходим.

Потом Николай выпил технический спирт и отправился на тот свет. Через пару дней Раиса пришла к вдове и забрала Степана. Татьяна с радостью избавилась от младенца. Официально оформлять усыновление не стали. Раиса не собиралась скрывать от мальчика правду, думая, что он сам решит, кого из двух женщин звать мамой. Кстати, имя ему придумал Виктор. Рая хотела назвать сына Филиппом.

— Глупости, — фыркнул всегда покорный муж, — станут парня Филькой кликать. Ну подумай сама! А так Степан Разин — в честь борца, героя.

Раечка считала атамана Степана Разина бандитом, но не стала говорить это вслух, а согласилась с супругом. Умная женщина знала, что мужчина должен участвовать в процессе воспитания, только тогда он полюбит младенца.

А воспитывали Степочку по всем правилам. Мало у кого в детстве были такие любящие и понимающие родители. Небольшие запреты Раиса умело сочетала со свободой. Никогда не спорила о том, во сколько ложиться спать и что надевать. Разрешала приглашать друзей и угощать их вкусностями. Вино и сигареты в этом доме не прятали. Они стояли открыто в гостиной, и, наверное, поэтому Степан оказался совершенно равнодушен к выпивке и куреву.

У мальчика было все самое лучшее — велосипед, одежда, магнитофон... Из заграничных поездок Виктор привозил диковинные вещи — жвачки, чипсы, сухой сок в пакетиках. Степа никогда не жадничал, угощал друзей, зная, что папа добудет еще.

Надо отметить, что и мальчик радовал родителей. Он рос аккуратным, послушным, почти полным отличником. Даже противный подростковый возраст преодолел без всяких проблем и юношеских прыщей. Вообще он был очень хорош собой, и девчонки влюблялись в него пачками, причем не только одноклассницы, но и ученицы из старших классов.

Когда Степе исполнилось восемь лет, Раиса рассказала ему правду о Татьяне и повела мальчика в гости к родной матери. Степа высидел томительный вечер, а потом перед сном обнял Раю и сказал:

— Ты моя разъединственная мамочка, а к той я больше не пойду, противно у них.

Раисино сердце запело от счастья, честно говоря, она рассчитывала именно на такую реакцию, но педагог взял в ней верх, и она спокойно ответила:

— Нет, деточка, так не годится. Это женщина, которая подарила тебе жизнь, она заслуживает если не любви, то хотя бы уважения.

Степочка состроил гримасу, но покорно согласился навещать несколько раз в год Татьяну. Делал он это не по велению сердца, а по приказу. Приходил с тортом и, отсидев «протокольный» час, радостно убегал.

Всю юность вокруг Степана роем кружили девушки. Раиса Андреевна и тут оказалась на высоте. В пятницу вечером они с мужем стали уезжать на дачу. Возвращались всегда поздно вечером в воскресенье. На въезде в город тормозили у телефонной будки, и Раечка звонила Степе:

— Скоро будем, детка, — говорила она, — примерно через час, вот только в булочную и молочную заедем.

Виктор целиком и полностью одобрял супругу:

— Правильно. Все равно с девкой в постель ляжет, так пусть дома, в чистоте, а не в подвале или подъезде каком.

Предупрежденный звонком Казанова успевал выставить даму сердца за дверь до прихода родителей, накладки не произошло ни разу. Только однажды Виктор нашел на стиральной машине пакетик от презерватива.

Виктор показал находку жене и хохотнул:

— Молодец парень, головы не теряет!

А из очередной поездки в Германию отец привез несколько ярких коробочек Степе.

— Держи подарок, только матери ни гугу. Пользуйся на здоровье, полезная вещь. От заразы убережет и от последствий нежелательных. Нам, конечно, внуков охота, да только молод ты пока, все хорошо вовремя.

В застойные времена, когда родители, краснея, не решались поговорить со своими детьми даже накануне свадьбы, подобное поведение отца было удивительным, если не сказать, уникальным. Но Степан привык, что дома его понимают и поддерживают, и счел поступок Виктора естественным.

Впрочем, ни одна из девушек ему особенно не нравилась, и он менял их словно тупые лезвия в бритвах. Девчонки рыдали, приходили к нему домой, сидели на лестнице, и Раиса Андреевна частенько зазывала брошенных любовниц на кухню, поила чаем и поучала:

— Гордость надо иметь. Отвернулся от тебя кавалер, вида не показывай, наоборот, смейся, веселись, заведи роман с другим. Пусть видит, как тебе хорошо, и локти кусает!

Девушки кивали, шмурыгали носом и уныло бормотали:

— Степа — ловелас, просто донжуан.

— Мужчина полигамен, — не сдавалась Раиса, — так исторически сложилось, и нечего его за это осуждать.

Но, ободряя и поддерживая брошенных девчонок, учительница втайне гордилась сыном. Вот ведь какой вырос — красавец, умница, ловкий ухажер.

Без всякого труда Степан кончил школу и сразу поступил в Институт стали и сплавов. Родители мечтали о его научной карьере.

Потом приключилась неприятная история со Светой Разиной, пришла повестка в милицию. Степан сходил в отделение и вернулся чернее тучи.

— Видишь, что придумала, — пожаловался он Раисе. — Врет, будто я у нее деньги брал и не отдал. Ну зачем мне это надо?

Раиса Андреевна моментально поверила сыну. Во-первых, Степан никогда не врал приемной матери и обо всех проказах докладывал честно, будь то выбитое стекло или порванные брюки. Во-вторых, деньги в семье лежали в коробочке, стоящей в бельевом шкафу. Купюры там не переводились, и Степан мог превосходно взять нужную сумму, даже не отчитываясь перед матерью.

В-третьих, Раиса даже предположить не могла, для чего сыну могли понадобиться такие деньги. Его одевали, обували, давали на карманные расходы...

Словом, поступок Светы выглядел отвратительно. Правда, девушка нравилась Рае, но это еще не повод, чтобы втягивать парня в сомнительные истории.

Раиса Андреевна, полная здорового негодования, отправилась к следователю, но тот успокоил ее. Парень ни в чем не виноват, Светлана созналась в содеянном и получит по заслугам.

Потом стали приходить письма из колонии, но Рая рвала их, не читая.

Следующий повод для волнения возник, когда Степан перешел на второй курс. Дело в том, что в соседней квартире проживала хорошенькая Людочка, дочь более чем обеспеченных по тем временам родителей. Папа — директор крупного гастронома, мать — заведующая обувной секцией ЦУМа. Воспитанный, приветливый Степан очень нравился соседям, и они поощряли контакты своей дочери с юношей. Им покупали билеты в театр или кино. Выйдя на балкон, отец и мать с умилением наблюдали, как дети рука об руку идут к метро. Степа — в белой рубашке и безукоризненно выглаженных брюках, Люда — веселая, в новом платье. Красивая пара.

Потом однажды сосед, Иван Петрович, пришел к Виктору и, потирая руки, сказал:

— Ну, готовимся к свадьбе. Людку в туалете по утрам тошнит.

Но Степан наотрез отказался от отцовства.

— Я тут ни при чем, — качал он головой, — ты же знаешь, папа, я всегда осторожность соблюдаю. Люда грех свой прикрыть хочет, не спорю, она хорошая девушка, но мы с ней только в театр ходили. Не воспитывать же мне ребенка неизвестно от кого. А еще противно, что она врет, на меня младенца повесить хочет.

Виктор припомнил разноцветные коробочки и безоговорочно поверил сыну. Младенец все же родился, как назло, непохожий ни на Люду, ни на Степана. Соседи собрались провести генетическую экспертизу и прижать предполагаемого папашу к стенке, но тут грянул гром. Директора магазина посадили за растрату. Мама Люды испугалась до обморока, быстро поменяла квартиру и уехала вместе с дочерью и внуком в неизвестном направлении.

На их место вселилась супружеская пара — пожилой мужчина лет шестидесяти и девушка, по виду не старше двадцати пяти. Раиса сначала думала, что это отец и дочь, потом выяснила: нет, муж и жена Криволаповы, Мирон Сергеевич и Алена Михайловна. Впрочем, новая соседка просила звать ее просто Аленой, и выяснилось, что ей тридцать два года.

Спустя несколько месяцев Криволаповы сдружились с Разиными. Мирон Сергеевич занимал большой пост в Министерстве тяжелой промышленности, ездил на работу в черной «Волге» с шофером. Алена на службу не ходила, числилась в какой-то конторе, но Рая никогда не слышала от нее ни слова о работе. Она проводила дни в приятном безделье, занимаясь самозабвенно собой, — делала гимнастику, ходила на массаж, принимала ванны, посещала парикмахера и косметолога. В результате титанических усилий она выглядела на двадцать лет.

Целый год Разины и Криволаповы мило дружили, заглядывали друг к другу по-соседски, иногда просто в халатах. Потом произошло ужасное. В воскресенье, в праздничный день 9 Мая, Раиса Андреевна постучалась к Алене. Она развела тесто на пироги и хватилась соли. Соседка долго не открывала, и Рая удивилась: ну куда та могла подеваться. Внезапно дверь распахнулась. На пороге стояла Криволапова с полубезумным видом. Лицо бледное, губы трясутся и никакого макияжа.

— Что случилось? — спросила Раиса Андреевна.

Алена села на стул в прихожей и тихо сказала:

— Вызови милицию, я убила Мирона Сергеевича.

Рая остолбенела.

— Как?

— Сковородкой, — последовал ответ, — там он, на кухне.

Разина кинулась туда. На красивом линолеуме, разбросав в разные стороны руки, лежал Криволапов. Корка запекшейся крови покрывала седые волосы, сползала на лицо...

— Надо вызвать врача, — закричала Рая, — вдруг он еще жив!

Она бросилась к телефону, но Алена пробормотала:

— Не надо, он уже похолодел.

— Да ты что! — изумилась Раиса. — Когда же все произошло?

— Вчера в полночь, — ответила женщина.

Разина чуть не потеряла сознание.

— И ты сидишь возле него всю ночь?

Последовал кивок.

— Почему не позвала «Скорую»?

Нет ответа.

Раиса Андреевна трясущимися пальцами набрала номер «Скорой».

Приехавшая бригада вызвала милицию. Тело увезли, Алену тоже, квартиру опечатали. Через три дня Разину вызвали на допрос. Следователь, приятная на вид дама лет сорока, назвавшаяся Вероникой Семеновной, принялась выспрашивать о Криволаповых.

Рая отвечала честно. Особой любви в семье не было, но жили они хорошо, поддерживая скорее родственные отношения. Мирон Сергеевич — заботливый супруг, Алена Михайловна — рачительная хозяйка.

Следователь вытащила сигареты и поинтересовалась:

— Любовники у нее были?

Раиса растерялась:

— Не знаю. Мы были не настолько близки, но в гости к Алене особо никто не ходил...

Вероника Семеновна аккуратно погасила недокуренную сигарету и сообщила:

— У меня для вас информация, неприятная.

Разина почувствовала, как к щекам приливает кровь, и пролепетала:

— Я-то при чем?..

— Вы — ни при чем, — отрезала та, — а вот Степан...

— Что Степан?..

— Читайте, — сказала следователь и протянула ей несколько листов.

Рая покорно пробежала глазами по строчкам и почувствовала, что сейчас потеряет сознание. У нее в руках был протокол допроса Алены Криволаповой.

Соседка рассказывала, что буквально через несколько дней после вселения в новую квартиру у нее начался роман со Степаном. Необременительные вначале отношения переросли в самую настоящую страсть. Каждую свободную минуту любовники использовали для того, чтобы рухнуть в постель. Свидания проходили дома у Криволаповых, так как Мирон Сергеевич пропадал на работе. Через несколько месяцев Алена влюбилась настолько, что попросила развод. Но Мирон даже не захотел слушать жену.

— Ерунда это, — отрезал он, — ты, детка, привыкла к определенному стилю жизни, который могу обеспечить только я. Если не секрет, кто твой избранник?

Но Алена не открыла ему правду, а супруг категорически отказался идти в загс.

— Ничего, ничего, — объяснил он неверной супруге, — тоже, любовь придумала. В шалаше хорошо первые две недели, а потом захочется горячей воды и комфорта.

— Но у нас ведь хорошая квартира, — наивно ответила Алена, — разменяем.

— Э, нет, моя дорогая, — отрезал Мирон Сергеевич, — я тебя взял голой и босой, такой и уйдешь к своему Ромео, имей в виду. Так что крепко подумай, где лучше. Впрочем, я не ревнив, можешь по-прежнему с соседом встречаться, я знаю давно все, только тихо, без шума, мне скандалы не нужны.

Началось ужасное время встреч урывками и секса впопыхах. Потом любовники задумали убить ненавистного мужа. С ужасающей откровенностью Алена выплескивала, как они вместе выбирали и отвергали один за другим способы умерщвления ее мужа. Отправить? Опасно, патологоанатом найдет яд в крови. Застрелить? Где взять пистолет? Удушить? Все равно останутся следы. Положение стало пиковым, когда Алена узнала о своей беременности. Ситуацию требовалось разрешить как можно быстрей, и она еще раз решила поговорить с супругом; надеясь, что он возмутится и даст развод.

Но Мирон Сергеевич лишь пожал плечами:

— Сделаешь аборт, экая проблема, возьми деньги и ступай в больницу.

Но жена закусила удила:

— Никогда не убью ребенка!

— Пойдешь на чистку, — строго заявил муж, — мне приблудный не нужен. Хочешь младенца — рожай от законного мужа.

— Так ты же импотент, — обозлилась Алена, — а Степан — нет!

Но муж не обиделся.

— Ну и что? Существует искусственное оплодотворение. Делай аборт, и пошли в Институт акушерства.

Алена почувствовала, как у нее темнеет в глазах. А ненавистный муж, не замечая странно вытянувшегося лица жены, дудел свое:

— Что за любовь придумала! Тебе тридцать два! Какие чувства! Ну подумай сама, через пять лет ты в тираж выйдешь, а он найдет другую. Не дури, роди нам...

Последнюю фразу он не успел закончить. Потерявшая всяческое соображение Алена нащупала рукой тяжеленную чугунную сковородку, на которой жарила блины, и с размаху опустила ее на макушку сидящего на табуретке муженька.

Он упал на пол. Все произошло за пару секунд. Алена осталась возле трупа, плохо понимая, что делать.

— Это неправда, — категорично отрубила Раиса Андреевна, глядя на листок, где в самом низу стояло: «Записано с моих слов верно. А. Криволапова», — Степан не мог связаться с женщиной настолько старше себя. А уж планировать убийство! Она врет, я хорошо знаю сына, он не такой.

Следователь молча слушала мать, а та кипятилась:

— Да, Алена Михайловна частенько забегала в гости, но всегда ко мне, Степа порой из своей комнаты не выходил!

— Но она и впрямь беременна, — сообщила Вероника Семеновна.

— И что это доказывает? — взвилась Разина. — Что, мой сын единственный мужчина в столице? Нагуляла невесть от кого, убила мужа... Надеюсь, эта дама не придумала, будто это Степа ударил Мирона Сергеевича?

— Нет, — покачала головой следователь, — гражданка Криволапова этого не говорила.

— Слава богу, — продолжала насмехаться Раиса Андреевна. — Вот что, товарищ следователь, мальчик тут ни при чем.

— Вы свободны, — ответила Вероника Семеновна, подписывая пропуск.

Домой всегда спокойная учительница влетела в невероятном гневе.

— Ты только подумай! — кричала она на кухне обалдевшему Виктору. — Нет, что за дрянь!

Муж лишь хлопал глазами, правда, Степан тоже пришел в крайнее недоумение.

— Я? — изумился он. — Я любовник Алены Михайловны! Ох и ни фига себе сказочка! Да к чему мне такая старуха нужна? Ей небось все тридцать пять!

— Тридцать два, — пробормотала Рая.

— Вот видишь! — воскликнул Степа. — И потом, мамуля, ты же знаешь, у меня роман с Леной Владимировой!

Хорошенькая студенточка действительно частенько заглядывала к Разиным.

— Ну и сволочь! — заявил Виктор. — Убийца!

Потом сыну пришла повестка в суд. Естественно, мать и отец отправились вместе с ним. Процедура произвела ужасающее впечатление на Раису. Бледная, с синяками под глазами Алена стояла между двумя конвойными. Она повторила то, что содержалось в протоколе. Вызвали Степу.

— Не было ничего такого! — возмущенно отрицал все парень. — Вон у родителей спросите. Да у меня отец сменами работает, мать целыми днями дома.

— Ах какая ты сволочь! — закричала Алена. — А кто советовал Мирона убить? Кто говорил: «Он уже старый, пожил, а мы жизнь не с нуля начнем»?

Степан растерянно глянул на судью, потом спросил:

— А вы ее на психиатрическую экспертизу отправляли? Похоже, она того, тронулась!

— Значит, вы, гражданин Разин, отрицаете факт вступления в интимные отношения с гражданкой Криволаповой? — уточнила судья.

— Что? — не понял Степан.

— Слушай, парень, — не выдержал один из народных заседателей, простого вида мужчина с тяжелыми рабочими руками, — скажи прямо, спал ты с этой бабой, то есть подсудимой?

— Нет, конечно, — фыркнул парень, — зачем мне старуха? Девчонок полно!

— Я докажу, докажу! — закричала Алена, вцепившись побелевшими костяшками рук в перила загончика, где стояла скамья подсудимых. — Пусть ремень расстегнет.

У него на теле, над пупком родинка есть крупная. И как же я про нее узнала?

— У вас есть родинка? — спросила судья.

Рая онемела. У Степана на животе и впрямь была крупная, похожая на вишню отметина.

Но парень, ничуть не изумившись, в мгновение ока задрал рубашку и расстегнул ремень. Раиса почувствовала легкое головокружение. Улика исчезла, кожа была безупречна.

— Немедленно застегнитесь! — строго велела судья.

— Он ее свел! — закричала Алена. — У него еще на половом члене мелкие такие родинки, россыпь, как веснушки.

— Просто черт-те что! — возмутился Степан и начал снимать брюки. — Сейчас покажу, но только чтобы после этого она от меня отвязалась.

— Прекратите! — остановила его судья. — Хватит живота, а вы, Криволапова, придумали бы что-нибудь повесомей. И вообще, объявляется перерыв.

ГЛАВА 26

Домой Разины ехали молча. Первым не выдержал Виктор:

— Слышь, сына, а куда твоя родинка подевалась?

— Мешала мне очень, — спокойно пояснил парень, — все бельем ее натирал, потом кровить стала. Ну а у Ленки мать хирург. Она и удалила, чик — и все!

— Что же ты нам не сказал?

— Дело-то ерундовое, две секунды заняло, я и забыл.

После ужина Рая тихо спросила:

— Откуда Алена узнала про твою отметину?

— Я сам сначала удивился, — развел руками сын и потом сообщил: — Помнишь, я окна первого мая мыл? Так Алена Михайловна за сахаром забегала, а я в одних плавках был.

Раиса Андреевна со вздохом опустилась в кресло. Такое простое объяснение не пришло ей в голову. Более того, она хорошо вспомнила тот день: стоящего на подоконнике Степу и Алену с пустой сахарницей в руках.

Криволаповой дали десять лет и отправили куда-то в Коми. Разина вздохнула свободно. Правда, один раз ей пришла в голову простая мысль: а почему Алена оговорила именно Степана? Не проще ли было назвать имя настоящего любовника? Но ее сомнения рассеял Виктор:

— Небось хахаль ейный женат, да при чинах, за аморалку по головке не погладят, вот и додумалась.

Рая обрадовалась. Слава богу, на все вопросы находились простые и ясные ответы. Промелькнул семьдесят девятый год, настал восьмидесятый, олимпийский. Не успели начаться спортивные соревнования, как Разиным вновь позвонили из органов.

На этот раз дело оказалось слишком серьезным. Один из спортсменов пожаловался на кражу наручных часов. Милиционерам он спокойно пояснил, что золотой «Лонжин» скорей всего украла одна из проституток, промышлявших в Олимпийской деревне. Пловец из далекой страны не видел ничего особенного в том, что в комфортабельные номера звонят дамы легкого поведения. Во всем мире при отелях, гостиницах и кемпингах тусуются Венеры панели. Но в 1980 году жизнь в СССР резко отличалась от быта в европейских странах, московские путаны, конечно, работали при гостиницах, но с иностранцами рисковали связываться единицы. А тут скандал в международном масштабе. На ноги поставили всех, выяснилась невероятная правда. Прямо под носом у милиции орудовал наглый до невозможности сутенер, организовавший настоящий бизнес. Существовал публичный дом, процветавший на съемной квартире и поставлявший ночных бабочек в гостиницы. С подобным размахом органы еще не сталкивались. Главным организатором был Степан.

Раиса Андреевна восприняла новость как в тумане. Больше всего ее поразила информация, что девчонок-студенток на панель привел не кто иной, как ее сын. Ладно бы эти беспринципные дурочки сами додумались до торговли телом! Но нет! Все, как одна, твердили историю, вкратце выглядевшую так: сначала Степан укладывал их к себе в постель, потом рассказывал, что должен гигантскую сумму другу, который согласен на «натуру». Девушки скрепя сердце шли выручать Казанову. Они искренно любили Степу и были готовы ради него на все. Наутро им предъявляли изобличающие, весьма откровенные фотографии. Далее следовал ультиматум — либо работаешь на Степана, либо снимки попадут на стол к секретарю комсомольской организации и родителям. Не следует забывать, что действие происходило в 1980 году. Это сейчас десятки девчонок в коротеньких юбчонках и ажурных колготках как ни в чем не бывало стоят у обочины, весело окликая проезжающие мимо автомобили. Двадцать лет тому назад в СССР не было никакого секса, кроме супружеской любви, раз в неделю, по пятницам, в темной спальне, под одеялом. Все остальные действия попадали в категорию разврата. Девушки, все как одна, великолепно представляли последствия. Они вылетели бы из института и комсомола, получили бы соответствующие записи в личные дела... Жизнь могла закончиться, не начавшись. Да и родители скорей всего не стали бы гладить их по голове. Очередная жертва, напуганная до полуобморока, начинала карьеру жрицы любви. Кстати, как выяснилось потом, золотые часы у австралийца никто не воровал. Он потерял их в раздевалке бассейна и преспокойно получил назад, затем уехал на далекий континент и совершенно забыл о происшествии.

А в Москве тем временем начался суд. Самое интересное, что по советским законам ни Степану, ни девчонкам ничего нельзя было вменить. Коммунисты громко говорили о том, что в СССР изжиты все пороки буржуазного общества, и в Уголовном кодексе не было ни одной статьи, посвященной сутенерству. К несчастью, кое-кто из девиц наивно рассказал о том, что Степа предлагал им покупать американские джинсы по двести рублей. А эти действия попадали под статью о спекуляции. Да еще при обыске под зеленой бумагой, прикрывавшей письменный стол, нашли десять американских долларов. Вот это было серьезно! За валюту в те годы давали расстрельную статью, правда, за крупные суммы.

Степа перепугался до ужаса и заявил:

— Деньги не мои, их привез отец.

Виктор, постоянно катавшийся за рубеж, сначала даже не понял, что говорит сын, и стал глупо оправдываться:

— Нет, я никогда в руках доллары не держал. Давали суточные иногда в марках или форинтах, если в ГДР или Венгрию посылали.

— Его доллары, — стоял на своем сынок, — при мне под бумагу клал.

— И где, по-вашему, он их взял? — поинтересовался следователь.

— В туалете купил, в ЦУМе, — спокойно пояснил парень, — рассказывал нам с матерью.

Виктор раскрыл рот да так и остался сидеть, глядя на любимого сына.

— Вы понимаете, в чем обвиняете отца? — спокойно поинтересовался следователь. — Последствия представляете?

Степан пожал плечами:

— Доллары его.

— Это правда? — спросил милиционер, постукивая по столу толстым сине-красным карандашом.

Виктор хотел что-то сказать, но тупая боль разлилась от затылка к макушке, горячая волна добралась до глаз, язык превратился в камень. Прямо из кабинета его отвезли в больницу, где врачи констатировали обширный инсульт. Виктор потерял речь и остался почти недвижимым. Степан воспользовался ситуацией и не дрогнувшим голосом уверял, что десять долларов принадлежат отцу. Причем делал он это настолько убедительно, что даже Раиса Андреевна засомневалась.

Жизнь Разиной переменилась невероятно. Из уважаемой учительницы и жены преуспевающего человека она превратилась в мать уголовника и сиделку. Передачи в картонных ящиках, карамельки без бумажек и сухари, тяжелый, спертый воздух дома, бесконечная стирка постельного белья...

Коллеги-преподаватели отводили глаза, старательно делая вид, будто ничего не произошло. Раису Андреевну никто не собирался выгонять с работы, но, когда она входила в учительскую, педагоги начинали преувеличенно громко расхваливать новые постановки Театра на Таганке, и Рая понимала, что пять минут назад они обсуждали ее ситуацию.

Темными бессонными ночами, посадив на грудь мирно урчащую кошку, она напряженно думала. В памяти всплывали разные события. Случай с кассиршей Светой, дочкой бывших соседей Людой и, наконец, жуткое происшествие с Аленой Криволаповой. Сердце словно сжимала сильная рука, и даже горячее кошачье тельце не согревало несчастную учительницу. Ей не давала покоя, в сущности, одна мысль: а вдруг все, что говорили эти женщины, правда? «Нет, — ужасалась она, прогоняя назойливые думы, — нет, ну зачем Степе были нужны Светины деньги? Глупости! Люда забеременела невесть от кого, а уж Алена просто беспардонная негодяйка...» Но червячок сомнений точил душу и гнал сон.

Еще ее смущали письма из колонии. Степан писал о том, как тяжело ему, совершенно невиновному, и рефреном звучала строчка, начинавшаяся со слов: «Пришли побольше». Пришли побольше сигарет, чаю, сахара, теплых вещей, ботинки... Ни разу не было вопроса: «А как отец?..» Либо: «Мама, тебе не тяжело?»

Раиса пробегала строчки глазами и складывала послания в коробочку. При всем своем желании она не могла выполнить просьбы сына. Количество посылок было строго регламентировано. Может, можно было, приехав в колонию, найти какие-то ходы, упросить принять лишнюю пачку чая или сигарет. Но Рая не могла поехать на свидание. Не с кем было оставить Виктора. Освобождение пришло в 1984 году. Утром седьмого февраля Раиса, как всегда, хотела вымыть мужа и сменить тому постельное белье. Спали они теперь в разных комнатах. Она вошла к супругу и ахнула. Виктор лежал на боку. Сам он повернуться не мог вот уже четыре года. «Неужели выздоравливает?» — молнией мелькнула мысль. Она бросилась к мужу, схватила за плечо и отдернула руку. Сквозь тонкую пижаму Рая почувствовала холод. Виктор скончался. Как он ухитрился перед кончиной повернуться на бок, никто не понимал.

Похоронив мужа и отплакав на могиле, учительница стала собираться в дорогу. Она четыре года не видела сына и теперь хотела задать тому несколько вопросов. Неделя ушла на сборы, а накануне отъезда пришло письмо, другое, чем раньше, в казенном конверте.

На колени выпал листок — «Главное управление лагерей извещает...». В ушах у Раи застучало, кровь бросилась к вискам, с трудом она сообразила, что Степан умер и похоронен за казенный счет в далеком, неизвестном городке со смешным названием Козлятинск. По жуткому совпадению, дата смерти Степана и Виктора была одна — седьмое февраля.

— Как? — закричала я, вскакивая со стула. — Это невероятно! Он должен быть жив!

Раиса Андреевна глубоко вздохнула:

— Да, он должен быть жив, но умер в возрасте двадцати пяти лет. Я долго плакала, потому что так и не узнала правду, так и не задала ему основные, мучившие меня вопросы. Теперь вот надеюсь, что на том свете встретимся.

Она замолчала, я тоже не произнесла ни слова. Напряженную тишину прерывало только громкое тиканье большого темно-синего будильника. Внезапно Разина прошептала:

— Знаете, я поверила в бога, соблюдаю теперь посты, в церковь хожу и однажды рассказала батюшке всю историю, а он мне странную вещь поведал.

— Какую?

— Не надо плакать о смерти сына, она во благо...

— Во благо чего?

— И я так же удивилась, а батюшка пояснил. Иногда, говорит, родители ропщут, когда господь забирает у них ребенка, но зря они это делают, следует радоваться.

— Да почему? В чем же радость?

— Бог всеведущ и переполнен любовью к людям. Забирая к себе на небеса раньше срока душу, он уберегает ее от дурных поступков, прячет под крылом своей любви, от преступлений, которые обязательно бы совершил человек, оставшийся в живых.

— Что-то я плохо понимаю, — пробормотала я.

— Когда Степан сидел в тюрьме в ожидании суда, — сказала Раиса Андреевна, — я познакомилась с одной женщиной, у нее сын обвинялся в краже. Так вот эта мать мне рассказывала, что в три года мальчик заразился менингитом, и врачи сказали — никакой надежды.

В полном отчаянии несчастная женщина кинулась в церковь, упала на колени перед иконой Казанской Божьей Матери и стала молиться, истово, со слезами отбивая земные поклоны. Постепенно бедолага впала в странное состояние, что-то типа транса, стены церкви расступились, Богородица ласково взглянула на мать, и в мозгу молящейся прозвучал голос:

— Будь по-твоему. Но только не жалей потом о содеянном.

Наутро ребенок неожиданно пошел на поправку, врачи лишь качали головами — чудо, да и только. Счастливая мать бросилась ставить свечи в церковь. Но, наверное, это были ее последние радостные минуты, потому что выздоровевший мальчик начал вести себя отвратительно. Про таких в народе говорят: «Черт в душу вселился». От мелких детских шалостей он перешел к открытому непослушанию, потом к пакостям. К семнадцати годам он превратился в рослого, здорового парня, колотившего мать, когда та не давала ему денег на выпивку. В конце концов он связался с дурной компанией и оказался замешанным в краже.

Больше всего удрученная женщина боялась теперь, что сына отпустят на свободу и он примется за старое. А следователь, как назло, успокаивал ее, приговаривая:

— Ну вашему скорей всего удастся условным сроком отделаться. Главное, следите, чтобы опять в дурную компанию не попал.

Накануне суда мать вновь отправилась в церковь. И снова упала на колени перед Казанской Божьей Матерью. Опять расступились стены, и Богородица печально сказала:

— Будет по-твоему, но помни, что никогда нельзя идти против воли господа. Судьба твоего ребенка была стать ангелом у его престола, но ты вымолила ему жизнь. Теперь он уйдет на небо с грехом на душе. Но хорошо, что ты одумалась и не дала ему совершить худшего.

Наутро женщина узнала, что сын, абсолютно здоровый юноша, умер во сне. У парня просто остановилось сердце.

Прикрывая лицо рукой от колючего, противного снега, несущегося вдоль набережной, я побрела к «Киевской». К сожалению, я атеистка. Верующему человеку жить легче. Но мне всегда казалось, что, если бы тот свет существовал, люди могли изыскать способ сообщить своим близким о том, как хорошо в раю. Мой папа уж обязательно. Еще меньше я верю в гадания, экстрасенсов, колдунов и магов, более чем скептически отношусь к медиумам и спиритам. И уж совершенно точно не стала бы просить о смерти своего ребенка, даже преступника.

Снег забивался за шиворот, валился комьями на шапочку и воротник. Зайдя в вестибюль метро, я отряхнулась, словно мокрая собака. Все. Поиски завершены, лопнула такая отличная версия.

ГЛАВА 27

Домой я вползла, устав, словно верблюд, весь день таскавший мешки с цементом. Хотя, наверное, это милое животное в основном носит соль. Лизы не было. На столе лежала записка: «Уехала гулять в парк с Рамиком». Я глянула в окно. Редкие хлопья снега превратились в метель, на улице начинался буран. Небось хорошо в такую погоду на природе! Рамик, вероятно, «в восторге». Больше всего щенок любит спать на диване, укутавшись с головой в плед. Представляю его «радость». Выволокли из теплой норки на ледяную улицу и начали швырять грязные палки с криком: «Рамик, апорт!»

Нет, не зря у англичан существует мудрая пословица: «Если бы собаки заговорили, люди потеряли бы последних друзей».

Ну представьте картину. Тащите к двери свою болонку, а та заходится в крике: «Эй, хозяин, сдурел? Сам босыми ногами по лужам шлепай!»

Или еще лучше. Подносите ко рту кусочек сочного бифштекса, а сидящий рядом кот страдальческим тоном ноет: «Лучше меня угости, ну зачем тебе ужин? И так сто кило набрал! Дай, дай, дай...»

Интересно, сколько бы людей тогда держало домашних животных? И вообще, что думал обо мне Пингва, когда я вчера мыла его в ванной? Наш котенок привык к водным процедурам и спокойно сидит в тазу. Но после того как вытрем его полотенцем, он устраивается на табуретке и минут пять мяукает во весь голос. Мы-то с Лизой наивно считаем, будто Пингва нас благодарит, и ласково улыбаемся. А вдруг дело обстоит по-другому? Вдруг наш кот, то есть кошка, ругается: «С ума сошли, сколько раз объяснять — ненавижу шампунь!»

Я со вздохом поставила на плиту чайник и тут заметила возле тостера три ключа с брелочком в виде черепа. Андрей забыл свою связку. Минуту я смотрела на ключики, потом решительно взяла их и вышла на лестничную клетку.

Милый сосед с каждым днем нравится мне все меньше и меньше. Никаких сведений о нем я не имела. Он ловко уходит от ответов на вопросы: кто его родители, где он жил раньше, есть ли родственники... Конечно, нехорошо входить в квартиру в отсутствие хозяина. Уголовные кодексы всех стран мира не поощряют подобные действия и трактуют их однозначно — взлом. Но я не собираюсь ломать дверь. Просто открою ее забытыми ключами, найду паспорт и посмотрю, где парень проживал ранее. Ну а дальше элементарно. Небольшая коробочка конфет или бутылка, и домоуправ расскажет подноготную бывшего жильца.

Дверь распахнулась без скрипа, изнутри пахнуло сигаретами и ароматом дорогого коньяка. Когда сосед болел свинкой, мы с Лизой постоянно бегали к нему, подавая суп, чай и соки. Пару раз из поликлиники приходил врач. В свой первый визит доктор потребовал полис, и Андрей ткнул пальцем в секретер:

— Возьмите, Лампа Андреевна, в синей коробочке.

Наверное, и паспорт лежит там же. Андрюша аккуратный юноша, просто молодец. Ну скажите, много найдется молодых людей, живущих в одиночестве и убирающих утром постель? И грязной посуды не видно, даже пепельницы вытряхнуты. Может, к нему ходит домработница?

Расчет меня не подвел. Паспорт лежал в той же коробочке из-под датского печенья. Я открыла первую страничку и ахнула.

Казин Андрей Константинович. На следующей странице — дата и место рождения. 29 сентября 1976 года, Москва. Ничего не понимая, я вертела в руках документ. Константинович!

А почему мы тогда зовем его Петровичем? Решив подумать об этом у себя дома, я быстро перелистала паспорт и нашла старый штамп прописки — «Новохерсонская улица, девятнадцать, квартира семь».

Пораскинуть мозгами на предмет странной истории с отчеством мне не удалось. Не успела я вернуться назад, как следом влетели радостные Андрей и Лиза. Рамик не выражал никакого счастья, но покорно побрел в ванную мыть лапы и живот.

Смеясь и перебивая друг друга, ребята рассказали, как песик решил поиграть с дворовой кошкой.

— Улет, — тарахтела Лиза. — Она вызверилась, шерсть по всей спине пыром встала, пасть разинула и ну материться по-кошачьи.

— А потом, — добавил Андрей, — грабку протянула и как влепит Рамику промеж фонарей, полный прикол!

— Он бежать, — влезла Лиза, — котяра за ним и давай поджопники раздавать — бац, бац!

Я пропустила мимо ушей очаровательное слово «поджопники» и вкрадчиво спросила:

— Андрей, как твое отчество?

— А чего? — удивился парень, — зачем вам?

— Тут приходил курьер из «Билайн», — ловко выкрутилась я, — искал Казина Андрея Константиновича, наверное, ошибся адресом.

— Да я это, — засмеялся наш легальный бизнесмен, — я — Казин Андрей Константирович, небось счет приносил, бедолага.

— Зачем же ты нам Петровичем представился?

Андрей засмеялся:

— Вы сами мне кликуху дали, когда пришли в первый раз, чтоб Пингву из-под холодильника вытащил. Ну а я смущать не стал. Мне без разницы — Петрович, Константинович, хоть горшком назовите, только в печь не садите.

Я смотрела на него во все глаза. Ну кто мог предположить, что он настолько деликатен?

— Казин, Мазин, Пазин, — засмеялась Лиза, — какая у тебя смешная фамилия.

— Ой, — вздрогнула я.

— Что случилось? — одновременно спросили Андрей и девочка.

— Зуб заболел, — моментально соврала я, чувствуя, как невидимая рука стискивает горло.

— Надо к врачу, — посоветовал сосед.

Не в силах ничего сказать, я кивнула. Лиза права, к этой фамилии легко подобрать рифму — Казин, РАЗИН! Я нашла наконец человека, послужившего прообразом Степана, и этот человек вызывает у меня с каждой минутой все больше и больше подозрений.

Утром я уже совсем собралась ехать на Новохерсонскую улицу, когда раздался звонок в дверь. На пороге, улыбаясь, стоял Юра Грызлов.

— Ехал мимо, решил зайти. Ну как деятельность Ниро Вульфа? Нашла Емельяна Пугачева?

— Степана Разина, — коротко поправила я. — Я нахожусь на завершающем этапе, Лена скоро окажется на свободе.

Юра хохотнул:

— Ну, дай бог нашему теленку волка съесть!

Мы сели на кухне и выпили кофе. Юра начал жаловаться на то, что новая его книга отчего-то плохо раскупается.

— На мой взгляд, там слишком много секса и крови, — робко сказала я, — конечно, я ничего не понимаю в литературе, но являюсь, так сказать, профессиональным читателем и, знаешь, главного убийцу вычислила у тебя сразу.

— Да ну? — расстроился он. — Наверно, исписываться начинаю.

— Давно ты в детективном жанре работаешь?

Грызлов закатил глаза:

— Я родился в 1960 году, а первый рассказ написал еще в школе, классе во втором, так и поехало. Графоман, что поделать, ручки шаловливые так и тянутся к компьютеру.

— Ты закончил Литературный институт?

Он покачал головой:

— Нет, педагогический областной, он в то время носил имя Крупской.

— Как тебя угораздило туда документы подать? — изумилась я.

Юра махнул рукой:

— И не спрашивай. Я ведь не москвич, отслужил в армии и явился столицу покорять. В МГУ на филфак не попал, на журфак даже и соваться не стал, без шансов, туда только блатных брали. По дури в Институт международных отношений двинул, МГИМО. Думал, корреспондентом в Париже или Лондоне стану после окончания. Вот идиот. Естественно, на сочинении огреб двойку, тут мне добрый человек и посоветовал документы в пед подать. Мальчик, да еще после армии — самый их кадр. Я и попал на отделение дошкольного воспитания — в группе четырнадцать девочек и Юрочка. Классное время. Кавалеры наперечет, нас девицы на руках носили. Жил я в общежитии, так можешь представить, четырехразовое питание имел. Студенточки одна другой лучше готовили. Ну а потом в газете работал, малотиражной, «Московский метрополитен» называлась, потом книги пошли...

— Ты же писал вместе с Андреем Мальковым?

— Да.

— Трудно работать в паре?

— Нет, — улыбнулся он, — я сидел дома и стерег рукопись, а Мальков бегал по издательствам и пристраивал новый роман.

Я вытаращила глаза:

— Да ну?

Юра мягко взглянул на меня:

— Лампа, ты удивительно доверчива, даже обманывать не хочется.

Я посмотрела в его красивое породистое лицо. А он, наверное, добрый мужик и ловелас. Небось дамы падают вокруг охапками. Интересно, почему Грызлов не женат? Уж наверняка не из-за отсутствия внимания со стороны женского пола.

— Послушай, Ева, — неожиданно начал Юра.

— Как ты меня назвал?

— Ева. Прости, пожалуйста, но Лампа так по-дурацки звучит, и потом, я все время боюсь назвать тебя торшером или бра... из Евлампии великолепно получается Ева. Неужели никто до меня не додумался?

Я покачала головой:

— Нет, как только не звали — Лампуша, Лампец, Лампадель, Лампидудель, а один молодой человек долго величал Электролампой Андреевной. Ева! Надо же!

— Нравится? — тихо спросил Юра и взял меня за руку.

Его ладонь оказалась большой, уютной, теплой. Такие руки были когда-то у моего отца. Неожиданно в моей душе поселились спокойствие и какая-то уверенность — все будет хорошо.

— Какие пальцы красивые, — шепотом продолжал Грызлов, — длинные, аристократические, ногти, как миндалины. Терпеть не могу дам с маленькими, обломанными ногтями. А у тебя просто идеальная форма, хоть и не делаешь маникюр.

— Да, — согласилась я, чувствуя, как к щекам приливает кровь, — руки у меня замечательные, жаль только, что ноги подгуляли, стою как на лыжах, ношу тридцать девятый летом, а зимние сапоги вообще сорокового размера.

Юра расхохотался. Я вырвала свою руку, вечно со мной так. Начинаю смущаться и несу чушь, даже обидно. И вообще, дама в моем возрасте должна спокойно выслушивать комплименты. Я же, как подросток, моментально начинаю краснеть и глупо хихикать, просто отвратительно. Вот и Юра начал потешаться, а ведь я ему явно нравлюсь, между прочим, я тоже нахожу его не противным, скорей даже приятным.

— А ведь у меня к тебе дело. — Он стал неожиданно серьезным.

— Какое? Если предложишь написать в соавторстве роман, то зря, я совершенно лишена фантазии.

— Между прочим, душа моя, ты угадала, — спокойно произнес он, вытаскивая сигареты, — именно роман, и именно вместе.

— Ну и чушь!

— Вовсе нет. Слушай внимательно. Последние вещи Малькова распродавались, честно говоря, плохо. Теперь Андрей умер. В издательстве считали, что читатели все-таки клюнут на раскрученное имя, и выпустили еще две книги под старым псевдонимом. Но, увы, никакого коммерческого успеха. И я решил: хватит, пора избавляться от Андрея Малькова. Умер и умер, похоронили да забыли. Буду теперь писать под другим псевдонимом, другие вещи. Меньше крови, изживу порнуху, введу динамичный сюжет, напряженное действие. Чтобы на каждых десяти страницах что-нибудь происходило...

— Как у Кондрата Разумова, — влезла я.

Юра поднял глаза:

— Именно, Кондрат великолепно писал. Кстати, ты не знаешь, остались ли после его смерти готовые работы?

— Лена говорила о двенадцати романах, но в компьютере с пометкой «новый» нашлось только восемь.

— Можешь показать?

— Зачем?

— Потом объясню.

— Конечно, пошли.

Мы отправились в кабинет, и Юра, тихонько напевая, принялся изучать содержимое файлов. Прошло примерно полчаса. Наконец гость щелкнул мышкой и, глядя на потухший экран, сообщил:

— Лена не обманывала. Рукописей и впрямь двенадцать, только четыре недописаны, ну да не беда, доделаем.

— Зачем?

Юра похлопал рукой по компьютеру:

— Вот здесь, Евочка, лежит наше с тобой состояние.

— Не понимаю...

— Об этих вещах никто не знает?

— Наверное, лишь Лена.

— Да забудь про Ленку, — вскипел Юра, — с ней все кончено. Убила мужа и получит по заслугам, лет десять, может, пятнадцать, если судья уж очень обозлится. А тут — сокровище.

— Все равно не понимаю!

— Евочка, — проникновенно зашелестел Грызлов, — у меня в мире книгоиздателей отличная слава. Если я принесу новый роман, в другом, чем раньше, ключе, то его выпустят обязательно.

— Ну и неси, а при чем здесь эти рукописи?

Он тяжело вздохнул:

— Ева, душенька, когда Лена, законная наследница неопубликованных детективов Разумова, выйдет на свободу, имя Кондрата будет прочно забыто читателями. Ни один издатель не захочет связываться с ней.

— Почему?

— Бесперспективно. Писатель умер, читатель его похоронил, новая поросль поднимается. Так что денег ей не заработать, а мы выпустим все и, конечно, оставим

Ленке часть гонорара. Будет у нее копеечка, если на зоне не удавят.

— Ты хочешь сказать...

— Умница, сообразила. Издадим книги под моим новым псевдонимом, допустим Григорий Юров. Неплохо звучит, а? Восемь готовых вещей, а четыре я поправлю, допишу... Отличная идея!

Я удрученно молчала. Грызлов истолковал мое молчание по-своему и быстро добавил:

— Естественно, деньги поделим на три части — тебе, мне и Лене. Нам побольше, ей чуть поменьше.

— А Лиза и Ваня? — спросила я тихо. — Дети тоже наследники.

— Разделим Ленину долю на троих, — охотно согласился он.

Я молчала, не зная, как реагировать.

— Ева, душа моя, — тихо сказал Юра, — наверное, преждевременно произносить подобные слова, но с нашей первой встречи я пребываю в уверенности, что нашел в твоем лице невероятную женщину — умную, интеллигентную, красивую...

— Мэрилин Монро и Софья Ковалевская в одном флаконе, — фыркнула я, чувствуя, что опять начинаю краснеть.

— Если хочешь так, то да, — неожиданно серьезно ответил он, — ты женщина моей мечты.

— Но... — выдавила я из себя.

Он поднял руки:

— Евочка, только не подумай, что я собираюсь делать неприличные предложения! Упаси бог! Слишком много раз ошибался, заводя с дамами близкие отношения. Поверь, я очень не хочу тебя терять. Можно, начну ухаживать по всем правилам? Букеты, конфеты, концерты? Как ты относишься к тому, чтобы встретиться сегодня в семь вечера у колонн Большого театра? Или тебя больше привлекает вестибюль станции метро «Маяковская»?

Он улыбнулся, а я вздохнула и отвернулась. Что ж, Юра прав. Наши девочки из консерватории постоянно бегали на свидания именно по этим адресам. Иногда, торопясь вечером домой, я шла по платформе «Маяковской», натыкаясь на аккуратно причесанных парней с букетами гвоздик в руках. Розы, хризантемы, орхидеи были в социалистическое время недоступны. Отнюдь не из-за цены, их просто не завозили в редкие и пустые цветочные магазины. А вот гвоздики, белые и красные, все же попадались. Словом, колонны Большого театра и «Маяковская» для людей, родившихся в конце 50-х, символизируют любовные встречи. Для многих, но не для меня. Я никогда не ходила на свидания. Сразу после занятий отправлялась домой. И вообще была тихой, робкой девочкой — до пятого курса носила то, что покупала мама. Но, наверное, все же существовало короткое время, когда я похорошела.

Помню, как однажды Володя Симонов пригласил меня в театр. Мама пришла в полный восторг, причесала меня и кинулась печь пирог. После спектакля я предложила кавалеру подняться выпить чаю. Володя покорно сел за стол, похвалил мамино коронное блюдо — кулебяку с мясом, осмотрел папин кабинет и еще четыре необъятные комнаты, выслушал семейные предания о бабушке-певице, дедушке-адвокате, тете-поэтессе и... больше никогда никуда меня не звал. Более того, через полгода он женился на Люське Комаровой, приехавшей в Москву из Уфы и не имевшей никаких родственников, кроме полуслепой бабки.

Больше за мной никто не ухаживал, а потом мама благополучно выдала меня замуж за племянника своей подруги. Все вопросы она решила за моей спиной, и мне осталось только послушно идти в загс. Так что колонны Большого театра и вестибюль метро «Маяковская» не вызывают у меня никаких приятных воспоминаний, только легкое сожаление о прошедшей молодости.

Но Юра не знал моего прошлого, поэтому внезапно сказал:

— Искренне надеюсь, что мы крепко подружимся, потому что нам теперь идти по литературному пути рука об руку.

Я вынырнула из воспоминаний и удивилась:

— Что ты имеешь в виду?

— Какой псевдоним кажется тебе привлекательным? — вопросом на вопрос ответил Грызлов.

— Григорий Юров ничего...

— Нет, твой псевдоним?

— Мой?!

— Конечно, нас же двое, гонорар и слава пополам.

Секунду я обалдело смотрела на него, потом тихо сказала:

— Но это же нечестно, мы фактически украдем чужой труд. Вот Лена выйдет...

Он с треском поставил на стол керамическую кружку, коричневая жидкость взметнулась вверх и выплеснулась на клеенку.

— Лена никогда не выйдет, все! Надо теперь подумать о детях — Лизе и Ване. Кстати, где мальчик?

— На Кипре, у ближайшей подруги Лены, она замужем за богатым киприотом.

— И как ты думаешь, сколько времени она будет заниматься чужим ребенком?

Я растерянно молчала.

— Вот видишь, — констатировал Юра, — не сегодня-завтра малыша пришлют назад, и что дальше?

А действительно, что?

— И с Лизой, — продолжал настаивать Грызлов, — с Лизой как?

— Я оформлю опеку.

— Тебе не разрешат. Во-первых, ты не родственница, а во-вторых... Ну-ка, ты где работаешь?

— У Лены в экономках.

Он рассмеялся:

— Официально оформлена?

— Нет.

— Значит, душа моя, для государственных органов ты являешься праздной дамой, существующей неизвестно на какие средства. Таким детей не дают.

— Но...

— А вот если ты покажешь книгу, где на титульном листе будет значиться твоя фамилия, то это другое дело. Подвиньтесь и снимите шляпу, поскольку перед вами популярная писательница, птица редкой породы. И если ты с детективом под мышкой явишься в Министерство образования или, не знаю, куда следует обращаться, чтобы усыновить ребенка, и скажешь, что хочешь пригреть в своей семье дочь лучшей подруги, осужденной за убийство, то тебе, даме-писательнице, сделают исключение. И Лиза останется с тобой на законных основаниях.

Я молчала, с трудом переваривая информацию.

— Да еще деньги пойдут, — искушал Грызлов. — Лене оставим.

— Но романов только двенадцать, и они скоро кончатся! Знаешь, как Кондрата выпускали? По книге в месяц. Запас только на год! И потом, у каждого писателя свой стиль, неужели никто ничего не заподозрит?

Юра улыбнулся:

— Слышала, был такой Миронов?

— Конечно, столп детективного жанра, еще при Советах пользовался бешеным успехом, только он умер примерно год назад.

— А книги все выходят...

— Ну, наверное, как у Кондрата, остались рукописи...

— Нет, — покачал головой Юра, — просто пишет другой, и никто ничего не заподозрил. Люди доверчивы, обмануть рынок легко.

— Вдруг Лену отпустят? Представляешь, какой скандал поднимется?

— Господи, — он вышел из себя, — да никогда ее не отпустят, потому что она убила мужа, понимаешь, она, больше некому. Или ты все еще ищешь мифического Емельяна Пугачева? А насчет количества книг не волнуйся, главное, удачно стартовать. За двенадцать месяцев я напишу пять повестей и дальше продолжу работать.

— Ну зачем тебе книги Кондрата, если ты сам пишешь, и потом, их же можно опубликовать под именем Разумова и получить деньги. Да Миша Галин от радости скончается, когда я скажу о рукописях.

— Галин — негодяй, а их издательство — сборище жадин, не понимающих, что автору нужно достойно платить, чтобы он спокойно занимался литературным трудом. Ломовую лошадь следует хорошо кормить, — серьезно сказал Юра, — а если расскажешь Мишке о рукописях, он моментально схватится и опубликует, естественно, все, только денег Лиза не получит ни копейки!

— Почему?

— Потому. Она несовершеннолетняя. Галин, естественно, выпишет денежек для вдовы раз в пять меньше, чем дал бы Кондрату, и честно положит их на сберкнижку. Теперь соображай, что случится с рублями через десять-пятнадцать лет, когда Ленка выйдет! Мы же с тобой получим кругленькую сумму, ты сумеешь дать Лизе образование да еще отложишь Ленину долю в долларах. А бакс, он и в Африке бакс, при всех режимах и перестройках. Понятно?

— Ну почему ты так уверен, что Лену осудят? И потом, Степан Разин вовсе не мифическая фигура, я нашла его мать, вернее женщину, воспитавшую парня, Раису Андреевну и...

Я уже собралась сообщить о смерти Степана и своих подозрениях по поводу Андрея, как Юра вновь стукнул кружкой о стол. На этот раз кружка развалилась на два почти одинаковых куска.

— Да выбрось ты эту дурь из головы! — крикнул Грызлов, но тут прозвенел звонок в дверь.

Это вернулась из школы Лиза, вместе с ней влетела Маша Гаврюшина, и девочки принялись с упоением тормошить Пингву с Рамиком, быстро рассказывая о школьных новостях. Юра еще с полчаса сидел, пил кофе, потом Маша Гаврюшина, узнав, кто перед ней, с радостным визгом понеслась к метро и вернулась, держа сразу два романа Андрея Малькова. Грызлов поставил автограф и откланялся. В прихожей он поцеловал мне руку и прошептал:

— Евочка, не бойся, молодые капитаны поведут наш караван!

Дверь хлопнула, я осталась в прихожей, держа в руках вызывающе роскошный поводок Рамика. Последняя фраза, сказанная Юрой, подействовала на меня, словно удар тока. Перед глазами моментально возникла картина.

Раннее утро, я собираюсь в школу, натягиваю форменное платьице и только что выглаженный фартук. На кухне мама готовит геркулесовую кашу, запах горячей овсянки разливается по коридору. В ванной бреется папа. Я подхожу и смотрю, как бритва медленно убирает с его лица горы белой пены. Отец ловко орудует станком и поет:

> Буря, ветер, ураганы,
> Нам не страшен океан,
> Молодые капитаны
> Поведут наш караван.

Потом он замечает меня, поворачивается и спрашивает:

— Ну? Что такой унылый, Рыжик, опять горло болит?

— Контрольная по арифметике, — бормочу я и утыкаюсь головой в его теплый живот. От отца пахнет одеколоном, мылом и чем-то родным, страшно приятным, папятиной, как говорила я в детстве.

— Ничего, Рыжик, не дрейфь, — ободряет меня он и опрыскивает лицо остро пахнущим «Шипром», — не бойся, молодые капитаны поведут в бой караван!

Он часто говорил эту фразу, стараясь взбодрить и развеселить любимую доченьку, и вот теперь те же слова произнес Юра Грызлов. Надо же, а я думала, что песню из кинофильма «Семеро смелых», столь популярную в моем детстве, уже никто не помнит. Хотя, может, у Юры тоже был отец, напевавший во время бритья?

— Лампа, — закричала Лиза, — беги сюда скорей, мы научили Рамика подавать лапу!

Я медленно двинулась на зов. Нет, не стоит обманывать себя, в моем сердце нет ни капли страсти к Грызлову, и вряд ли я стану его женой или любовницей. Но как приятно иметь настоящего друга, заботливого и верного. Пусть даже он предлагает не слишком честную комбинацию, но ведь он делает это в основном для того, чтобы помочь мне и Лизе...

— Ну, Лампа, давай скорей, — завопили дети, — а то он сейчас все забудет!

— Хороши дрессировщики, — засмеялась я, входя в детскую, — надо так научить, чтобы навсегда запомнил.

— Рамик, дай лапу, — произнесла Лиза, протягивая песику руку.

Щенок молча вилял хвостом.

— Дай лапу!

Собака радостно взвизгнула и еще сильней замела хвостом.

— Дай немедленно! — начала выходить из себя девочка.

Рамик потянулся носом к блюдечку, где аппетитно пахли мелко нарубленные кусочки сыра.

— Ну уж нет, — сказала Маша Гаврюшина и отодвинула подальше лакомство, — сначала команду выполни. Дай лапку!

И на этот раз никакого результата.

— Забыл, — вздохнула Лиза. — Уродский пес! Килограмм «Эдама» слопал, и никакой памяти!

— Знаешь, — предположила Маша, — мы вообще-то ему раньше другую команду давали.

— Какую? — заинтересовалась я.

Гаврюшина села на корточки перед мордой Рамика и, повернув ладошкой вверх тоненькую, словно церковная свечка, руку, попросила нежным голосом:

— Рамик, вытяни грабку!

Песик тут же подал лапу и счастливыми глазами посмотрел на «учительниц».

— Мы так говорили, — бесхитростно пояснила Маша, — но Лиза знает, что вы этих слов не любите, вот и стала при вас по-другому просить.

— Прелестно, — одобрила я «дрессировщиц». — Теперь наденьте ему на шею золотую цепочку и научите делать пальцы, вернее когти, веером. Андрюша придет в дикий восторг.

ГЛАВА 28

Наверно, у меня крайне уязвимая нервная система. Стоит понервничать, и сон пропадает без следа. Не помогает ничего — ни валокордин, ни чтение газет. Вот только теплое молоко я не пробовала, потому что терпеть его не могу, вид поднимающейся пенки вызывает у меня содрогание. Наверное, в детстве перепила.

Вот и сегодня я выключила лампу в три утра, и в голове моментально зашевелились тяжелые мысли. Бедная Лена! Все словно сговорились свидетельствовать против нее. Сначала Антон Семенов, потом Ангелина Брит, оба уже покойные! Затем мне вспомнилась несчастная Леокадия Сергеевна, невесть зачем оказавшаяся на Кольцевой автодороге... Да еще пистолет, который Лена купила для Вани! Надеюсь, следователь никогда об этом не узнает. Картонную упаковку из-под пистолета я разорвала на мелкие кусочки и выбросила подальше от дома, не поленилась сделать это в самом центре, возле телеграфа. Но Юра все же ошибается, жаль, что он не дослушал меня до конца. Андрей — вот кто настоящий преступник. Осталось лишь выяснить, зачем он это сделал. Ну ничего, завтра я поеду на Новохерсонскую улицу и выясню о парне правду.

Однако твердо принятое решение не всегда легко выполнить. По нужному адресу проживала толстенная бабища лет сорока. Ничего вразумительного об Андрее или его семье сообщить она не смогла.

— Я купила квартиру через агентство, — бубнила толстуха, распространяя вокруг запах чеснока, — и не знаю о бывших хозяевах ничегошеньки! Видала только один раз мужика, когда документы подписывали. Всю работу риелторы сделали.

Я вышла во двор и села на лавочку. Сегодня отличная погода, ласковое солнышко приятно греет лицо, в воздухе пахнет наконец-то приближающейся весной, да и пора бы, скоро апрель. Долгожданное тепло выгнало на улицу молодых мамаш с колясками, и сейчас они вылавливали из луж упоенно пачкающихся детишек. Ладно, покурю и двину домой. В эту минуту крохотная собачка, скорей всего цвергшнауцер, подбежала ко мне и, поставив маленькие лапки прямо на джинсы, стала умильно повизгивать.

— Фу, Снаппи, фу, — закричала хозяйка, — не бойтесь, она не кусается!

Я подавила усмешку. Бояться собачонку размером чуть больше заварочного чайника! Нет предела хозяйскому тщеславию.

— Она не кусается, — повторила женщина, — просто хочет сигарету, уж извините.

— Собака курит? — изумилась я.

— Нет, конечно, просто съедает.

— Странная привычка.

— И не говорите, — вздохнула она, — у нас раньше соседи были на лестничной площадке, Казины. Так их сын, Андрюша, тот еще балбес, брал сигареты, обмазывал шоколадом и давал Снаппи. Теперь пес у всех курево отнимает!

От неожиданности я сама чуть было не съела сигарету. Надо же, какая удача!

— Вы хорошо знали Казиных?

— Мы соседи, — ответила тетка.

— А Андрюшу помните?

— Прекрасно. Безобразник и хулиган. Мой сын от него натерпелся. Мы даже жаловаться ходили к директору, чтобы мальчишку из нашего класса перевели, сам не учится и другим не дает. Только ничего не вышло, слава богу, в восьмом классе он ушел в какое-то ПТУ, то ли на шофера учиться, то ли на слесаря. А по мне, если честно сказать, Людка, мать его, врала. Бандит он стал, самый натуральный.

— С чего вы так решили?

— По ночам приезжал на роскошной машине, а в руках пакеты из супермаркета.

— Ну и что?

— Так в 1991 году! Помните, какие жуткие цены тогда в этих магазинах были? Простому человеку не подступиться, только бандиту.

— А мать его жива?

— Людка? Спилась совсем и померла. А вам зачем? И вообще, кто вы?

Отчего-то мне стало жарко и тоскливо. Бегаю, бегаю по городу, пытаясь помочь Лене, и все время налетаю на покойников, просто отчаянье берет. Наверное, от расстроенных чувств я вытащила из сумочки красивое бордовое удостоверение с золотыми буквами ФСБ на обложке, купленное мной за пятьдесят рублей в переходе между станциями «Тверская» и «Чеховская», и весьма агрессивно рявкнула:

— Агент Романова.

— Ой, — пискнула тетка и отпустила собачку.

Обрадованный Снаппи подскочил ко мне и моментально вырвал из рук так и не зажженную сигарету.

— Ваше имя, фамилия, отчество, — потребовала я.

— Лимонова Алла Марковна, — пробормотала сплетница.

— Пошли, — велела я.

— Куда?

— К вам домой, разговор есть.

Уж не знаю, какой женой и матерью была госпожа Лимонова, но кофе она варила отличный. Первый раз меня угостили не растворимой бурдой из железной банки, а ароматным кофе из натуральных зерен. Впрочем, Алла Марковна обладала еще одним, бесценным для меня качеством — редкой болтливостью. Нужно было только сидеть тихо, фильтруя невероятное количество информации, выливаемой на голову.

Казины, мать и дочь, въехали в дом в 1976 году, обменялись квартирами с супружеской парой, проживавшей тут раньше. Алле показалось, что женщины знавали лучшие времена. Во всяком случае, три не слишком большие комнаты они забили дефицитной мебелью, застелили коврами и водрузили на потолке хрустальные чешские люстры. Потом Люда родила без мужа. Соседки почесали языками и успокоились, на дворе не XVIII век, в доме полно одиноких мамаш. Не успел Андрюша пойти в садик, как скончалась его бабушка, мать Люды, и девчонка осталась одна.

— Уж не знаю, — тарахтела Алла Марковна, подвигая поближе ко мне коробку конфет «Птичье молоко», — сколько лет Людке было. Она всем говорила, что двадцать, но мне казалось — нет и восемнадцати. Небось годков в пятнадцать забеременела. Ну куда такой ребенка?

А и правда, куда? Люде хотелось веселиться, сбегать на дискотеку, в кино. Пока была жива мать, девчонка ни в чем себя не ограничивала, а после ее смерти стало худо. Пришлось сдать Андрейку в круглосуточный садик и устроиться на работу в овощной магазин продавцом. Тяжелая, а по тем временам просто собачья профессия. Гнилая картошка, завядшая капуста, злые покупатели, очереди. Никакие перчатки не спасали Людочкины маленькие ручки, и они через три месяца превратились в красные, распухшие клешни. Да еще ее поставили торговать на улицу в самый мороз, злей ледяной декабрь. Покупатели лаялись, хватали товар и разбегались по теплым квартирам, а бедная Людочка подпрыгивала на месте в огромных валенках и солдатском тулупе грязнобелого цвета. После тяжелой смены она возвращалась в пустую квартиру, где никто не встречал ее с горячим ужином. И уж совсем плохо было по пятницам. Приходилось забирать домой Андрюшу. Шкодливый мальчишка не давал ей ни минуты покоя, носился с гиканьем по квартире, а по утрам в субботу и воскресенье, когда Люде страшно хотелось поспать подольше, он вскакивал ни свет ни заря и начинал плакать, не найдя на столе привычную кашу. Словом, никакой радости ребенок ей не доставлял, одни заботы. Ему нужно было постоянно покупать ботинки, и он без конца рвал брючки. К тому же, как все садовские дети, Андрюша часто болел то ангиной, то воспалением среднего уха, то ветрянкой или коклюшем. Через год после смерти матери Людочка от тоски начала пить, появились соответствующие кавалеры, и она стала забывать Андрюшу в садике. Пьяные драки, мат, приезд милиции — таким было детство мальчика.

Неудивительно, что он вырос хулиганистым, несдержанным на язык, драчливым. Курить начал, кажется, в первом классе. А вот к бутылке никогда не прикладывался. Более того, став старше и бросив школу, он стал воспитывать мать, отнимал у нее выпивку, выкидывал из дома ее приятелей-пьянчуг. Пару раз спустил мужиков с лестницы, одному сломал ногу... Мало-помалу к Людке перестали шляться бесконечные компании.

Ну кто бы мог подумать, — сплетничала Лимонова, — ну кто бы мог предположить, что этот бандит будет так заботиться о матери? Ведь ничего хорошего от нее он не видел, только брань да колотушки! И поди же ты! Тут всю душу в ребенка вкладываешь, а он морду воротит при твоем появлении. А здесь! Чего он только не делал, чтобы Людку от пьянства вылечить! И в больницу клал, и частника нанимал, и куда-то в Рязань возил...

Но толку — чуть. Люда держалась месяц, другой, затем вновь начиналось безобразие. Денег матери Андрей не давал, но та вытаскивала из холодильника продукты, продавала их у метро и приобретала вожделенную бутылку. Года за два до ее смерти сын нашел сиделку, призванную следить за алкоголичкой. Но хитрая Люда умудрялась удрать от присматривавшей за ней медсестры и напиться у ближайшего ларька. Ей хватало стаканчика, чтобы впасть в бессознательное состояние. В один прекрасный день она не вернулась домой. Андрюша трое суток искал мать по подвалам и подъездам, вместе с ним обшаривали любимые места бомжей и его приятели — крепко накачанные парни в кожаных куртках. В конце концов один из них и нашел Люду на чердаке заброшенного детского сада. Тело лежало возле картонных ящиков из-под тушенки, на рваной газете валялись крупно нарезанные куски самой дешевой колбасы.

Патологоанатом сказал после вскрытия, что смерть не была насильственной. Допилась, бедолага.

После кончины матери Андрюша куда-то исчез, а затем в их квартире появились новые жильцы.

Он продал квартиру вместе с мебелью, телевизором и холодильником, — вздыхала Лимонова, — а ведь год тому назад хороший ремонт для матери сделал, средств не пожалел, купил новую кухню... И ничего не забрал! Очень неразумный молодой человек, ну да к нему деньги дуриком приходят, вот и цены не имеют!

Я посмотрела в разгоряченное лицо собеседницы. Ох, наверное, Андрюше так досталось от матери, что он бросил все, уезжая на новую квартиру, лишь бы забыть поскорей про пьянчужку, решил, так сказать, начать жизнь с нуля.

— А про отца его вы ничего не знаете?

Алла Марковна покачала головой:

— Он тут пару раз появлялся, но как зовут, не помню. Правда, мать Люды как-то раз проговорилась, будто он был их соседом, а когда девочка забеременела, моментально бросил ее...

Я почувствовала, как на виске начинает быстро-быстро пульсировать жилка. Господи, не может быть! Раиса Андреевна Разина рассказывала, что у Степана в свое время приключился роман с дочерью их соседей. Да и звали девочку вроде Люда. А когда отец девчонки пришел с предложением узаконить отношения, Степа отказался, мотивируя свое поведение только одним — Люда обманывает, ребенок не от него. Потом папу невесты посадили за растрату, а мать обменяла квартиру. Они точно знавали лучшие времена, Лимонова верно подметила...

— И кухню не взял, и ковер, — продолжала сообщать Алла Марковна.

— Нет ли у вас случайно фотографии Люды? — поинтересовалась я.

— Откуда? — изумилась Лимонова. — Зачем бы мне с этой пьянчужкой сниматься?

— Жаль...

— Хотя погодите!

Она ушла в комнату и через несколько минут вернулась, неся в руках большой альбом.

— Вот здесь все школьные фотографии моего сына. Гляньте, первый класс. Тогда у входа мы снялись на память, дети и родители. Люда еще не пила как сапожник и более или менее нормально выглядела. Вот я и Сережа.

Ее палец с неаккуратно обломанным ногтем ткнул в изображение приятной дамы, держащей за руку худенького мальчика.

— А это Люда и Андрей.

Ушастенький, тощенький мальчуган, совершенно непохожий на нашего высокого, накачанного соседа, стоял возле толстоватой тетки с робким, каким-то заискивающим выражением на лице. Люда походила на куклу — мелко-мелко завитые кудряшки, круглые, густо намазанные глаза, губы бантиком. Очевидно, сентябрь в том году выдался жаркий, потому что на ней был сарафан и крупные, скорей всего пластмассовые бусы.

Дело было за малым: узнать, та ли это Люда. И если она и впрямь родила от Степана, вырисовывается интересная картина. Примерно такая. Андрей откуда-то узнает, что Кондрат пишет роман о его умершем отце, очень болезненно воспринимает этот факт и... убивает писателя. Да, версия хромает на обе ноги, и к тому же она еще горбатая, слепая и лысая, просто уродка, а не версия. Но, честно говоря, мне просто хочется узнать хоть какие-нибудь сведения об Андрее, мы спокойно впускаем парня в дом, Лиза проводит с ним много времени...

— Можете дать мне на некоторое время этот снимок? — спросила я.

Алла Марковна поджала губы.

— Только очень ненадолго; сами понимаете, другого такого нет, если точно обещаете вернуть...

— Привезу назад через пару часов.

— Берите.

Лимонова вытащила фото из альбома, завернула его в газету и протянула мне. Схватив сверток, я выскочила на улицу и полетела на «Киевскую».

Но дверь Раисы Андреевны оказалась запертой, на ней была наклеена узкая белая бумажная полоска с печатями. Я разинула рот. Ну что тут могло случиться?

Но не успела я предпринять какие-то действия, как дверь соседней квартиры распахнулась, и оттуда выглянула растрепанная тетка в засаленном байковом халате.

— Вы к Раисе Андреевне?

— Да.

— Зачем?

— Хочу поговорить об уроках английского языка для дочери.

Баба внимательно оглядела меня с ног до головы и брякнула:

— Ну, придется искать другую учительницу.

— Почему?

— Раиса умерла.

— Как умерла? — попятилась я к окну. — Мы на днях разговаривали!

— Ночью вчера скончалась, — пояснила соседка, выходя на лестничную клетку.

Из открытой двери ее квартиры повеяло запахом полироли и стирки.

— Откуда вы знаете, что ночью? — полюбопытствовала я, продолжая сжимать в руке теперь абсолютно бесполезный сверток с фотографией.

— У Раисы сердце было больное, — пояснила женщина, — ее спальня прилегает к моей, у нас кровати даже рядом стоят, через стенку. Вот мы и договорились, если Рае худо станет, она постучит, я и прибегу. Она и ключи оставила для такого случая, очень уж боялась умереть, а потом лежать в одиночестве, непогребенной.

Нынешней ночью соседка услышала слабый стук и поспешила на зов. Раиса Андреевна лежала в постели и выглядела плохо. Наверное, ей стало худо еще вечером, потому что кровать была неразобрана, учительница рухнула прямо поверх цветастого покрывала и не сняла платье и тапочки.

— Раечка! — закричала соседка и бросилась к ней. — Что случилось? Где болит?

Но Раиса Андреевна оставалась неподвижной, глаза ее как-то странно смотрели из-под полуопущенных век, а из скривившегося рта доносилось мычание.

Насмерть перепуганная соседка вызвала «Скорую», но, как назло, «Скорая» все не ехала и не ехала. А больная беспокоилась, явно пытаясь что-то сказать, Наконец соседка сообразила и подсунула ей листок бумаги. С неимоверным усилием, левой рукой, та накорябала непонятные буквы — ghos... Закончить слово почему-то на английском языке она не успела, приехала «Скорая». Но врачи не сумели ей помочь, началась агония, и Раиса Андреевна скончалась, как сказали доктора, от обширного инсульта.

— И больше ничего? — тихо поинтересовалась я.

Соседка пожала плечами:

— Ничего. Вот ведь болезнь жуткая, только что была здорова, работала, к ней ученики весь день ходили, с четырех и до позднего вечера, прямо косяком, взрослые, дети. Она отлично зарабатывала. Последний около одиннадцати вечера забегал, так же, как и вы, о занятиях договариваться.

— Откуда вы знаете?

— Так я слышала. У нее звонок сильный, в нашей квартире отдается. Я в «глазок» глянула — стоит мужчина в шляпе и пальто. Рая дверь открыла и впустила его. Ну а где-то через час он ушел, сказал так громко:

— До свиданья, Раиса Андреевна, до понедельника.

— А она?

— Ну тоже вроде того что-то пробормотала.

Я тяжело вздохнула и пустилась в обратный путь. Просто фатальное невезение, какой-то рок преследует всех, кто мне нужен. Инсульт! Страшная болезнь. Раисе Андреевне еще повезло. Ну кто, скажите, стал бы ухаживать за чужой парализованной старухой, не имеющей родственников? Сами знаете, какие у нас условия в больницах для хроников.

С грустными мыслями я вернулась на Новохерсонскую и отдала Алле Марковне фото. Та взяла снимок и спросила:

— Про отца Андрея вы зачем спрашивали?

— Нужен он нам.

— После вашего ухода я принялась альбомы смотреть, — сказала Лимонова. — И припомнила-таки!

— Что?

— А вот, глядите. — И она сунула мне в руки еще одну черно-белую карточку. — Это 1977 год, там дата, на обороте, 22 апреля.

— Ну, — поторопила я, — и что же?

— А то, — радостно объявила Алла Марковна, — день коммунистического субботника, все вышли двор убирать, а Митрохин из семнадцатой квартиры карточек нащелкал, потом раздавал, фотолюбитель.

Я терпеливо ждала, пока болтунья подберется к цели рассказа.

— Это Люда, — сообщила Лимонова, — с коляской, внутри Андрюша сидит, да его плохо видно, с граблями ее мать, с метлой я, а вот, видите, двое мужчин с носилками?

Я кивнула.

— Слева — мой муж, а справа — отец Андрюши. Он тогда в очередной раз пришел, ну его к делу и пристроили. Молодой такой парень, вот только, как звать, не припоминаю. Простое имя...

— Костя, — прошептала я, уставясь на снимок, — его звали Константин.

— Правильно! — обрадовалась Лимонова и затарахтела дальше: — Кустарники сажали, а детскую площадку...

Но я не слушала ее, пытаясь справиться с обалдением. Было отчего потерять разум! С отлично сохранившегося снимка мне улыбался молодой, кудрявый и, кажется, абсолютно счастливый... Кондрат Разумов.

ГЛАВА 29

Я не могла ошибиться. Лицо писателя мало изменилось за пролетевшие годы, ну стало чуть полней, да шапка волос поредела. Но то, что это Кондрат, сомнений не было никаких.

Еле передвигая неожиданно ставшие тяжелыми ноги, я добрела до ближайшего кафе и плюхнулась на стул. Возникшая официантка, мерно двигая челюстями, равнодушно поинтересовалась:

— Что будем кушать?

— Кофе, — пробормотала я, пытаясь привести в порядок бунтующие мысли, — и пирожное, желательно, без крема.

Девица, перекатывая языком «Орбит», лениво отправилась к стойке, потом вернулась, неся крохотную чашечку и тарелочку с малоаппетитной на вид лепешкой.

— Сто рублей, — сообщила она, грохнув на стол заказанное.

При другом раскладе событий я бы пришла в полное негодование. Чашка растворимого кофе размером с поилку для канарейки не может стоить столько же, сколько полная банка «Нескафе». А уж пирожное! Его небось выпиливали из фанеры! Но сегодня недосуг ругаться, да и кофе я не хочу, просто надо посидеть в тишине.

Вот оно, как повернулось! Оказывается, Андрюшка сын Кондрата! В голове моментально все стало на место. События сложились в стройную цепочку, и я сразу поняла, что к чему.

Значит, так. Андрюшина мать родила сына от Константина, так на самом деле зовут писателя.

Кондрат Разумов — это псевдоним. Я ведь знала об этом и могла бы вспомнить, когда увидела паспорт нашего бандита. Кондрат пару раз приходил в гости к бывшей любовнице, может, и деньги давал для мальчика. Хотя, что с него было взять по тем временам. Удачливый прозаик, успешный литератор, автор известных детективов, богатый человек — все это в будущем. В 1977 году он просто учитель русского языка и литературы с нищенским окладом.

Детство Андрюши было очень тяжелым — постоянно пьющая мать, и никаких родственников, которые могли бы помочь ребенку, ни бабушек, ни тетушек... Вероятно, Люда сказала мальчишке, кто его отец, хотя, очевидно, Кондрат не признал ребенка, фамилия-то у Андрея — Казин. Правда, отчество — Константинович.

Потом Кондрат резко пошел в гору, появились рецензии в газетах, интервью на телевидении. Представляю, какие чувства обуревали парня. Потом, став взрослым, он и задумывает преступление. Покупает квартиру, заводит хорошие отношения с отцом, прикидываясь почти приятелем, вкладывает в руки Вани пистолет. Все очень логично. Он, конечно, знал о дурацкой забаве Кондрата и Вани. Играя, они поднимали такой шум, что пару раз приходили соседи снизу, у которых раскачивалась люстра, и Кондрат откупался от них своими новыми детективами. Но почему Андрей решил убить отца? Да понятно, хотел отомстить за свое тяжелое, голодное и нищее детство. И ведь придумал просто изуверский план. А кажется таким простым, даже примитивным парнем!

Это что же получается? Лиза — родная сестра Андрея?

Господи, а вдруг он замыслил убить Лизу, а я так спокойно отпускаю с ним девочку! Нет, это уж слишком, да и зачем бы Андрею убирать сестру? Да наследство! Небось Кондрата станут переиздавать, значит, детям положены деньги, причем хорошие... Но он ведь официально не признан сыном.

— Еще кофе? — спросила официантка.

Я встала, сердито громыхнув стулом. Ну уж нет, хватит наливаться бурдой по ценам амброзии, а подумать спокойно можно и в метро по дороге домой.

Но чтобы полностью осмыслить ситуацию, пришлось покататься по Кольцевой линии вместе с парочкой бомжей, смотревших на меня очень внимательно. Наконец я разработала стратегию.

Завтра с утра я опять позвоню в больницу к Славе Самоненко и попытаюсь узнать, когда же разрешат посещения. Убийцу я нашла, да только улик никаких. Все на уровне домыслов и размышлений, а их к делу не пришьешь! Следовательно, надо наскрести хоть что-нибудь материальное, свидетельствующее о том, что Андрей безжалостный и хладнокровный организатор убийства Кондрата. Главное, держать себя в руках и делать вид, будто ни о чем не догадываюсь. Как ни в чем не бывало поить его кофе с пирожными, поправлять корявую речь... Вот только Лизу с ним теперь отпускать не стану.

Дома были все те же — Маша Гаврюшина и Лиза. А на столе издавал аромат кекс жуткого вида, кривой на один бок.

— Вот, — гордо заявила Гаврюшина, занося над ним огромный нож, — испекли коврижку, праздничную!

— А какой у нас праздник? — поинтересовалась я, осторожно откусывая кусочек.

Бедный, бедный мой желудок! Он уже сегодня получил от хозяйки кусок фанеры! Но неожиданно отвратительное на первый взгляд детское творение оказалось вкусным.

— Ну, Лампа, — обиженно протянула Лиза, — всем праздникам праздник! Четверть закончилась, каникулы начались!

— Ой! — всплеснула я руками. — Забыла!

— Ничего, — успокоила Маша, — у меня папа зимой дневник подписывал и говорит: «Ну вот, доченька, как время бежит, ты уже в пятом классе».

Лиза засмеялась:

— А как он отреагировал, когда узнал, что ты уже в восьмом?

Маша вздохнула:

— Я ему не сказала, пусть и дальше так думает, а то рассердится, старый уже, вот и забывает.

— Сколько лет папе? — поинтересовалась я.

— Тридцать пять, — спокойно ответила Гаврюшина и набила рот кексом.

— Ну-ка, — потребовала я, — тащите дневники!

Лиза моментально шлепнула на стол свой. Во всех графах радовали глаз сплошные пятерки. У Маши дневник выглядел по-иному. Математика «три», русский «три», география «три», словом, кругом одни «удовлетворительно», и только по пению красовалась жирная пятерка.

— Гаврюшина, — строго сказала я, — в этой ситуации ты еще и поешь?! Используй каникулы, чтобы набраться знаний. Прекращай печь пироги и кексы и немедленно принимайся за русский. А тебе, Лиза, должно быть стыдно. Лучшая подруга еле-еле на тройках едет. Между прочим, мы в свое время брали отстающих на буксир!

— Мне русский и алгебра по фигу, — заявила Маша. — Вообще после девятого класса я из школы уйду!

— Куда?

— В цирковое училище, — спокойно пояснила она, наливая чай. — Тетя Лампа, да вы ешьте коврижку!

— Кто же тебя туда возьмет? Надо талантом обладать и определенной физической подготовкой.

— Гавря, покажи, — велела Лиза.

Маша оставила с сожалением чашку и пробормотала:

— Наелась зря.

— Ничего, — ответила Лиза, — ты немножко…

— Ладно, — согласилась Гаврюшина и в мгновение ока вылезла из джинсов, оставшись в драных колготках.

— Давай, Гавря! — приказала Лиза.

Маша расставила ноги и начала прогибаться назад. Я смотрела на нее во все глаза. Руки девочка держала перед собой, тело ее, словно резиновое, клонилось вниз, наконец голова коснулась пола. Гаврюшина просунула ее между ступнями и улыбнулась. Потом уперлась руками в линолеум и выгнулась самым невероятным образом.

— Маша, прекрати! — испугалась я. — Сломаешь позвоночник. — Но Гаврюшина, по-прежнему улыбаясь, повторила упражнение в обратном направлении.

— На полный желудок тяжело, — пояснила она, принимая нормальный вид. — Я еще и не так могу. У меня целый номер, называется «Каучук».

— Кто тебя научил?

— У нее все в цирке работают, — гордо пояснила Лиза, — дедушка, бабушка, мама, папа, а Машка по выходным иногда выступает. Понимаешь теперь, что ей уроки по фигу?

Я кивнула. В бытность арфисткой я часто сталкивалась за кулисами с балетными и цирковыми людьми. Высокопрофессиональные в своем деле, они, как правило, оказывались глубоко безграмотными. Однажды на моих глазах группа акробатов готовилась к выходу, у них был специфический реквизит — подкидные доски, качели и перши, такие большие палки, которые ставят на лоб или плечи. За кулисами носилось множество актерских детей и все норовили покачаться. В конце концов один из цирковых повесил бумажку: «Кочели не хвотать». Я хмыкнула и заметила:

— Ну ты и грамотей! И не стыдно, исправь немедленно.

— Че? Неправильно? — удивился акробат.

— Конечно. Качели не хватать. У тебя по русскому что в школе было? Ноль с минусом?

Парень спокойно превратил «о» в «а» и парировал:

— Кабы ты, арфистка, с одиннадцати утра до одиннадцати вечера на манеже ломалась да за год штук двадцать городов объехала, посмотрел бы я на твои успехи...

— И химия не нужна, — перечисляла Маша, — и физика, буду в цирке работать со своими, в семейном номере, и Лизку возьму!

— Не надо! — испугалась я. — Лизе уже поздно начинать тело разрабатывать, с детства нужно упражняться.

— Мы ее в дрессуру пристроим, — серьезно ответила Маша, — к собачкам или обезьянам. Пусть сначала клетки убирает, кормит животных, все с этого начинали. Мы хотели на каникулах попробовать.

— Нет!

— Лампочка, — умоляюще сложила руки Лиза, — Машина бабушка, она уже старая, но еще работает с собачками, говорит, из меня выйдет толк, и она меня обучит.

— С чего бы ей в голову такая идея пришла!

— Потому что Лизке нравится, как за кулисами пахнет, — пояснила Маша, — знаете, иногда приходят люди и носы морщат: фу, у вас воняет потом, лошадьми и опилками, фу, как вы такое нюхаете! А Лизка только зашла и спрашивает:

— Чем это пахнет? Не пойму никак, но очень здорово. Цирком, наверное.

И вот бабуля утверждает: кто подобное говорит, тому судьба на арене работать. Ну, тетя Лампа, ну разрешите на каникулах...

— Значит, ты уже успела за кулисами побывать?

Лиза кивнула:

— Недолго. Мне понравилось, Андрюше тоже.

— И Андрей был?

— Ага, он собак любит и животных вообще.

Я молчала в растерянности, не зная, что сказать. Лиза и Маша смотрели на меня умоляющими глазами.

— Ладно, я согласна.

— Ура! — завопили девчонки. — Класс, прикольно.

— Но с тремя условиями...

Девицы сразу погрустнели.

— С какими?

— Только на каникулах, только до восьми вечера и только без Андрюши.

— Почему? — удивилась Лиза. — Он мог бы нас домой привозить, на машине лучше, чем на метро.

— Не надо превращать Андрея в шофера, — нашлась я. — Он занят на работе, у него бизнес, ремонтная мастерская, бензозаправка, нехорошо эксплуатировать его доброту.

— Верно, — согласилась Лиза, — и на метро хорошо.

Но тут раздался звонок в дверь, и появился сосед. Улыбаясь изо всех сил, я принялась угощать его чаем. Сейчас, когда я точно знала, кто его отец, увидела потрясающее сходство между ним и Лизой. И как только я не замечала раньше! Одинаковый цвет волос и глаз, форма носа и бровей... Да они даже морщатся похоже, и этот слегка удивленный взгляд, вот-вот, сейчас просто копия друг друга.

— Лампа Андреевна, — кашлянул Андрей, — никак заболели?

— Нет, — удивилась я, — что, я так плохо выгляжу?

— Ну лицо такое, — забормотал бандит, — странное, словно зубы ноют!

— И скалишься, будто гиена, — хихикнула Лиза. — А и правда, что с тобой?

— Вот пристали! Да ничего, просто стараюсь выглядеть мило и привлекательно, вот и улыбаюсь изо всех сил!

Глядя, как все едят кекс, я села у стола и стала терпеливо ждать, пока завершится процесс. Как назло, присутствующие никуда не торопились. Сначала они доели кекс, потом скормили крошки Рамику, затем принялись делать в огромной сковородке попкорн...

Наконец Маша взглянула на часы и ойкнула:

— Домой пора.

Андрюша потянулся за пиджаком.

— А ты куда? — спросила Лиза. — Посиди еще!

— Гаврю отвезу, темно на улице, — пояснил парень.

— Не надо, — начала отбиваться Гаврюшина, — я не хочу эксплуатировать твою доброту.

— Ну Гавря! — протянул парень. — Как навалится на тебя за углом отморозок да насует чего не надо, я потом остаток жизни щуриться да стану, что тачку завести поленился и тебя добросить. Нет уж, без базара, у меня воспитание не то, чтоб гирлу одинешеньку по ночи выпустить. Да если хочешь знать, и биксу какую тоже б не выгнал. Совесть то есть.

«Да, — подумала я, глядя, как он подхватывает туго набитую школьную сумку Гаврюшиной. — Интересно, кто же тебе привил столь джентльменские принципы и как с ними соотносится милая привычка убивать людей?»

Не успела за ними захлопнуться дверь, как я немедленно приступила к допросу Лизы. Для начала я предложила:

— Ты, наверное, устала? Давай разберу постель?

— Сама могу, — удивилась Лиза, — что я, больная?

В детской она стащила с покрывала десятка два плюшевых игрушек и ловко расстелила большое пуховое одеяло.

— Странно, — стала я издалека подбираться к цели разговора, — странно, что вы раньше не были знакомы с Андреем...

— Он приходил к папе иногда, — спокойно пояснила Лиза, вытаскивая из шкафа пижаму, — папа ему книги подписывал и в шутку называл своим консультантом.

— Почему?

— Ну он же бандит, — зевая, пояснила девочка, — всякие порядки их знает, правила, а папе это для книг требовалось. Только Лена его терпеть не могла. Они даже с отцом поругались. Папа утверждал, будто Андрюша бедный, запутавшийся мальчик, и потом, он же бросил разбойничать, теперь бизнесмен, и вообще, вон в Думе полно людей с криминальным прошлым, и ничего. А Лена злилась и орала, что он все равно негодяй и нас всех перестреляет.

«К сожалению, моя хозяйка оказалась не так уж далека от истины», — мелькнуло в моей голове.

— Папа тогда тоже заорал, — продолжала Лиза. — «Заткнись, Ленка, надоело, зудишь, словно жопа с ручкой! Кто зарабатывает, тот и хозяин, а Андрей сюда будет ходить».

Лена надулась и заявила:

— Вот и выбирай, или я, или он!

— На твоем месте, — тихо ответил Кондрат, — я бы не ставил подобных условий. Имей в виду, ни одна баба не должна мне указывать, с кем и когда я должен встречаться, ясно?

Потом они помирились. Андрюша продолжал изредка появляться.

— Он мне нравится, — бесхитростно призналась Лиза, — прикольный такой, правда, старый, двадцать четыре уже, вот я думала: если он за мной ухаживать начнет, разве плохо? Может, мне в него влюбиться?

Ну только инцеста нам тут до полного счастья не хватает!

— Выбрось дурь из головы! — строго заявила я. — Рано о свадьбе помышлять!

— Твоя правда, — вздохнула Лиза и с наслаждением вытянулась в постели. — Хорошо как! И чего я раньше не легла, прямо здорово, и завтра в школу не идти...

Я подоткнула одеяло и спросила:

— До Андрюши кто жил в этой квартире?

— Старушка, — ответила Лиза, — тихая-тихая, Девочка.

— Почему — девочка?

— Фамилия у нее такая, — сонно пробормотала Лиза. — Девочка Аргентина Ивановна.

— И куда она делась?

— Не знаю, уехала на новую квартиру, оставила папе только телефон, и все!

— Давно?

Лиза повернулась на бок и прошептала:

— Ну год назад, наверное, не помню, какая разница! Лампочка, погаси свет, сил нет...

Я выключила люстру, села к ней на кровать и, гладя девочку по голове, запела:

— Спи Лизок, спи-засни, сладкий сон себе мани...

— Лампуля, — прошептала девочка, — я тебя обожаю.

— И я тебя люблю, мой ангел, спи спокойно.

В ответ раздалось тихое посапывание. Я продолжала сидеть на кровати, слушая мирные, ночные звуки — урчание счастливой Пингвы, причмокивание Рамика. В кухне из крана капала вода, и громко-громко тикал будильник. С улицы не доносилось шума, Москва наконец-то начала засыпать. Дрема заполнила и нашу квартиру, все живое уютно устроилось на ночь, и только я сидела в темноте, лихорадочно соображая: как же теперь себя вести?

ГЛАВА 30

На следующий день около полудня, выспавшись до головной боли, Лиза понеслась к Маше. Андрей уехал рано, я курила у кухонного окна и видела, как он около девяти утра, странно хмурый, усаживался в свою новую машину. Мне нравился его джип, но и этот автомобиль был ничего — длинный, блестящий, серебристого цвета, на заднем стекле покачивалась игрушка — оранжевая ладошка с большими растопыренными пальцами. Андрей захлопнул дверь и был таков.

Телефон старушки со смешной фамилией Девочка я и впрямь нашла у Кондрата в книжке. Я подумала секунду, потом взяла телефон.

— Алло, — ответил густой бас.

— Можно Аргентину Ивановну?

— Слушаю.

— Вас беспокоит родственница Кондрата Разумова, помните такого?

— Конечно, писатель, мой бывший сосед, — ответила пожилая дама. — А что случилось?

Слава богу, она в полном разуме! А то ведь всякое случается с престарелыми дамами.

Воодушевленная удачей, я принялась радостно врать:

— Тут вам на старый адрес бандероль пришла.

— Да ну? Откуда?

— Я не поняла, вроде какой-то приз...

— Приз, — пробормотала Аргентина Ивановна, потом рассмеялась. — А, это, наверное, внуку. Он кроссворды в «Мегаполисе» разгадывает и от моего имени посылает, боится, что ребенку ничего не дадут. Вот обрадуется. Как бы нам встретиться?

— Вы далеко живете?

— Фестивальная улица, метро «Речной вокзал».

— Надо же, как здорово, — фальшиво обрадовалась я, — а мне как раз в ту сторону надо, в гости к подруге, могу занести по дороге. Вы в районе трех никуда не уйдете?

Аргентина Ивановна заверила меня, что собирается провести день у телевизора, и продиктовала адрес. Радостно насвистывая арию тореодора из бессмертной оперы «Кармен», я пошла одеваться. Но не успела натянуть свитер, как в дверь позвонили. На пороге стоял Юра Грызлов, сжимавший в руках огромный букет роз.

— «Миллион, миллион, миллион алых роз из окна, из окна видишь ты», — пропел прозаик и протянул мне роскошный подарок. Я взяла букет в руки и тут же поняла, что невероятной красоты цветы — искусственные.

— Здорово сделаны, — улыбался Юра, вдвигаясь в прихожую, — от настоящих не отличишь. Даже лучше, не завянут.

Я сунула машинально нос в цветы и удивилась:

— Пахнут!

— Их специальной отдушкой опрыскивают, — пояснил Грызлов. — Скажи, здорово!

— Великолепно, — покривила душой я, — роскошные цветы, мечта.

— Очень рад, хотел тебе сделать приятное!

Я молча поставила веник в вазу. Нет, мужчины странные люди. Цветы на самом деле были отвратительны, хоть и похожи на настоящие до тошноты. Я терпеть не могу всяческих подделок — духов, как французские, кролика под норку, свитера якобы из шерсти... По мне уж лучше вообще ничего не покупать, чем приобретать эрзац. Кстати, частенько «заменители» очень дороги, вот Юра явно потратил кучу денег. Но скажите, разве может радовать глаз вечный букет? И бывает ли на свете вечная любовь?

— Ну, — произнес Грызлов, — какой из романов понесем первым?

Внезапно мне стало не по себе. Фальшивые цветы для фальшивой писательницы. Нет, я не хочу участвовать в дурацком спектакле. Но Юра весело продолжал:

— Я уже говорил в издательстве, там буря восторга, надо приниматься за работу. Пошли к компьютеру, хорошо бы почитать, что там Кондрат навалял. Ну, давай!

И он легонечко пнул меня в спину. Бесцеремонный толчок неожиданно пробудил меня от сна, и я сказала:

— Извини, но это невозможно. Романы после смерти Кондрата являются собственностью Лены, и ей решать, как ими распорядиться. Может, она захочет издать их под своим именем. Это ее право. Я же в воровстве участвовать не хочу, да и тебе не советую!

Грызлов посмотрел куда-то вбок и тихо спросил:

— Решение окончательное?

— И обжалованию не подлежит, — ответила я. — Впрочем, можешь быть уверен, я никому не расскажу про твои планы в отношении этих книг.

Внезапно он расхохотался:

— Ай да Лампа, ну и молодец, чудо, я тебя обожаю еще больше!

— За что? — удивилась я.

Прозаик ласково обнял меня за плечи.

— Понимаешь, мне фатально не везет с бабами, просто катастрофа! Такие кадры попадались — лживые, истеричные, жадные! Словом, если не говно, то палка!

— При чем тут это?

— А при том, моя радость, что когда я встретил тебя, то, честно говоря, слегка прибалдел. Ну разве бывают такие положительные, вот и решил проверить!

— Проверить?!!

Юра развел руками.

— Ну извини, понимаю теперь, что дурак, кретин. Но любая другая из моих баб моментально согласилась бы, предложи им кто без всяких усилий стать писательницей и получать деньги! А ты вон как отбрила, молоток!

Проверял! Он проверял мою порядочность?! От удивления я разинула рот. Ну и как на это реагировать? Бросить букет ему в лицо? Выгнать вон?

Очевидно, все эти мысли вдруг отразились на моем лице, потому что Юра вдруг вытянул руки вперед, сморщился и запищал тоненьким голоском:

— Ой-ой-ой. Электролампа Андреевна, милый, любимый Торшерчик, только не бей до крови по лицу, лучше кулаком по почкам. Сам знаю, что дурак и идиот!

И он картинно затрясся крупной дрожью. Мне стало смешно. Господи, да он просто большой ребенок. Правильно говорят, что гениальные люди отстают в развитии. Вот у моего отца был ближайший приятель, говорят, один из крупнейших математиков нашего времени, мировая величина... Угадайте, чем академик самозабвенно занимался в редкие свободные минуты? Расставлял оловянных солдатиков и играл в войну.

— Что мне сделать, чтобы заслужить твое прощение? — ныл Грызлов. — Только прикажи!

Я прищурилась:

— Значит, так, двадцать пирожных из французской кондитерской, той самой, что расположена на месте бывшего магазина «Российские вина» на Тверской. Двадцать отвратительно дорогих пирожных со свежими фруктами и взбитыми сливками, и, может быть, тогда я взгляну благосклонно в твою сторону.

— Через полчаса вернусь, — крикнул Юра и повернулся к двери.

— Нет, — охладила я его пыл, — давай встретимся вечером, около шести, мне надо съездить сейчас по делам.

— Куда?

— На Фестивальную улицу.

— Зачем?

Мне отчего-то не понравилось его любопытство, и я сухо ответила:

— Надо.

— Давай подвезу.

— Смысла нет, простоим в пробке, а на метро я за полчаса доберусь.

Еле-еле избавившись от Юры, я быстро оделась и понеслась к Аргентине Ивановне. По дороге притормозила у ларька, купила книгу «Кроссворды для шибко умных», а у метро зарулила на почту и попросила служащую:

— Можете оформить книжку как бандероль и отдать мне.

— Зачем это вам? — с подозрением поинтересовалась дама.

— Да сын все отправляет в газету письма, кроссворды решает, приз ждет. Расстраивается, жуть! Все никак не выиграет, вот хотела обрадовать ребенка...

— Давайте! — Она стала поласковее. — Сплошной обман эти конкурсы. У меня внук тоже весь испереживался, надо ему посылочку оформить. Эк вы ловко придумали.

Сунув обшлепанный печатями пакетик в сумку, я полетела на Фестивальную улицу.

Дама со странным именем Аргентина Ивановна оказалась милой и крайне любезной. Без конца благодаря за хлопоты, она накрыла чай, подала вафельный тортик «Причуда», и мы славно поболтали о том и о сем. Разговор шел сначала вокруг детей и внуков, потом перекинулся на болезни, затем плавно перетек на цены и президентские выборы... Наконец я сочла момент подходящим и сказала:

— Какая у вас квартира милая, просто бонбоньерка, такая уютная.

— Да, — согласилась хозяйка, — мне тоже нравится.

— Наверное, раньше, лет двадцать назад, здесь вообще было как на даче.

— Не знаю, я недавно переехала.

— Ах да, — фальшиво спохватилась я, — вы же были соседкой Кондрата Разумова. Это он, наверное, ваши хоромы купил, вроде его квартира из двух сделана.

— Нет, — улыбнулась она, — он Осиповых отселил, из трехкомнатной, а со мной такая смешная история приключилась!

— Какая?

Как-то раз к Артентине Ивановне явился без всякого приглашения молодой человек весьма специфической наружности. Она даже сначала испугалась, узрев на пороге настоящего бандита. Но парень вел себя крайне прилично. Снял в прихожей ботинки, назвался Андреем и объяснил цель визита. Он фанат Кондрата Разумова и мечтает жить рядом с кумиром. В деньгах не стеснен совершенно, поэтому предлагает Артентине Ивановне выгодный обмен, перевезет старушку с внушительной доплатой в свою квартиру. Там недавно был ремонт, куплена новая сантехника и кухня, причем он оставит и мебель.

Но Аргентина Ивановна наотрез отказалась ехать на Новохерсонскую улицу. Другой конец города — как конец света.

— Ни за какие сокровища! — ответила она Андрею.

Тот не растерялся и спросил:

— А куда бы вы поехали на тех же условиях?

Она призадумалась. На Фестивальной улице у нее живет дочь с внуком, а кататься на метро туда-сюда ей становится с каждым днем все трудней.

Андрей моментально согласился и развил бурную деятельность. Нашел подходящую квартиру именно в том доме, где обитала дочь старушки, сделал евроремонт.

— Он возил меня по магазинам, — удивлялась Аргентина Ивановна, — и спрашивал, какие обои и какой линолеум купить, поставил стеклопакеты и даже поменял паркет. Потом купил отличную кухню, словом, крайне боялся, что я откажусь переезжать. Вот ведь какая дикая вещь это фанатство! Мечтал жить рядом с Кондратом и столько денег за прихоть вбухал.

Кроме отлично отделанной квартирки, ей досталась еще и хорошая доплата. Старушка купила на свое имя «Жигули» пятой модели и стала любимой тещей для бедного зятя, мечтавшего о личном автомобиле. Словом, все остались довольны и счастливы...

Я посидела еще минут пятнадцать, а потом медленно пошла к метро. Вот оно как! Андрей задумал убийство давно и не пожалел денег для осуществления своего замысла. А это уже улика. Следователь может поинтересоваться: «Зачем вам, гражданин Казин, понадобилось меняться с гражданкой Девочкой?»

Маленькая, но зацепка. Ничего, скоро найдутся и настоящие улики!

Полная мстительных мыслей, я выскочила из метро и понеслась к дому прямо по лужам, не разбирая дороги. Отлично, лед тронулся. Надеюсь, Слава Самоненко скоро будет доступен для посещения, он не дурак и внимательно отнесется ко всем моим подозрениям...

Внезапно за спиной раздался страшный взвизгивающий звук, я обернулась и обмерла. Прямо на меня на невероятной скорости летела серебристая, длинная, похожая на ракету машина.

«Конец», — мелькнуло в голове. Деваться мне было решительно некуда, объятая ужасом, я, совершенно потеряв голову, рванула вперед и, не понимая, что делаю, налетела на какую-то дверь. В следующий миг она подалась, я оказалась внутри парикмахерской.

Автомобиль, утробно воя, вылетел на тротуар, как раз на то место, где секунду тому назад находилась я. Сквозь тонированные стекла машины смотрела тьма. Через мгновение иномарка унеслась прочь.

— Вот сволочь! — в голос закричали парикмахерши, побросав фены и расчески. — Убивать таких мало!

— Напьются — и за руль! — воскликнула уборщица, подбегая к двери. — Да вы сядьте, сядьте, на вас лица прямо нет, побелела вся!

Я машинально опустилась на подставленный стул. Колени мелко дрожали, спину покрывал липкий пот, и голова кружилась, отказываясь оценивать происходящее.

— Номер запомнили? — спросила косметолог.

Я покачала головой. Нет, конечно, перепугалась до обморока. Вот цвет — да, серебристо-лунный.

— И я номер не увидела, — вздохнула сидевшая у окна маникюрша. — Только ручку качающуюся, да сейчас у всех такие, милиция и искать не станет.

— Ручку? — медленно поинтересовалась я, чувствуя, что сейчас потеряю сознание. — Какую ручку?

— Ну, такую пластмассовую ладонь, оранжевую, на присоске, — пояснила девушка, — многие для прикола такие на заднее стекло крепят.

Я молча сидела на стуле, задыхаясь от нехватки воздуха. Маникюрша посмотрела на меня с жалостью, потом завернула инструменты в полотенце и сказала:

— Вот что, девки, свезу ее домой, все равно клиентов нет.

— Правильно, Танюшка, — одобрили коллеги, — а то дама совсем в обмороке.

Меня усадили в белую «Ниву» и доставили прямо до места. И, только поднявшись в лифте на свой этаж и оказавшись перед до боли знакомой дверью с номером «Сорок два» на слегка порванной обивке, я сообразила, что сказала доброй и приветливой Танечке не адрес Кондрата Разумова, а координаты Катиной квартиры.

Слезы дождем брызнули из глаз. Ну почему, почему сейчас здесь никого нет? Ну зачем они уехали в Майами? Бросили меня одну сражаться с этим кошмаром. И что теперь делать? Противный майор Митрофанов, выгнавший меня под конвоем, ни за что не захочет ничего слушать, он уже заранее решил, будто Лена убийца. Славка в больнице, а Володя Костин в Дубаи. Ну почему, почему я так радовалась, когда мы дарили ему эту путевку в Эмираты! И что теперь делать? Домой к Лизе возвращаться нельзя, потому что там я окажусь в жуткой опасности. Милый, замечательный мальчик Андрюша, любящий животных, трогательно ухаживавший за матерью-пьянчугой, фанат Кондрата и добрый приятель Лизы, только что пытался задавить меня, как собаку. Впрочем, как раз собаку он ни за что не задавит!

Полная отчаяния, я забарабанила руками и плечами в дверь майора Костина и заревела белугой. Внезапно из квартиры донеслось:

— Это кто хулиганит?

Дверь распахнулась, и на пороге появился загорелый до невозможности Володя, в белых шортах и голубой майке.

— Лампа! — закричал он. — Что стряслось?

— Володечка, миленький, вернулся! — зарыдала я еще громче. — Любименький Володенька!

— А ну иди сюда, — велел Костин и втолкнул меня в квартиру. — Я сегодня прилетел в семь утра, ну говори...

Я рухнула на стул, стоявший у входа, и заскулила, как больной щенок.

— Быстро говори, что стряслось! — велел майор. — Кто-то умер?

— Меня только что хотели убить машиной, насмерть, — жалобно пролепетала я.

— Так, — с каменным лицом сказал Костин. — Немедленно рассказывай, в какую историю вляпалась на этот раз?

Где-то около семи я, полностью проинструктированная, открывала дверь квартиры Кондрата.

— Лампа! — крикнула Лиза. — А тут тебя Грызлов ждет, говорит, вы договорились, уже волноваться начал, а мы его с Машей успокаиваем.

Я вошла на кухню, краем глаза отметила, что на столе стоят зефир, конфеты «Коровка» и торт, явно испеченный хозяйственными девчонками, и спросила:

— А где пирожные? Корзиночки с натуральными фруктами и взбитыми сливками?

Юра открыл было рот, но тут Маша Гаврюшина взвизгнула:

— Ой, тетя Лампа, вы постриглись, как здорово!

— Ну ничего себе, — рассердился Юра, — я ее тут жду, а она по парикмахерским ходит!

— Случайно попала, — отмахнулась я, — это все машина, которая меня убить собиралась.

— Как убить? — заорали Лиза и Маша.

— Рассказывай немедленно, — потребовал Юрий.

Часам к одиннадцати все успокоились. Грызлов, взяв с меня честное слово, что я завтра не выйду на улицу, повез Машу Гаврюшину домой. Где-то около половины двенадцатого в квартиру очень тихо, почти на цыпочках, вошли Костин, Митрофанов и какой-то неизвестный мужик. Пока Володя и Митрофанов объяснялись с Лизой, мужик плюхнул меня в коридоре на пол на бок и довольно долго укладывал мои руки и ноги. Потом он наклеил на мой висок «рану», открыл пакет с чем-то красным и щедро полил часть моей головы, плечо и пол. По запаху я сразу поняла, что клейкая жидкость — настоящая кровь, и невольно дернулась.

— Лежи тихо, — велел мужик, — рот приоткрой и глазами не очень мигай. Свет в коридоре я потушу, пусть полумрак будет. Смотри не чихай и помни: ты — труп.

Потом послышался голос Лизы:

— Ой, жуть какая!

— Собаку с кошкой запри в гостиной, — велел Володя, — ну, давай, роль хорошо выучила, не подведешь?

— Что я, лохушка сраная? — обозлилась Лиза. — Без базара, по понятиям, авторитетно сварганю.

— Молоток, — одобрил Костин, — начинай, в натуре.

— А-а-а, — словно пожарная сирена завыла Лиза, кидаясь на лестничную клетку, — спасите, помогите.

Захлопали двери, послышались чужие голоса, топот, кто-то вскрикнул, потом взвизгнула женщина. Лиза орала как ненормальная:

— Убили, убили, застрелили, насмерть убили...

— Попрошу всех разойтись, — раздался суровый голос Костина, — освободите место происшествия, Сеня, опроси свидетелей, девочку — в «Скорую помощь».

— А-а, — визжала Лиза, — не хочу, менты позорные, легаши долбаные, волки неумытые, дайте умереть вместе с Евлампией Андреевной! О-о-о, что теперь со мной, сиротой, будет, о-о-о!

На мой взгляд, она явно перебарщивала, но из толпы перепуганных соседей неслись сочувствующие вздохи и всхлипы. Свою лепту в происходящее внесли и котенок со щенком. Запертые в гостиной, они сначала тихо поскуливали, а затем начали выть во всю мощь своих легких. Какофония стояла ужасающая. У меня отчаянно чесался правый глаз, и больше всего на свете я боялась чихнуть. Представляю, что случится тогда с соседями! Парочка настоящих трупов умерших с перепугу людей нам тогда обеспечена.

Наконец послышался лязг, дверь закрыли.

— Лампа, садись, — велел Володя.

Я немедленно повиновалась и пару раз с наслаждением чихнула. В прихожей, кроме Костина и Митрофанова, стояли еще двое крепких парней в синих комбинезонах.

— Давай, Лампец! — приказал Костин. — Полезай!

— Куда?

— В мешочек, — ласково сообщил один из юношей, ловко расстилая огромный черный пластиковый пакет.

— Зачем?

— А как мы тебя отсюда унесем? — вскипел Митрофанов.

— Трупу положено быть в упаковке, — философски заметил другой юноша. — Лезьте, лезьте, в лучшем виде доставим. Только до труповозки и потерпеть, а в машине сразу наружу выберетесь.

Проклиная тот день и час, когда подрядилась к Кондрату в экономки, я втиснулась в нестерпимо воняющее чем-то химическим нутро мешка и дала себя уложить на носилки. Потом сильные руки потащили меня вниз по лестнице и всунули в машину. Через пару секунд автомобиль, резво подскакивая на ямах и колдобинах, отправился в путь. Естественно, никто и не позаботился о том, чтобы помочь мне вылезти из мерзкого пакета, и я обломала все ногти, пытаясь расстегнуть «молнию». К тому же носилки оказались жутко жесткими и очень больно ударяли меня по спине и заду. Наконец застежка поддалась, я выпуталась, села и затряслась от холода, хоть бы куртку накинули, идиоты, на самом деле, что ли, поверили, что я труп? Сунули в мешок прямо в тоненьком свитерке, олухи!

И еще мне ужасно, прямо нестерпимо хотелось пить, чем дольше ехала машина, тем больше жажда оттесняла все остальные чувства, язык превратился в наждак, а горло напоминало воспаленную рану.

Наконец водитель затормозил. Я осторожно приоткрыла дверцу и увидела, что труповозка стоит перед нашим с Володей домом. У подъезда манил бутылками с разноцветными напитками ларек. Обрадовавшись, я пошарила в карманах брюк, нашла десять рублей, вылезла наружу и попросила у продавца:

— Маленькую бутылочку «Святого источника», газированного, пожалуйста!

— Мама родная! — ойкнул паренек за прилавком и быстро выставил бутылку. — Боже, вам не больно?

— Нет, — недоуменно ответила я, — а почему мне должно быть больно и где?

— У вас дырка в голове, — пробормотал мальчишка, синея на глазах, — и кровища хлещет, срочно к врачу надо и в милицию, жуть какая!

Я страшно разозлилась на себя. Ну надо же, совсем забыла, что я в гриме трупа, надо успокоить испуганного ларечника.

— Ничего, не волнуйтесь, это ерунда, — заулыбалась я.

Он прошептал:

— Тетенька, да вы откуда?

— Все в порядке, — продолжала улыбаться я, — не переживай, вот из этого симпатичного автомобильчика.

— Из труповозки? — робко осведомился парень.

— Да.

Юноша закатил глаза и грохнулся наземь. Надо же, какой нервный. Я, между прочим, в десять лет на спор с приятелями прошла ночью через кладбище, и ничего! А этот падает в обморок, словно истеричная девица.

— Лампа, — прошипел Володя, — ты тут делаешь?

— Водичку купила, пить хочу — жуть, наверное, на нервной почве, а продавец в обморок свалился!

— Идиотка, — прошипел Костин, быстрым движением накидывая мне на плечи куртку и надвигая капюшон чуть ли не на нос, — идиотка, иди быстрей в квартиру, а вы, парни, займитесь торгашом.

— Не-а, — произнес один из санитаров, — это не по нашей чести, мы только с трупами дело имеем.

— Ну хоть нашатырный спирт дайте!

— У нас его нет!

— Почему? — вскипел майор.

— Зачем трупу нашатырь? — резонно возразил другой парень. — Без всякой надобности.

— Идите наверх, — приказал Митрофанов, — я его сейчас в чувство приведу.

Следующие три дня я провела под домашним арестом в квартире у Костина. Мне строго-настрого было запрещено подходить к телефону, смотреть телевизор и включать радио. Ни одного постороннего звука не должно было доноситься из квартиры Володи, пока он горел на работе, а занавески майор перед уходом не только задернул, но даже застегнул булавками. Мне подобные меры казались смешными, но он был неумолим.

— Чего тебе еще надо? — весьма недовольно спросил он. — Привез кучу детективов, коробку шоколадных конфет «Коркунов», пирожных, между прочим, по сорок пять рублей штука! Лежи, отдыхай.

Вот как раз французских пирожных мне в данной ситуации хотелось меньше всего! Я без цели шаталась по квартире, потом все же решила позвонить Лизе, но не нашла трубку. Хитрый майор, очевидно, прихватил ее на работу.

28 марта Володя привез Лизу. Девочка кинулась с плачем мне на шею и принялась вываливать новости. Рамик и Пингва здоровы и отчаянно хулиганят. Бедная Маша Гаврюшина, которой ни в коем случае нельзя было рассказать правду, утопала в слезах и готовилась печь блины на моих поминках. Но самое невероятное известие пришло от Андрея. Он явился к Лизе абсолютно серый и прерывающимся голосом сообщил, что поскольку теперь у Лизы нет никого из родственников, то заботиться о ней станет он, поскольку является ее сводным братом.

— Это правда? — тарахтела девочка.

Я молча кивнула.

— Ну прикол! — взвизгивала Лиза. — Улет, прикинь, Лампа, я-то в него чуть не влюбилась! Зато как здорово, такой брат! Мечта! Ну и пусть матери разные, по отцу еще роднее получается! Здоровски вышло, клевота! Гавря умрет, когда узнает! Уснуть не встать!

31 марта Володя неожиданно примчался домой в полдень и сообщил:

— Все, птичка в клетке. Давай, собирайся, помнишь, как себя вести?

Я кивнула. Еще бы, все дни, проведенные в томительном одиночестве и ничегонеделании, я без конца репетировала свою роль и надеюсь, что справлюсь с ней отлично.

Меня привели в небольшую комнату, и вновь потянулись минуты, наконец прозвенел звонок. Прежде чем двинуться к выходу, я бросила взгляд в небольшое зеркало. Следовало признать, вид у меня был офигительный. На висок вновь наклеена рана, на лбу, щеке и шее — следы крови. Гример постарался на славу. Мое лицо было сине-бледным, вокруг глаз — черные пятна, нос заострился и вытянулся, губы — абсолютно бескровны. Волосы взлохмачены, торчат в разные стороны, и одета я в жутко перемазанный свитер, ставший жестким от засохшей крови, и мятые брючки, словом, настоящий оживший труп, роль которого и предстояло сыграть.

Звонок прозвучал вновь. Я подхватила со стола подносик, на котором стояли пирожные, те самые, из французской кондитерской, корзиночки со свежими фруктами и взбитыми сливками, тихо-тихо отворила дверь и, как тень, неслышно шмыгнула в соседнюю комнату.

В кабинете за письменным столом мирно сидел Володя, строча ручкой по бумаге, спиной ко мне скучал мужчина, естественно, не ожидавший моего появления.

— Черт, — пробормотал Володя и попросил: — Будьте добры, дайте с соседнего стола ручку, эта не пишет.

Мужик обернулся, и я узнала Юру Грызлова. Прозаик увидел меня и побелел. Я вытянула вперед подносик с пирожными и тихо-тихо завыла:

— Что же, Юра, ты не захотел мне купить пирожных в день моей смерти? Денег пожалел? Думал, Андрей задавит Лампу насмерть, и корзиночки ни к чему?

— Кто, что?.. — забормотал Юра, впав почти в бессознательное состояние. — Кто это???

— Где? — спокойно спросил Володя, не отрывая глаз от бумаги.

— Там, там, — тыкал пальцем в сторону двери Грызлов.

— Где? — переспросил майор, глянул в мою сторону и равнодушно ответил: — У двери? Никого.

— Как никого, — запинался Юра, — вон она стоит...

— Успокойтесь, — вздохнул Володя и налил воды, — выпейте, мы одни.

— Съешь пирожное, Юрочка, — тихо провыла я, делая маленький шажок к столу, — специально для тебя расстаралась, свежие, съешь, голубчик.

— Не подходи, — бормотал Грызлов, отмахиваясь руками, — не приближайся...

Лицо его приобрело синевато-красный оттенок, и Володя с неподдельной тревогой спросил:

— Вам плохо?

В эту секунду распахнулась дверь и вошел Митрофанов.

— Я-я-я, — заикался Юра.

— Что с ним? — поинтересовался Митрофанов.

— Сам не пойму, — развел руками Володя, — говорит, кто-то у двери стоит.

— Где? — удивился пришедший. — Здесь? Никого нет.

— Возьми, Юра, — ныла я, подбираясь ближе, — возьми сладенького, съешь, чтобы моя душенька успокоилась.

— Уйди, Лампа, — еле-еле ворочая языком, ответил Грызлов.

— Лампа? — нахмурился Володя. — Вам кажется, что на пороге Евлампия Андреевна Романова? Так она умерла, ее убили. Знаете, кто заказчик? Вы, гражданин Грызлов.

— Да, да, — затряс головой Юра.

— Зачем, зачем, — вздыхала я, — зачем ты это сделал, Юрочка? Съешь пирожное, не отказывайся.

— И Кондрата тоже убили вы? — скорей утвердительно, чем вопросительно, поинтересовался Митрофанов.

— Да, да, да, да! — заорал Юра, теряя всякое самообладание.

Я подобралась к нему вплотную, подсунула пирожные под самый нос и потребовала:

— Ешь немедленно!

Он как-то странно крякнул, я схватила его за плечо и крепко сжала:

— Сейчас же ешь корзиночки!

— Она живая, — взвизгнул Юра и упал со стула.

— Ну, Лампа, — разозлился Володя, — мы так не договаривались, чтобы за плечи хватать. Смотри, он теперь в обмороке.

— Ничего, — ответила я, — подумаешь, ему полезно!

ГЛАВА 31

Через пять дней после моего гениального выхода в роли привидения Андрюша, Володя, Лиза и я сидели на огромной кухне в квартире Кондрата.

— Клевая вещица, — причмокнул майор, ставя на стол пузатый бокал. — Небось дорогой коньячок?

— По деньгам, — нехотя буркнул Андрей и велел: — Ты, сеструха, давай лимончик порежь.

Лиза метнулась к холодильнику.

— Чего пирожные не едите, — продолжал сосед, — кушайте, Лампа Андреевна, ваши любимые, из французской кондитерской.

Я передернулась, вспоминая упавшего Грызлова и рассыпавшиеся по грязному полу корзиночки.

— Ей теперь вряд ли захочется лакомиться, — хихикнул Володя.

— А я так и не поняла, — тихо сказала Лиза, — зачем дядя Юра все это затеял?

— Гнус, — сказал Андрей, — крысятник!

— Вы у Лампы спросите, — посоветовал Володя, — она во всем лучше всех разобралась.

Я молча уткнулась носом в чашку. Вот ведь вредный, знает, что я понятия ни о чем не имею, и издевается.

— Расскажите, дядя Володя, — попросила Лиза.

— Ладно, — неожиданно охотно согласился майор, — тебе, детка, и впрямь следует знать правду. Только начать придется издалека, аж с 1975 года.

Мы замерли с раскрытыми ртами.

— Итак, — начал Костин, — в московском доме на лестничной клетке мирно живут люди.

Одна квартира коммунальная, и там полно жильцов, в частности, Костя Разумов, тогда еще никому не известный учитель русского языка и литературы в простой общеобразовательной школе, и его семья.

Соседняя отличная четырехкомнатная квартира — отдельная. Там живет Люда Казина с мамой и папой — директором ювелирного завода. Хорошенькая шестнадцатилетняя Людочка страшно нравится Кондрату, он вообще любит девушек намного моложе себя. То, что Людочка еще не достигла совершеннолетия, не смущает парня. У них разгорается страстный роман, в результате которого она беременеет. Как на грех, именно в этот момент папа, ювелир, попал под следствие, и мать Кондрата категорически потребовала, чтобы сын прекратил отношения с дочерью «расхитителя социалистической собственности». Кондрат был послушным сыном.

Мама Люды в спешке обменяла квартиру и быстро уехала подальше от сплетен. Делать дочери аборт она не разрешила, и на свет появился хорошенький и здоровый мальчик, названный Андрюшей.

— Не расстраивайся, доченька, — утешала его бабушка молодую мать, — вырастим вместе.

Мальчику дали фамилию Казин и отчество Константинович, в честь дедушки, отца Люды.

— Как, — подскочила я, — как в честь дедушки? Между прочим, настоящее имя Кондрата — Константин, ты забыл?

— Нет, — спокойно ответил майор, — конечно, не забыл, но я буду его называть Кондратом, а то мы запутаемся. Только звали отца Люды Константин Иванович Казин, вот такое странное совпадение, из которого ты сделала неверное заключение. Кстати, во всей этой запутанной истории много совпадений, подчас невероятных.

— Интересное дело! — налетела я на Андрея. — Зачем же ты говорил, что по батюшке Петрович?

— Ой, Лампочка, — засмеялась Лиза, — это я виновата, назвала его Петрович, сама не знаю почему!

— Мог бы меня поправить!

— Смущать не хотел, — буркнул Андрюша, — чего это я взрослую женщину конфузить стану! Решил, потом как-нибудь...

Я смотрела на него во все глаза. А ведь я подумала, что он специально скрывает от нас свое родство с Кондратом...

Володя хихикнул:

— Ты, Лампудель, неопытный оперативник. Иногда самые простые объяснения — самые верные.

Я молчала.

— Ладно, — рассмеялся майор, — с одним недоразумением разобрались, едем дальше.

Детство у Андрюши было невеселое. Мать постоянно пила, гуляла в темную голову, честно говоря, ничего, кроме колотушек и затрещин, он от нее не видел. Кондрат пару раз пытался встретиться с Людой, мать его к тому времени скончалась, и мужика мучила совесть. Он даже предложил ей выйти за него замуж, но девчонка отказалась. Жизнь у плиты, кастрюль и корыта ее не устраивала.

— Ты себя одного прокорми, учитель, — фыркнула она, — а я уж как-нибудь сама, и нечего к нам шляться.

Кондрат предпринял еще пару попыток, но потом понял, что деньги, оставляемые для Андрюши, Люда быстро пропивает, и прекратил дотации. В конце концов, он поступил как честный человек, предложив бывшей любовнице руку. Одним словом, родной отец исчез из жизни Андрюши, и мальчик долгое время не знал, кому обязан появлением на свет.

В восьмом классе он благополучно вылетел из школы в ПТУ, где выучился на автомеханика. Шел 1990 год, в стране почти голод, в тотальном дефиците все, от лекарств до туалетной бумаги. Чтобы не сдохнуть с голоду, Андрей пристроился подмастерьем в гараж. Господь дал ему настоящий талант, и хозяин гаража быстро скумекал, какой алмаз попал к нему в руки. Андрюша мог починить любой, даже совсем умерший автомобиль, он чуял любые неполадки и заработал от рабочих кличку Рентген.

В феврале 1990 года к гаражу подкатила роскошная иномарка. Возле шофера сидел хозяин — здоровенный мужик с абсолютно лысой, безукоризненно круглой головой.

— Глянь там, — велел он мастерам, — стучит.

Минут через десять мужики позвали Андрея, и тот в секунду устранил неисправность. Лысый хмыкнул и спросил хозяина:

— Умыл вас, придурков, пацанчик, а?

— Да у него, блин, талант, — ответил тот, — прямо петушиное слово знает, самородок, блин, чинит, а как — не пойму!

Лысый поманил Андрея пальцем:

— Ну-ка, сколько тебе этот жмот платит?

— Тридцать долларов, — ответил подросток.

— В день?

— В месяц.

Мужик расхохотался, обнажив металлические зубы.

— Ежели прямо сейчас со мной поедешь, будешь сто гринов в день иметь.

Андрейка вытер руки ветошью и нырнул внутрь кожаного салона. Так он попал к Глобусу, или Валерию Петровичу Дворнину, авторитету, влиятельной фигуре в криминальном мире.

Глобус отнесся к парнишке по-отечески — может, оценил великолепный дар, сделав его своим личным шофером и механиком, а может, просто припомнил свое голодное военное детство. То, что безотцовщине при пьющей матери приходится ой как худо, Глобус знал на собственной шкуре. Он вообще был странной фигурой в криминальном мире. Не любил крови, старался не ввязываться во всевозможные разборки с применением огнестрельного оружия, морщился при виде женских слез и обворовывал исключительно банки и инофирмы, причем не с помощью автоматов, а используя фальшивые бумаги. Андрея он берег, на дела не брал. В 1993 году Глобус потихоньку перебрался в легальный бизнес, занялся торговлей, скорешился с солнцевскими, которым тоже надоело погибать во цвете лет под пулями. В 1994 году Андрюша стал хозяином процветающей автомастерской и бензоколонки. Все было оформлено наиправильнейшим образом, и претензий к парню сегодня не имеет даже налоговая инспекция.

В 1998 году Глобус умер без всякого криминала, в своей постели от сердечного приступа. Андрюша к тому времени стал уже совсем взрослым — 22 года. Его жизнь после смерти покровителя не изменилась. У него было процветающее дело — пара ремонтных мастерских, салон по продаже автомобилей, бензоколонка...

И он был в этом мире своим, мальчиком, воспитанным Глобусом. Пару раз на него, правда, пытались наехать, но парень решил дела миром, и от него отстали, а долю «крыше» Андрей всегда платил исправно, да и времена на дворе стояли другие. Криминальный мир все больше трансформировался, сливаясь с молодым российским капиталом, умирать теперь не хотел никто.

К 1998 году у Андрюши не осталось никаких материальных проблем. Честно говоря, денег у него было столько, что девать их оказалось некуда. Но даже огромные деньги не помогли вылечить от пьянства мать.

Чего только не предпринимал Андрей, чтобы вытянуть ее из алкогольного болота, — торпеды, эсперали, кодирование, гипноз, курсы дезинтоксикации, искусственная почка — словом, весь набор средств, предлагаемых современной медициной. Отчаявшись, он принялся таскать Люду по экстрасенсам, колдунам и бабкам-шептухам. Результат — чистый ноль. Несколько месяцев после очередного лечения мать крепилась, выкуривая по две-три пачки сигарет в день, потом вновь хваталась за бутылку. Как-то раз в минуту просветления она со вздохом сказала сыну:

— Да брось ты меня, Андрюшка, видать, судьба такая, в водке утонуть.

— Глупости! — вскипел сын. — Я же не пью!

— Так ты в отца пошел, большой он теперь человек, — усмехнулась Люда. — Кто бы знал, что так повернется.

— А кто мой отец? — спросил Андрей.

— Писатель, Кондрат Разумов, детективы пишет, да ты его книжки все время читаешь.

Андрей обомлел:

— Врешь!

— Ей-богу, — перекрестилась Люда, — да у меня и письма от него есть, гляди! Можешь сходить познакомиться.

В эту ночь Андрюшка проворочался на шелковых простынях без сна. Он помнил мать только опухшей от пьянства и, честно говоря, думал, что она и не помнит имени мужика, сделавшего ей ребенка. А тут такой поворот событий. Было отчего сойти с ума.

С одной стороны, ему страшно хотелось поближе познакомиться с отцом, с другой — он боялся, что тот просто не пустит его на порог. Андрей даже не поленился сходить в Дом книги на Арбате на встречу с писателем Кондратом Разумовым, получил от него автограф, но так и не решился заговорить.

Детективы Кондрата он обожал и скупал все.

Потом Люда умерла, и Андрею пришла в голову мысль стать соседом отца. Задуманное он осуществил легко, отселив их старуху-соседку. А потом начал потихоньку набиваться к Кондрату в приятели, ненавязчиво, по-соседски.

Надо сказать, что Разумову понравился мальчишка, и он с охотой принимал его у себя. Пару раз Андрюша уже готов был признаться отцу, показать тому фото Люды, письма самого Кондрата, но каждый раз ему мешал страх: а ну как отец обозлится и разорвет с таким трудом налаженные отношения.

А потом Кондрата убили, и Андрей решил, что он должен подружиться с сестрой. Он собрался было напроситься в гости, но тут явилась я с просьбой вызволить из-под холодильника Пингву.

— Андрей! — строго сказала я. — Ну-ка, отвечай быстро, почему бампер твоего «Линкольна» был в крови?

— Так я собаку задавил!

— Это правда?

— Да, — кивнул Володя, — на самом деле, а на следующий день он поехал на место происшествия, нашел хозяйку, девочку, и купил ей щенка.

— А зачем тогда ты избавился от «Линкольна Навигатора»?

— Очень уж собак люблю, — тихо пояснил сосед, — до жути прям. Как садился за руль, просто плохо делалось, осточертел мне этот «Линкольн» долбаный, ну я и продал!

— Не ври! — сурово сказала я. — Его разбирали в гараже недалеко от нашего дома.

— Откуда вы знаете? — обомлел он.

— Неважно, знаю, и все.

— «Линкольн» тот паленый, — забубнил Андрюша, — пацаны его из Питера пригнали по заказу для одного ханурика, а тот придрался, что цвет не тот, и не взял. Ну братаны мне его и предложили за копейки. Чего, думаю, добру пропадать, вот и взял. А уж когда собаку ту несчастную переехал, то в гараж сволок, разбирайте, говорю, побыстрей. Продать-то нелегко. Такие машины только на заказ берут.

— Зачем врал, что продал?

— Ну, Лампа Андреевна, — заныл Андрей, — вы такая строгая, слово лишнее сказать боялся, все поправляете и учите, не поверите, я от вас прям мокрый уходил. Ну как я мог сказать, что «Линкольн» ворованный? Прикиньте на минутку, что бы вышло? А «Вольво» я честно купил, в салоне, ей-богу.

— А почему «Линкольн» не у себя в мастерской разбирал?

— Так тот гараж тоже мой, — пояснил Андрей, — у меня там мелочь работает, на ерунде учится, самая их работа; ломать — не строить.

Повисло молчание.

— Еще есть вопросик к тебе.

— Ну? — насторожился он.

— Откуда ты узнал, что в Кондрата выстрелил Ваня?

— Лиза сказала.

Я так и подпрыгнула.

— Лизавета? Велели же всем молчать!

— Брату можно сказать, — отрезала девочка.

— Но когда ты проболталась, ты ведь не знала об этом!

— Ладно, — буркнул Володя, — потом займешься воспитанием. Теперь все ясно с Андреем!

— Нет! Почему он хотел меня убить? Зачем пытался раздавить? Собачку пожалел, а Лампу Андреевну спокойненько под колеса?

— Вот е-мое, левая гайка! — фыркнул сосед. — Дядя Володя, объясните!

Я хмыкнула, сейчас майор покажет ему дядю! Но Володя крайне мирно ответил:

— Юрий Грызлов обратился к Андрею с предложением убить тебя. Андрюша поступил очень умно. Согласился и тут же пришел к Митрофанову. Вот они вдвоем и решили, чтобы не спугнуть Грызлова, инсценировать покушение. Андрей мастерски водит машину, просто ас. Он бы никогда тебя не задел, а со стороны все выглядело более чем убедительно.

— Ох и ни фига себе! — завопила я вне себя от негодования. — Да я чуть не умерла, хорошо, дверь в парикмахерскую оказалась под рукой!

— Я бы мимо вас проскочил, — сказал Андрей, — прямо на волосок, но мимо!

— Ну Митрофанов, ну и сволочь, почему меня не предупредил?

— Боялись спугнуть Грызлова, он к тому моменту был под большим подозрением, недоставало только кое-каких нюансов.

— Зачем вообще было соглашаться убивать меня! — орала я, размахивая руками. — Бред!

— Вовсе нет, — возразил Володя. — Андрей сказал Грызлову, что тебя спасла случайность, и он попытается еще раз.

— Зачем?!!

— Чтобы Грызлов не обратился к кому-нибудь другому, кто уж точно сделает из тебя отбивную, дура! — наконец-то вышел из себя майор. — Да ты подумай на минуту, как к тебе относится гражданин Казин, если он, с его биографией, пришел в милицию!

— Да уж, — наморщил лоб Андрей, — никогда в легавку не бегал, а тут потопал. Тут вопрос как стоял: либо я этого Грызлова мочу, либо он вас, Лампа Андреевна. А мне на мокрое дело идти не с руки, даже ради вас, вот и побежал в ментовку. А Митрофанов ничего, с понятием мужик, зря вы на него гоните!

Я схватила кружку и залпом выпила воду.

— Одного не пойму! Почему Юра хотел убить меня? Володя вздохнул:

— А это другая история.

— Давай, — хором велели мы с Лизой, — рассказывай.

ГЛАВА 32

— На этот раз, — завел Володя, — нам придется вернуться опять назад, в 70-е годы, в семью Разиных.

— А, — не утерпела я. — Я сама долго думала, что главный негодяй тут Степан Разин, только он покойник, я бумажку видела!

— Давай говорить будет кто-нибудь один! — обозлился Володя. — Что ты узнала про Степана?

— Ну, он воспитывался у тетки, попал в зону за спекуляцию джинсами, поскольку статьи о сутенерстве в кодексе не было, и умер в Козлятинске в 1984 году.

— Хорошо, — вздохнул майор, — с Козлятинска и начнем.

Маленький, скучный провинциальный городок, где половина населения работает в зоне — воспитателями, конвойными... Степан попал во второе подразделение, там служил отрядным Юра Николаев. У Юры была любимая младшая сестра Верочка.

Степан интересный, воспитанный парень, выгодно отличался от других обитателей зоны. И статья у него висела «интеллигентная» — спекуляция, как тогда говорили — фарцовка. Не убийство, не мошенничество, не разбой и не изнасилование...

В 1983 году Верочка Николаева закончила медучилище, и любящий брат пристроил ее на работу в зону, посадил в медпункт. Степану не составило никакого труда влюбить в себя молоденькую неопытную дурочку.

Женщины всегда падали к его ногам, а Разин умело пользовался их чувствами. Парню безумно хотелось разбогатеть, отселиться от надоевших родителей, жить собственной жизнью. Он был на редкость беспринципен, двуличен и крайне себялюбив. Его жизненная история до зоны усеяна «обломками» любовниц, совершавших ради Степы безумные поступки. Одноклассница Разина Света дала ему крупную сумму денег. Степа тогда купил десять пар американских джинсов и продал штаны втридорога. В его карман попала нехилая прибыль, и его мало волновало, что Света отправилась по этапу. Дочь соседей Людочка забеременела от Разина и была брошена им без жалости. Сначала он даже собирался жениться на ней, мысленно подсчитав, что достанется девчонке от родителей, но, когда будущего тестя посадили, несостоявшийся зять поспешил откреститься от ненужной девушки.

Потом начался ромал с Аленой Криволаповой. Женщина кажется Разину вполне подходящим объектом, старовата немного, но возраст с лихвой искупается прекрасной квартирой, до отказа забитой шмотками и мебелью, дачей, машиной... Еще у Алены есть парочка тугих сберкнижек. Было только одно «но» — муж, Мирон Сергеевич. И тут Степа дает маху, начинает с любовницей обсуждать способы устранения мешающего им супруга. Конечно, Алена сама опустила сковородку на голову муженька, но приучил ее к мысли об убийстве мужа не кто иной, как Степан. Парень хотел сделать все шито-крыто, но Алена сваляла дурака, погорячилась в недобрый час, за что и была наказана.

И вновь Степочка вышел сухим из воды, свел с живота компрометирующую родинку и выставил Криволапову на суде в крайне нелицеприятном виде.

Степану постоянно везло. Любящие приемные родители верили ему безоговорочно, и парень преспокойно жил дальше, лелея мечту о богатстве. Он был абсолютно аморален, лишен каких-либо человеческих чувств, но отлично умел изображать любовь, даже страсть. Целуя Раису Андреевну на ночь, Степа с сожалением думал, что мать великолепно выглядит и не скоро еще отойдет в мир иной, оставив ему нажитое. Карьера инженера с нищенским окладом его не привлекала, но он послушно учился в институте. Активный комсомолец, общественный работник, отличник и... содержатель притона, сутенер... Когда правда вылезла наружу, многие долго не могли в нее поверить.

Правда, Степа отрицал все. Девчонки врут, как одна, оговаривают, мстят за то, что он их бросил!

— Подумайте, — обращался он к судье, — если я организовал публичный дом, то где деньги? Сумма небось большая должна была набежать. Но сами видите, сберкнижки у меня нет!

Но, очевидно, его везение кончилось, и Степа отправился в Козлятинск. В лагере ему не понравилось, впрочем, мало найдется людей, которым по душе находиться за колючей проволокой, и он решает изменить свое положение привычным образом, за счет женщины.

Верочка влюбилась в него тут же. Сначала она просто поила Степана в медпункте чаем с конфетами, затем начала таскать туда домашние обеды. Брат Юра, узнав о связи сестры с осужденным, пришел в негодование и велел ей немедля разорвать отношения. Но Вера не смутилась, более того, она объяснила брату:

— Степа попал в зону по глупости, осознал вину и исправился. В Москве у него пожилая мать, больной отец, отличная квартира, дача, машина. Между прочим, и незаконченное высшее образование... И он меня любит, а за кого прикажешь выходить замуж в Козлятинске? За Сережку-алкоголика? Или Ваську-слесаря?

Юра, обожавший сестру, вызвал Степана на разговор.

Тот подтвердил: да, он любит Верочку без памяти. Николай навел справки и узнал, что все правда. И квартира есть, и дача, и машина, а мать — пожилая, вполне приличная женщина, отец дышит на ладан.

Юрий резко изменил свое отношение к Разину, он не хотел упустить выгодного жениха для сестры и велел влюбленным:

— Ведите себя аккуратно, не дай бог, кто-нибудь прознает, всем нагорит. Ты, Степка, кончай в медпункт шастать, это подозрительно выглядит.

— Где же нам встречаться? — всплеснула руками Вера.

— Я все устрою, — ответил брат.

И, правда, устроил. В колонии имелась так называемая гостиница. Вход в нее был расположен со стороны дороги, перед контрольно-пропускным пунктом. Там жили родственники, которым были разрешены трехдневные свидания с заключенными. Им предоставляли комнатку с кроватями, а в конце коридора имелись общая для всех кухня, ванная и туалет.

Подобные свидания дают не всем, а только тем, у кого нет замечаний, да и немногие родственники могут провести с осужденным трое суток. Гостиница частенько пустовала. Именно этим и воспользовался Юра.

Каждый раз, оставаясь дежурным по лагерю, он орал на Степана, придирался к мелочам и тащил того в карцер. Поздно вечером, когда в зоне не было никого из начальства, Юра приводил Степу в гостиницу, а с улицы проскальзывала с сумкой домашних вкусностей Вера. До семи утра комната была в их распоряжении. Иногда Юрий заглядывал к влюбленным и пропускал с ними рюмашку.

Через полгода он искренне начал считать Разина своим зятем. Потом случилось страшное.

Зимней ледяной ночью здание гостиницы вспыхнуло, как костер. В лагере из работников были только дежурный на КПП, Юрий да охранники. Дежурный нарушал должностную инструкцию, задавая храпака на диване, парочка охранников мирно резалась в домино. В Козлятинске никогда ничего не случалось. В эту зону отправляли первоходок, людей, которым не было никакого смысла бежать — догонят и навесят еще срок. Вот лагерная охрана и расслабилась. Словом, когда пожар заметили, огонь уже сжирал крышу. Поднялась суматоха, послали за пожарными. В самом Козлятинске команды не было, машину гнали из соседнего Мокеева... В общем, когда труженики багра и брандспойта явились по вызову, от старой деревянной гостиницы не осталось ничего.

Наутро на поверке недосчитались Степана, опять поднялась суматоха. К тому же на работу не вышел Юрий Николаев, остался закрытым и медпункт.

Около полудня на прием к начальнику лагеря запросился Семен Шальнов. Мужик рассказал «хозяину» невероятную историю. Вчера после обеда Степка Разин пожаловался Семену на отрядного Николаева.

— Вот гад, подсовывает мне свою сестру, просчитал, что у меня в Москве квартира, дача и родители-пенсионеры. Хочет, чтобы я на Верке женился, и таскает меня в гостиницу к ней на свиданки, а я отказаться боюсь, только не говори никому, узнает — со свету сживет.

Семен пообещал молчать, но утром, сопоставив факты, побежал к начальству. На пепелище и впрямь были найдены фрагменты человеческих костей, но эксперты затруднились сказать, сколько человек погибло — один, два, три...

Местное начальство, чувствуя, что сейчас вот-вот с погон полетят звезды, быстренько рапортовало в Москву. Версия выглядела безукоризненно. В результате неисправности электропроводки в построенной при царе Горохе гостинице начался пожар. При тушении погибли двое — отрядный Юрий Николаев и осужденный Степан Разин, о Верочке решили не вспоминать, словно ее и не существовало. Вера и Юра не имели родственников, и никто не поинтересовался, куда подевалась молодая женщина. Приехавшую из Москвы для разбора происшествия комиссию упоили до свинячьего визга, устроив сначала охоту, а потом баню с немеренным количеством спотыкача — местной самогонки.

И хотя народ шептался, будто дело нечисто и Верочка тоже сгинула в пламени, никто из комиссии не услышал этих речей. К тому же в комнате, где проживала Вера, не нашлось никаких ее вещей, чьи-то руки позаботились спрятать концы в воду.

Степана Разина объявили умершим и отправили родителям соответствующую бумагу.

— Ага, — сказала я, — ну и при чем тут этот Степка? Согласна, он малосимпатичный тип, но к смерти Кондрата не имеет никакого отношения.

— Степан несколько недель жаловался Вере на повышенное давление, — спокойно пояснил Володя, — девушка давала ему клофелин.

Набрав нужное количество таблеток, он подсыпал их в самогонку, которую приносила Верочка. Юра же, как всегда, пришел навестить влюбленную парочку.

Выпив «коктейль» из водки и клофелина, Вера и Юра заснули мертвецким сном. Степан преспокойно снял с несостоявшегося родственника брюки, рубашку, накинул его тулуп, ушанку, вышел через парадный, никем не охраняемый вход на улицу и был таков. Перед уходом он зарулил на кухню, там в шкафчике пылилась огромная бутыль с керосином. В колонии не было магистрального газа, на кухне в гостинице стояли баллоны, иногда они заканчивались, и тогда доставали примус.

Степан, не колеблясь, вылил горючую жидкость в комнату, где спали брат с сестрой, потом чиркнул спичкой.

Он великолепно знал, что тревогу поднимут не сразу. В четыре утра в Мамонове, крупном райцентре, находящемся в пяти километрах от Козлятинска, затормозил на полторы минуты пассажирский поезд Владивосток — Москва. Молоденькая проводница согласилась подбросить до столицы симпатичного паренька всего за пять рублей. Степан поднялся в вагон, девушка лязгнула железной подножкой, состав начал набирать ход... На секунду за окном промелькнул проблеск пламени.

— Пожар, видать, — зевнула проводница. Степан промолчал, мысленно прощаясь с уголовником Разиным, молодым человеком с подмоченной биографией. Утром на столичный вокзал с поезда сошел Юра Николаев, милый, легко конфузящийся парень, приехавший покорять столицу из провинции.

— Значит, он жив! — ахнула я.

— Да, — подтвердил Володя, — живехонек, здоровехонек. Только не торопи меня.

Хитрый Юра устроился на стройку рабочим, получил временную прописку, потом поступил в областной педагогический институт. Его жизнь — цепь обманов, но судьба вновь благоволит к парню, и ректор педагогического института верит приятному абитуриенту, со слезами на глазах рассказывающему, как в поезде лишился багажа, стал жертвой ограбления. Пропали все документы — аттестат об окончании школы, военный билет, вот только паспорт цел... Проникшись жалостью к бедному парню, профессор разрешил ему сдать выпускные экзамены с условием, что юноша потом представит копии бумаг. Мальчиков в педе хронически не хватало.

Юра блестяще сдал экзамен, поступил на первый курс и... завел роман с дочерью самого ректора, не слишком красивой Танечкой. Через полгода, как раз после зимней сессии, сыграли свадьбу. Юра использовал шанс окончательно запутать свою биографию и, в доказательство того, что без памяти любит молодую жену, отказался от фамилии Николаев и взял фамилию супруги. Угадайте, как его теперь зовут?

— Ну? — спросил Андрей. — Как?

— Как? — эхом отозвалась Лиза.

— Интересно? — хохотнул Костин и принялся с шумом хлебать чай.

— Давай не тяни, — велела я, — говори быстрей!

Володя медленно отставил чашку, мы как завороженные смотрели ему в рот.

— Грызлов, — закончил майор, — он стал Юрием Грызловым. Не слишком благозвучно, зато безопасно.

— Во, блин! — в голос воскликнули Андрей и Лиза.

Я же не сумела выдавить из себя даже звука.

— Грызлов, — повторил Володя. — И я теперь буду в дальнейшем его именовать только так, чтобы не путаться.

Юра счастливо жил с молодой женой все пять лет, пока учился в институте. Папа-профессор души не чаял в зяте, построил молодым кооперативную квартиру и подарил свою машину — «Москвич» темно-вишневого цвета. Естественно, ни о каких копиях документов речь не заходила никогда.

В 1989 году Юра получил диплом и тут же оказался в аспирантуре. Не успели на доске вывесить приказ, как случилось несчастье, подробности которого известны только с его слов.

Вечером они с женой ехали с дачи. Якобы муж доверил руль только что получившей права супруге, а та не справилась с управлением и влетела прямехонько в опору линии электропередачи. Свидетелей происшествия не было. Танечка погибла мгновенно, на Юре остались только царапины и ушибы.

— Он убил ее! — выкрикнула я.

— Это недоказуемо, — вздохнул Володя, — но, думается, смерть несчастной женщины не была случайностью.

Юра был безутешен. Он ушел из института, скорбящий тесть пристроил зятя-вдовца в одну из городских газет, началась литературная карьера Грызлова. Все вокруг жалели мужика, а он великолепно себя чувствовал один в большой квартире.

Здесь еще раз хочется упомянуть, что Юра абсолютно беспринципен, крайне эгоистичен и для удовлетворения своих желаний готов на все.

Грызлов работал в разных изданиях, а через несколько лет принес небольшую детективную повесть в «Фила-Пресс». У него налицо явный литературный дар, он быстро пишет, ловко склеивает сюжет, но... его романы абсолютно не оригинальны, рынок завален подобной литературой. Хозяева «Фила-Пресс» колеблются, стоит ли им начинать раскручивать нового автора, и тут главному редактору в голову приходит гениальная мысль — выдать повесть Грызлова за новую вещь популярного Андрея Малькова.

Мальков быстро спивается, а денег в него вложено куча. Юра был не в восторге от этого предложения, но «Фила-Пресс» соглашалось иметь с ним дело только на этих условиях.

Если просмотреть все книги, выпущенные Мальковым за несколько лет до смерти, то станет понятно, что детективы вышли из-под пера Грызлова. Андрей теперь только пьет по-черному. Честно говоря, Юру через два года начала тяготить эта ситуация, он попытался начать собственную карьеру. Но странное дело, повесть, вышедшая под фамилией Грызлов, не имела никакого успеха и осела на полках мертвым грузом. Произведения же Малькова раскупались хорошо, и Юре пришлось работать под чужой личиной. Наконец Мальков умер...

— Он и его убил? — тихо спросил Андрей.

— Нет, — покачал головой майор, — тот сам допился до белой горячки и цирроза печени.

Юра понял, что наконец наступил момент, когда он сможет навсегда попрощаться с Мальковым, в издательстве, правда, были недовольны, но, кроме «Фила-Пресс», в Москве полно других фирм. Спешно сдав последние три рукописи, на которые у него были заключены договоры, Юра принялся за работу, наведя контакты с «Макмаиздат» и «Онкоглобол», но тут возникли более чем серьезные проблемы, связанные с Кондратом Разумовым.

Кондрат был весьма своеобразный человек: грубоватый, хитрый, любитель вкусной еды, бабник, ловелас. Но, в отличие от Грызлова, использовавшего своих любовниц, Разумов поступал с брошенными женщинами по-рыцарски. Покупал квартиры, давал им отступные, забрал у первой жены дочь Лизу и воспитывал девочку как умел. Он много зарабатывал и позволял себе быть щедрым, иногда даже расточительным. Разумов всю жизнь обожал юных девочек, и каждая его следующая жена была моложе предыдущей. Но последние годы он весьма счастливо жил с Леночкой. Юная супруга оказалась умней и расчетливей всех предыдущих жен. Она великолепно понимала, что Кондрата невозможно удержать возле одной бабы. Ну попробуйте не уронить на пол резиновый мячик, намазанный маслом! И Лена выбрала единственно правильную тактику — закрывала глаза практически на все и отпускала мужа пастись на травке. Отпускала, но на длинном поводке и в строгом ошейнике. Кондрат был человек увлекающийся, а Леночка не собиралась расставаться с ролью жены популярного писателя. Она никогда не устраивала мужу сцен ревности и, если считала какую-то ситуацию опасной, моментально принимала меры. Быстро избавилась от продавщицы Зины Ивановой, купив той квартиру, спокойно сгладила еще несколько таких же щекотливых моментов.

Вышла из себя она только один раз, когда узнала, что наглая журналистка Ангелина Брит, проведя с Кондратом неделю у моря, сделала на компьютере фальшивое свидетельство о браке и показывала его людям. Лена решила примерно наказать безобразницу и устроила той «душ» из клея и чернил. Естественно, добрые люди моментально рассказали Кондрату о поступке жены, но писатель только посмеялся и вставил этот эпизод в свой новый роман.

Кстати, Лена сама не без греха, пару раз у нее случались связи, но она проворачивала свои дела очень тихо. А потом она влюбилась в Грызлова.

Вспыхнула невероятная, какая-то африканская страсть. Сначала любовники вели себя крайне осторожно, потом начали вместе показываться на людях. Лена просто потеряла голову, ей казалось, что события складываются наилучшим образом. Юра — тоже удачливый, отлично обеспеченный литератор, и она подумывала о смене супруга.

Но тут случилось непредвиденное. Кондрат, мило улыбаясь, зазвал к себе Юру и сказал:

— Почитай-ка рукопись моей новой книги, должна выйти в апреле.

Грызлов удивился. Подобные просьбы не в ходу у литераторов.

— Зачем в рукописи? Подаришь издание...

— Почитай, почитай, — ухмыльнулся Кондрат, — тебе понравится.

Юра в недоумении забрал роман домой, устроился в кресле и чуть не лишился чувств. Главного героя зовут Степан Разин, воспитывает его в детстве тетка... Слишком много совпадений с реальными событиями. Нет только описания зоны и пожара.

В полном ужасе Грызлов позвонил Кондрату и спросил:

— Сколько ты хочешь за рукопись? Откуда ты все узнал?

И получил ответ.

Разумов нанял детектива следить за Леной, а потом обратился в то же агентство с просьбой отыскать компромат на Грызлова.

— Это только тебе, мерзавец, казалось, что концы в воду спрятаны, — чеканил Кондрат, — на самом-то деле все выеденного яйца не стоило. Сначала стали проверять Юрия Грызлова и узнали, что он... «получился» из Юры Николаева, а тот, оказывается, вот незадача, давным-давно погиб при пожаре... В книге-то я не всю информацию использовал.

Грызлов первые минуты просто не знал, как реагировать.

— Книга выйдет в апреле, — продолжал Кондрат, — а потом я соберу пресс-конференцию и раскрою тайну главного героя, то-то шум поднимется! Представляешь? Газеты, телевидение, радио — все о тебе заговорят. Если в тюрьме, куда ты обязательно попадешь, найдется бумага и карандаш, твой новый роман, написанный за решеткой, будет иметь успех!

— Зачем ты все рассказываешь? — спросил Юра. — Почему меня предупреждаешь?

Кондрат помолчал и ответил:

— За ошибки, Юрочка, следует расплачиваться. Небольшая денежная инъекция, и я меняю имя главного героя и стараюсь забыть не слишком приятную правду про тебя.

— Ну кто бы мог подумать, что Кондрат — шантажист! — воскликнула я.

— К сожалению, — вздохнул Володя, — он уже пару раз проделывал подобные штуки с другими людьми. На него работало несколько человек — сборщиков информации. И ведь как ловко придумал — этакое литературное киллерство, совершенно беспроигрышный вариант. Перепугавшаяся жертва платила, а Разумов все равно выпускал роман, только менял в нем фамилии, при помощи компьютера подобную трансформацию можно произвести за десять секунд... Кстати сказать, таким же образом он расправлялся со своими недругами. Историю про академика Парина слышала?

Я кивнула.

— Вот теперь под прицел литературного киллера попал Грызлов. Кондрат, великолепно понимая, что по сумме свершенных преступлений дело Юрия потянет на пожизненное заключение, требует с того ни много ни мало полмиллиона долларов.

Грызлов цепенеет, таких денег у него нет. Максимум, что есть в кубышке, — сто тысяч «зеленых», и он предлагает Кондрату эту сумму. Но Разумов советует:

— Продай квартиру, дачу, машину. Кстати, у тебя неплохая коллекция картин. Не жадничай, Юра, хуже будет. Даю тебе десять дней.

— Дай хоть месяц, — просит тот.

— Нет, — отрезает Кондрат и подписывает себе смертный приговор.

Ох, зря он связался с Грызловым, у Юрия буйная, совершенно криминальная фантазия, недаром он столь быстро и легко пишет детективы. Но Кондрат явно недооценил противника, к тому же до сих пор его жертвы безропотно платили дань.

Юра тоже прикинулся испуганным. На следующий день он привез двадцать тысяч и сказал Разумову:

— Буду приносить деньги частями.

Грызлов мог сразу притащить сто тысяч, но ему нужен повод для посещения квартиры Кондрата.

— Мне без разницы, — пожал плечами Разумов, — только лучше по пятьдесят тысяч, как раз за десять дней пятьсот выйдет.

Изображая испуг, Юра начал действовать. Самое интересное, что «сценарий» убийства он взял из романа «Загон с гиенами», основная роль в нем отведена без памяти влюбленной в Грызлова Лене — Юрий, как всегда, хочет решить проблему при помощи женщины.

Не так давно она со смехом рассказала любовнику, что в свое время закрутила роман с Антоном Семеновым. Сначала смазливенький паренек нравился ей безумно, потом она поняла, что избранник альфонс, жмот, мечтающий жить за ее счет, и разорвала отношения.

— Прикинь, какой мерзавец, — ухмылялась Лена, — за деньги на все готов, мать родную продаст. А уж самомнение! Купил пистолет и положил в машине в «бардачок», боится, что на него нападут! Ну кому такой урод нужен!

Моментально вспомнив Ленины откровения, Юра поехал в Дом литераторов, где в ожидании очередной «любви» тусовался Антон, и угостил мужика ужином. Любящий поживиться за чужой счет парень с удовольствием ел и много пил. К концу вечера он был пьян в лоскуты. Юра оттащил Ромео в машину и забрал пистолет.

Затем Грызлов пришел к Разумову с очередной порцией денег и подарил Ване пистолет, предупредив ребенка:

— Никому не показывай, вот начнете в войну играть, то-то папа удивится!

Он ничем не рисковал, современные игрушки до отвращения похожи на настоящее оружие, к тому же Ванечка моментально согласился с тем, что изумительный револьвер надо применить во время очередных «боевых действий», и быстро спрятал подарок.

— Погоди, погоди, — заволновалась я, — но ведь «зауэр» подарила сыну Лена...

— С чего ты это взяла? — усмехнулся Володя.

— В магазине сказали, что она специально заказала такой...

— Правильно, ну и что? Лена каждый день совала пареньку игрушки, да у того пистолетов в детской по протоколу обыска было сто шестьдесят две штуки.

— Сколько?

— Сто шестьдесят две штуки, — повторил Володя, — это не считая автоматов, пулеметов, ружей, гранатометов и электронных танков, слава богу, уменьшенных размеров. Так что ничего особенного в ее подарке нет.

— Я думала, что кто-то вынул из упаковки игрушку и вложил туда настоящее оружие...

— Нет, Юра просто дал Ване пистолет и велел спрятать, а тот послушался, и было это буквально за час до смерти Кондрата.

Грызлов великолепно знал от Лены, что Разумов никогда не пропускал игры в войну, а час икс у них с сыном всегда был ровно в семь. Юра пришел в шесть, отдал Кондрату очередные двадцать тысяч и подсунул Ване «зауэр».

— Но я не помню, чтобы он входил! — удивилась я.

— Ты ушла за хлебом, — тихо ответила Лиза, — дверь открыла няня, Анна Ивановна, дядя Юра буквально десять минут побыл и ушел.

— Ну почему ты мне об этом не рассказала! — накинулась я на Лизу. — Почему молчала?

— Ты не спрашивала, — резонно ответила девочка, — и потом дядя Юра постоянно ходил, ничего особенного в его визите не было.

— Через час после ухода Грызлова прогремел роковой выстрел, — вздохнул майор, — дело сделано, теперь следовало подсунуть милиции подозреваемую.

Соблазненный большой суммой денег, Антон Семенов оговорил Лену. Для пущей убедительности Юра подключил к делу и Ангелину Брит.

С ней тоже просто. Она была патологически жадна и ненавидела Лену черной ненавистью.

Лену увезли в милицию, а довольный Юра успокоился. Но тут жадный Антон позвонил ему и потребовал деньги за молчание. Но он не знал, с кем имеет дело, и погиб под колесами автомобиля, который Грызлов благополучно угнал, а после свершения преступления бросил на соседней улице.

И тут в дело вступила Лампа. Ангелина Брит была напугана до предела визитом нашей Марпл и позвонила Грызлову. В истерике она вопила, что расскажет правду, что Юре мало не покажется...

Литератор успокоил ее, сказав, что Антон попал под машину случайно, и обещал Лине привезти десять тысяч баксов прямо сейчас, немедленно. Глупая и жадная девица согласилась, дальнейшее известно.

Я молча вертела в руках чайную ложечку. Господи, какая же я дура! Ведь я нашла номер телефона Юры в памяти аппарата Брит и думала сначала, что она сама позвонила убийце, а потом забыла про эту версию. Ну не идиотка ли! Была в двух шагах от разгадки!

— Не огорчайся, дорогуша, — ободрил меня Володя, — это еще не все сделанные тобой глупости. Ты же позвонила Грызлову?

Я кивнула.

— И вы встретились в ресторане?

— Да.

— Он напоил тебя?

— Да, но зачем?

— Ну, святая простота, хотел узнать, что тебе известно, а ты с пьяных глаз радостно сообщила — почти ничего. Вот Грызлов и успокоился, а чтобы ты перестала играть в детектива, рассказал историю про продавщицу Зину Иванову.

— Ага, а я ее проверила и выяснила, что все произошло год тому назад и не совсем так, как объяснил он. Пришлось заняться Степаном Разиным.

— Душенька, — умилился майор, — да ты просто Шерлок Холмс.

А Грызлову пришлось пережить несколько неприятных минут. Он пришел в издательство, наткнулся на Евлампию, увидел на столе у редактора пачку денег и расспросил нашу дурочку. Та ничтоже сумняшеся выложила, что принесла рукопись «Загон с гиенами».

Юра чуть не упал замертво. Он-то сделал все необходимое, чтобы рукопись исчезла из компьютера. Сразу после смерти Кондрата, поздно ночью, когда все домашние спали, он приезжал к Лене и посоветовал той отослать подальше мальчика. Женщина сама собиралась отправить сына на Кипр. Пока она разговаривала в спальне по телефону, Юра ждал в кабинете, он готов был немедленно ехать за билетами в круглосуточную кассу. В то время как Лена договаривалась с подругой, Грызлов влез в компьютер и уничтожил «Загон с гиенами», прихватив и дискету из коробочки, где хранился архив. Собственно говоря, после смерти Кондрата ему не так и страшно опубликование романа, но он не хотел рисковать. Представьте теперь его изумление после разговора с нашей Лампулей.

Он действует немедленно.

— Поняла! — закричала я. — Все поняла!

— Да? — удивился майор.

— Да. Юра сказал, будто забыл ключи в издательстве, вернулся и подменил дискеты, бросил на столе у Галина пустые. Только допустил ошибку. Я принесла информацию на «Сони», а он подменил на «IDK». Потом расспросил меня, где я нашла «Загон», напросился в гости, симулировал сердечный приступ, а пока я бегала в аптеку, вновь уничтожил в компьютере все следы романа, он только не знал, что осталась распечатка. А затем выписал из телефонной книжки адрес Леокадии Сергеевны и разорвал блокнот на мелкие кусочки. Он правильно решил, что я подумаю, будто Рамик сожрал книжечку.

— А зачем он ее рвал? — поинтересовался Андрей.

— Не хотел, чтобы я еще раз поехала к машинистке или позвонила ей. Он решил уничтожить в компьютере информацию, заявился к Леокадии Сергеевне, которая не знала о смерти Разумова, представился его приятелем, отвел старушку к себе в машину и отключил в ее комнате все электроприборы. Здорово придумал, любой человек подумает, что плохо разбирающаяся в компьютерах старушка решила избежать пожара. Вот только зачем он ее убил?

— А ее никто не убивал, — пожал плечами Володя.

— Как, — подскочила я, — как не убивал? Я сама видела труп!

— Да ну? И где же?

— Передача «Петровка, 38» показывала...

— Так-таки показывала?

— Конечно, крупным планом труп старушки, я ее по серьгам опознала.

— По серьгам, — передразнил майор, — ну молодец! Юра и не думал убивать Леокадию Сергеевну. Он приехал к ней и сказал, что нуждается в срочной перепечатке романа, посадил старуху у себя на даче за компьютер, дал ей какие-то бумаги и велел их набивать. Сумму за услуги предложил такую, что бабушка согласилась на его условия — пожить во время работы на даче у Грызлова. Она и сейчас там, в полном здравии. Юра хотел привезти ее домой в ближайший понедельник. Он, конечно, мерзавец, убийца, но не маньяк, лишние трупы ему ни к чему, и, где можно обойтись без крови, он старался не убивать.

— Но серьги, камеи в оправе...

— Интересно, — хмыкнул майор, — сколько пожилых женщин любит подобное украшение. И потом, что же ты внимательно не посмотрела в лицо трупа.

— Да его показывали всего пару минут, все в крови, ужас! Я не рассмотрела как следует.

— А серьги, значит, приметила, — хохотнул Володя. — Молодец, майор Пронин.

Я не нашлась, что ответить.

— Дальше ты вообще делала одни глупости, — потешался приятель, — жаль, нет звания «Мастер глупости». Сообщала Грызлову о Степане Разине, и он понял, что ты движешься в опасном направлении.

Юра боялся своих настоящих родственников — сестер и тетку, вот кто мог опознать его как Степана Разина. Правда, прошло много времени, но все же... Он пошел вместе с Лампой в кафе «Лимонадный Джо», не боясь, что Галина его приметит, потому что сел спиной к столику, кстати, по просьбе Лампы.

— Как он ухитрился убить Галину? — удивилась я. — Ведь он все время провел со мной.

— Он ее не убивал, — сообщил Костин.

— Как?!!

— Так. Я же сразу сказал, в этой истории слишком много роковых случайностей. Галину на самом деле сбила машина.

— Да ну?!

— Именно, трагическое совпадение. Пьяный студент украл автомобиль, покататься захотелось идиоту. Не справился с управлением и сбил женщину. Перепугался до полусмерти, попытался удрать, вылетел на проспект и врезался в «Мерседес». Там его и взяли, ну а протрезвев, он в ужасе начал каяться в содеянном. Так что Юра тут ни при чем, хотя все получилось на редкость для него удачно.

А Рита, сестра Гали?

Володя развел руками:

— Знаешь, сколько жертв фальшивой водки привозят в Склиф. Далеко не всем успевают помочь даже в стационаре. А Маргарита просто напилась суррогата до одури и мирно отправилась на тот свет, можно сказать, сама себя убила.

Я тупо молчала, глядя на радостно ухмыляющегося майора. Наконец мой язык отлип от неба и произнес:

— А Раиса Андреевна?..

— О! — пробормотал Володя. — Знаешь, Грызлову удивительно везло, вот и думай после этого, как господь относится к негодяям.

Раиса Андреевна единственный человек, которого Юра на самом деле боялся. С Галей он практически не встречался, та рано убежала из дома и скорей всего не узнала бы младшего брата. Рита тоже не слишком часто общалась со Степаном, он приходил в гости к настоящим родителям от силы два-три раза в год. Но вот Раиса Андреевна!.. От нее следовало избавиться всенепременно, и Юра поехал по знакомому адресу. Правда, сначала позвонил и прикинулся отцом будущей ученицы, получил приглашение и поехал в квартиру, много лет бывшую его родным домом.

Время для визита он специально выбрал позднее, на лестнице горела тусклая лампочка, шляпу он надвинул на лицо...

Раиса Андреевна впустила сына, пригласила его пройти в гостиную. Юра вошел в до боли знакомую комнату, приемная мать подняла глаза и недоуменно посмотрела на возмужавшего, но тем не менее отлично узнаваемого Степана.

— Степа, — пробормотала она и упала на стул, — ты жив!

В кармане Юры ждали своего часа великолепные таблетки, сделанные израильтянами. В малой дозе — они отличное сердечное лекарство, в большой — смертельно опасны. Он намеревался подбросить их воспитавшей его женщине в чай или воду. Но у Раисы Андреевны была гипертоническая болезнь, и с ней от невероятного волнения случился удар. Грызлов понял, что мать вот-вот скончается, отнес ее на кровать и преспокойненько ушел, радуясь, что события приняли такой оборот. Раиса Андреевна и впрямь не дожила до утра и ничего никому уже не рассказала.

— Она только написала странное слово, почему-то по-английски — ghos.

— Да, — согласился Володя, — соседка рассказала нам то же самое. Пришлось взять словарь, и знаешь, что вышло?

— Что?

— Оказалось, что слова ghos нет, но есть ghostly — привидение или призрачный. Бедная учительница пыталась, как могла, сообщить, что к ней приходил фантом, призрак, давно умерший человек.

И как только я не догадалась посмотреть в словарь!

— Но почему она писала по-английски? — осведомилась Лиза.

Костин вздохнул:

— Инсульт — загадочная болячка, может, бедняжка просто забыла, как будет нужное слово по-русски, а по-английски припомнила. Знавшие ее люди отмечают, что Раиса Андреевна великолепно владела этим языком, вот в минуту болезни в памяти и всплыл нужный термин.

— Но когда Юра уходил, — сказала я, — соседка подглядывала у «глазка». Она припомнила, как мужчина буркнул: «До свидания, Раиса Андреевна». А учительница якобы ответила!

— Нет, — возразил майор. — Дело было не так. Грызлов, уходя, для отвода глаз громко произнес слова прощания. Но Раиса Андреевна лежала на кровати и не могла ответить. Соседка просто домыслила ситуацию, как иногда бывает со свидетелями.

— Почему Юра сразу не убил меня? — тихо спросила я. — Он знал, что я ищу Степана Разина, даже меня дразнил, называя себя Емельяном Пугачевым.

— Ты была ему нужна, — коротко бросил майор.

— Хочешь сказать, он полюбил меня и поэтому пожалел?

Володя стукнул кулаком по столу.

— Дура! Имей в виду, этот субъект никогда и никого не любил. Это чувство ему незнакомо. Ты была ему просто временно необходима.

— Зачем?

— Ну, он пребывал в абсолютной уверенности, что Лену осудят за убийство, и хотел украсть романы Кондрата.

— Да почему? Он ведь и сам умел писать!

— Во-первых, не так хорошо и увлекательно, во-вторых, Грызлов просто хотел нажиться на чужом труде, а в-третьих, ему очень импонировала мысль о том, что покойный Разумов станет невольным «спонсором» живого Грызлова. Юра-то успел оттащить ему восемьдесят тысяч долларов и хотел вернуть утраченное. С твоей помощью он думал выудить романы из компьютера и забрать их себе. Ему обязательно требовалась ты, ну как он мог войти в квартиру? Взломать замок? Так квартира Разумова подключена на пульт, сразу бы приехал патруль. Нет, ему следовало привлечь тебя.

— Но он же влез один раз без меня в компьютер, симулировав сердечный приступ?

— Правильно, но не мог же он каждый раз изображать смертельно больного и отсылать тебя в аптеку, тем более что за десять минут ему было не справиться. Это не секундное уничтожение информации. Рукописи Кондрат хранил в разных файлах и в разной степени готовности, требовалось время, чтобы разобраться в чужом компьютере. Вот Грызлов и стал соблазнять тебя гонорарами и известностью. Понимаешь теперь, что, как только он обрел бы дискеты, ты моментально бы получила билет в одну сторону.

— Куда?

— На тот свет, дорогуша.

— Но я ему отказала, сказав, что хозяйка романов — Лена.

— И подписала себе смертный приговор. Грызлов обратился к Андрею.

— Почему именно к нему?

— Посчитал, что парень, тесно связанный с криминальным миром, не откажется заработать на ерунде, подумаешь, бабу задавить. Себе он на этот день приготовил безукоризненное алиби и вообще проявил крайнюю осторожность. Сначала договорился с Андреем по телефону, а потом встретился с ним в гриме. Нацепил парик блондина, очки, усы наклеил, бороду... Договаривались они в парке, чуть ли не у Кольцевой дороги.

— А как же Андрей узнал, что это Юра?

— Ишь, баснописец, — фыркнул наш сосед, — да я как по телефону услыхал, что о вас речь идет, Лампа Андреевна, тут же братанам свистнул, и они этому убийце-крысятнику на хвост сели, вот мандавошка гнидистая! Прямо до дома довели, уржаться можно. Этот козел долбаный, только со мной поговорил, капусту отслюнил, в тачку сел и рванул. А мои уж на выезде ждут. Так этот урод позорный и бороду, и усы отцепил, кретин!

— Андрей, говори нормально, — машинально поправила я и возмутилась: — Так ты еще и деньги у Грызлова взял?

— Конечно, — захохотал страшно довольный Андрюшка. — Авансик за вашу смерть!

— Ничего смешного тут нет, — вскипела я. — Немедленно верни все.

— Ага, — хихикнул он, — я эти баксы в фонд помощи ментам перечислю.

Я с сомнением посмотрела в его сторону: что-то не верится.

— Ты бы ему спасибо сказала, — укорил майор.

— Спасибо, что не задавил меня! — выпалила я.

— Вас, Евлампия Андреевна, я никогда бы тронуть не смог, — ответил Андрюша, — и вообще, я не по мокрому делу, на мне крови нет, дядя Володя проверял.

— Почему же ты меня полюбил? — удивилась я. — Вроде я без конца замечания делаю и вообще за убийцу тебя считала.

— За куриный супчик, — серьезно ответил парень.

— За что?

— Помните, я свинкой заболел?

— Ну?

— А вы мне суп-лапшу сварили из курочки, морковь кружочками, лук и вермишель звездочками, мама иногда, когда не пила, такой делала, вкусный очень, — тихо пояснил Андрей.

Я растерянно заморгала. Куриный супчик... Ну кто бы мог подумать!

— Все, — сообщил Володя, — еще вопросы будут?

— Как вы до всего докопались? — поинтересовалась я.

— Нет ничего тайного, что не стало бы явным, — серьезным тоном провозгласил майор, — не к чему тебе заглядывать на нашу милицейскую кухню. Грызлова заподозрили давно, как только Лена призналась, что он ее любовник. Кстати, столь нелюбимый тобой Митрофанов проделал гигантскую работу.

Я фыркнула и демонстративно закурила. Человек, нагло выгнавший меня на улицу, не может рассчитывать на добрые чувства с моей стороны. Никогда!

ЭПИЛОГ

«Загон с гиенами» упал на лотки и прилавки книжных магазинов в конце апреля. Хитрый Миша Галин моментально понял, как можно использовать ситуацию с арестом Грызлова, и быстренько распространил среди журналистов информацию о том, что в книге описаны подлинные события, а главный герой на данном этапе ждет суда. Шум поднялся невероятный, несколько недель все средства массовой информации, в особенности бульварные газеты, кричали о «Загоне». Ситуацию обострило еще то, что Лена наотрез отказалась давать интервью, а следователи хранили упорное молчание. Тут даже респектабельный «Коммерсантъ» не выдержал и отправил к Митрофанову репортера. Но майор только подлил масла в огонь, ляпнув на вопрос: «Правдивы ли слухи о документальности романа?»

— Не могу ответить «нет».

Правда, через секунду он спохватился и добавил:

— И не могу сказать «да».

Но корреспондент умышленно опустил в статье вторую часть ответа, и вновь поднялся шум. В итоге издательство, спешно допечатавшее тираж «Загона», осталось крайне довольно.

Прошло полгода. Лену давно выпустили, она продала квартиру Кондрата и исчезла в неизвестном направлении. Может, уехала на Кипр. Однако вчера на лотках я увидела новую книгу со знакомым названием «Яблоко на елке», так именовался один из неопубликованных романов Кондрата. На титульном листе стояло имя автора — Мария Крол, а на задней обложке была помещена фотография... Лены. Значит, она все же в Москве и решила стать «писательницей». Честно говоря, мне захотелось найти ее и потребовать Лизину долю. Но Андрюшка остановил мой порыв:

— Нехай подавится, нам с сеструхой эти деньги не нужны.

Андрей по-прежнему владеет авторемонтным бизнесом. Свою квартиру он тоже продал, купил другую, говорит, слишком неприятные воспоминания связаны со старой.

Я вернулась в наши с Катей хоромы, Лиза живет пока со мной, ей на днях выдали паспорт, и никто из официальных представителей властей не поинтересовался, что случилось с девочкой, но нам это только на руку. Андрюша хотел забрать сестру к себе, но я не разрешила. Лиза пока еще маленькая, и за ней нужен присмотр. Скоро из Америки вернутся Катя, Сережка, Юлечка и Кирюшка, приедут и наши животные. Надеюсь, они благосклонно отнесутся к Пингве и Рамику. Что же касается Лизы, то Катя всегда мечтала иметь в придачу к сыновьям еще и дочь.

Грызлов сидит в тюрьме «Матросская тишина» и ждет суда; говорят, приговор будет суровым.

Слава Самоненко выздоровел и вновь работает.

Между прочим, Митрофанов оказался не таким уж и противным, и мы иногда вместе пьем чай у Володи Костина дома.

Я нашла себе место работы, но об этом как-нибудь в другой раз.

Кстати, Рамик не превратился ни в мастино-неаполитано, ни в филу-бразильеро. Это просто средней высоты, весьма тучный пес, страстный любитель разной еды, мы теплыми вечерами гуляем с ним по улицам.

Вот и сегодня Лиза и Андрей с шумом и смехом бросили Рамику резиновый мячик. Внезапно игрушка выкатилась на дорогу, девочка, парень и собака бросились наперегонки за ней. И тут раздался визг. От ужаса я чуть не потеряла сознание. Прямо из-за угла на них летела огромная, угрожающе-черная машина.

— Стой, придурок, козел долбаный, урод позорный, грабками вправо руль поворачивай, куда буркалы выпятил, — заорала я изо всей мочи.

Словно услыхав мой вопль, автомобиль резко вильнул и исчез за поворотом. Я в изнеможении прислонилась к стене.

Андрей, Лиза и Рамик уставились на меня во все глаза. Первой отмерла девочка:

— Ага, а нам так говорить ты не разрешаешь!

— Здорово вы по-свойски кумекаете, с понятием! — восхитился Андрей.

Я растерянно молчала. Сама не понимаю, как такое вышло, слова просто сами вылетели изо рта.

— Не тушуйтесь, Ева Андреевна, — засмеялся Андрей, — пойдемте чай пить.

Я содрогнулась:

— Как ты назвал меня?

— Ева, — обрадованно подхватила Лиза, — правда, здоровское мы тебе новое имя нашли! И как только никто не додумался.

Как же, был один субъект.

— Никогда, слышите, никогда не смейте так меня называть, — с расстановкой сказала я, — меня вполне устраивает быть Лампой.

— Только не электрической, — хихикнул Андрей, ловя Рамика.

Да, не керосиновой, не газовой, а просто Лампой, чудесное имя, на мой взгляд.

Донцова Д. А.

Д 67   Гадюка в сиропе: Роман. — М.: Изд-во Эксмо, 2004. — 320 с. (Серия «Иронический детектив»).

ISBN 5-04-088295-5

Везет же мне на приключения! Я — Евлампия Романова, неудавшаяся арфистка, осталась на целый год одна. Все мои близкие уехали на год в США. Чтобы не сойти с ума от безделья, я нанялась экономкой в семью маститого писателя детективных романов Кондрата Разумова. Буквально через неделю его застрелил собственный сынишка, играя с папой в войну. А вскоре арестовали жену Кондрата Лену по подозрению в организации убийства. В вину Лены я не верила. И моя жизнь снова превратилась в самый настоящий детектив...

УДК 882
ББК 84(2Рос-Рус)6-4

Оформление серии художника *В. Щербакова*

Литературно-художественное издание
Донцова Дарья Аркадьевна
ГАДЮКА В СИРОПЕ

Ответственный редактор *О. Рубис*
Редактор *Т. Семенова*
Художественный редактор *В. Щербаков*
Художник *А. Дубовик*
Компьютерная графика *И. Дякина*
Технический редактор *О. Куликова*
Компьютерная верстка *Д. Глазков*
Корректор *Г. Титова*

ООО «Издательство «Эксмо»
127299, Москва, ул. Клары Цеткин, д. 18, корп. 5.
Тел.: 411-68-86, 956-39-21. **Интернет/Home page — www.eksmo.ru**
Электронная почта (E-mail) — info@ eksmo.ru

Подписано в печать с готовых монтажей 23.01.2004.
Формат 70×90 ¹/₃₂. Гарнитура «Таймс».
Печать офсетная. Усл. печ. л. 11,7.
Доп. тираж VI 40 100 экз. Заказ № 6327

Отпечатано в полном соответствии
с качеством предоставленных диапозитивов
в ОАО «Можайский полиграфический комбинат».
143200, г. Можайск, ул. Мира, 93.